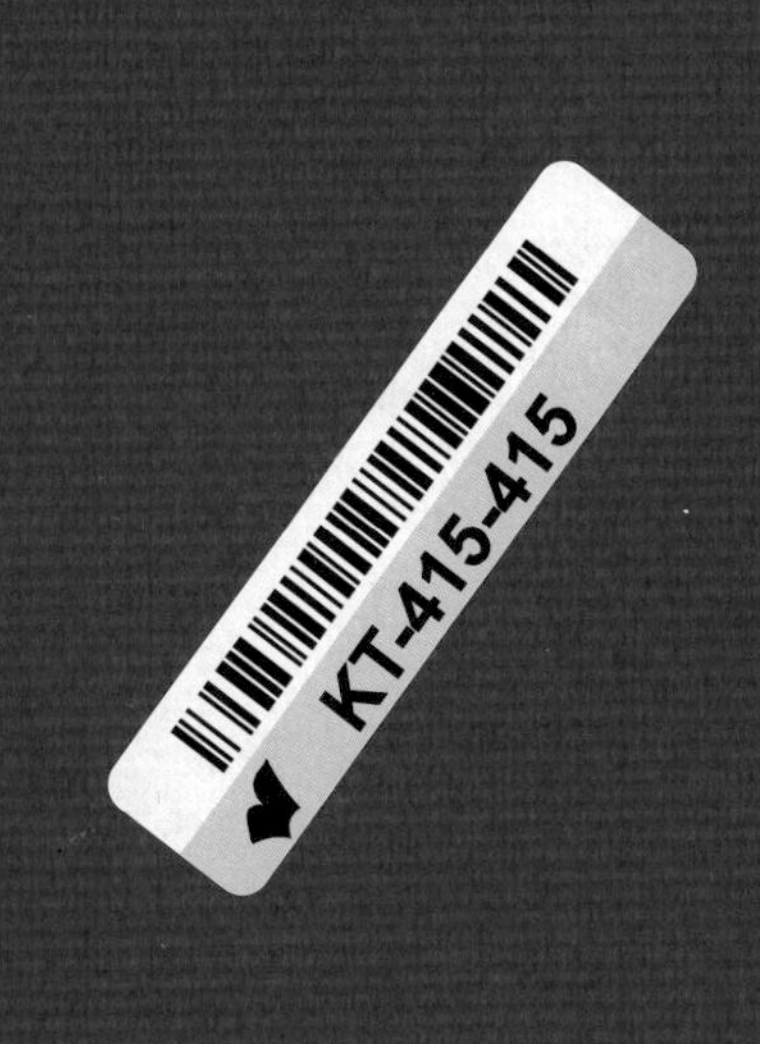
KT-415-415

Jap

騎士団長殺し

第１部
顕れるイデア編

村上春樹

新潮社

騎士団長殺し

第1部
顕れるイデア編

目次

装画　チカツタケオ
装幀　髙橋千裕

騎士団長殺し

第1部
顕（あらわ）れるイデア編

プロローグ

今日、短い午睡(ごすい)から目覚めたとき、〈顔のない男〉が私の前にいた。私の眠っていたソファの向かいにある椅子に彼は腰掛け、顔を持たない一対の架空の目で、私をまっすぐ見つめていた。

男は背が高く、前に見たときと同じかっこうをしていた。広いつばのついた黒い帽子をかぶって顔のない顔を半分隠し、やはり暗い色合いの丈の長いコートを着ていた。

「肖像を描いてもらいにきたのだ」、顔のない男は私がしっかり目覚めたのを確かめてからそう言った。彼の声は低く、抑揚と潤(うるお)いを欠いていた。「おまえはそのことをわたしに約束した。覚えているかね?」

「覚えています。でもそのときは紙がどこにもなかったから、あなたを描くことはできませんでした」と私は言った。私の声も同じように抑揚と潤いを欠いていた。「そのかわり代価として、あなたにペンギンのお守りを渡しました」

「ああ、それを今ここに持ってきたよ」

彼はそう言って右手をまっすぐ前に差し出した。彼はとても長い手を持っていた。手の中にはプラスチックのペンギンの人形が握られていた。お守りとして携帯電話にストラップでつけられていたものだ。彼はそれをガラスのコーヒー・テーブルの上に落とした。ことんという小さな音がした。

「これは返そう。おまえはおそらくこれを必要としているだろう。この小さなペンギンがお守りとなって、まわりの大事な人々をまもってくれるはずだ。ただしそのかわりに、おまえにわたしの肖像を描いてもらいたい」

私は戸惑った。「しかし、急にそう言われても、ぼくはまだ顔を持たない人の肖像というものを描いたことがありません」

私の喉はからからに渇いていた。

「おまえは優れた肖像画家だと聞いている。そしてまたなにごとにも最初というものはある」と顔のない男は言った。そう言ってから笑った。おそらく笑ったのだと思う。その笑い声らしきものは、洞窟のずっと奥から聞こえてくる、虚(うつ)ろな風音に似ていた。

彼は半分顔を隠していた黒い帽子をとった。顔があるべきところには顔がなく、そこには乳白色の霧がゆっくり渦巻いていた。

私は立ち上がり、仕事場からスケッチブックと柔らかい鉛筆をとってきた。そしてソファに腰掛けて、顔のない男の肖像を描こうとした。でもどこから始めればいいのか、どこに発端を見つければいいのか、それがわからなかった。なにしろそこにあるのはただの無なのだ。何もないものをいったいどのように造形すればいいのだろう？　そして無を包んだ乳白色の霧は、そのかたちを休みなく変え続けていた。

「急いだ方がいい」と顔のない男は言った。「わたしはそれほど長くこの場所に留まることはできない」

胸の中で心臓が乾いた音を立てていた。時間はあまりない。急がなくてはならない。しかし鉛筆を握った私の指は宙にとどまったまま、どうしても動こうとはしなかった。まるで手首から先が痺れてしまったように。彼が言ったように、私にはまもらなくてはならない何人かの人たちがいる。そして私にできることといえば、絵を描くことだけだった。それなのにどうしてもその〈顔のない男〉の顔を描くことができなかった。私はなすすべもなく、そこにある霧の動きをにらんでいた。「悪いが、もう時間が切れた」と顔のない男は少し後で言った。そして顔のない口から白い川霧の息を大きく吐いた。

「待ってください。あと少しすれば――」

男は黒い帽子をかぶり直し、また顔を半分隠した。「いつか再び、おまえのもとを訪れよう。そのときにはおまえにも、わたしの姿を描けるようになっているかもしれない。そのときが来るまで、このペンギンのお守りは預かっておこう」

そして顔のない男は姿を消した。靄（もや）が突然の疾風に吹き払われるように、一瞬にして空中に消えた。あとには無人の椅子とガラスのテーブルだけが残った。ガラスのテーブルの上にはペンギンのお守りは残されていなかった。

それはただの短い夢のように思えた。しかしそれが夢でないことは私にはよくわかっていた。もしそれが夢であるのなら、私の生きているこの世界そのものがそっくり夢になってしまうはずだ。

いつかは無の肖像を描くことができるようになるかもしれない。ある一人の画家が『騎士団長殺し』という絵を描きあげることができたように。しかしそれまでに私は時間を必要としている。私は時間を味方につけなくてはならない。

1 もし表面が曇っているようであれば

その年の五月から翌年の初めにかけて、私は狭い谷間の入り口近くの山の上に住んでいた。夏には谷の奥の方でひっきりなしに雨が降ったが、谷の外側はだいたい晴れていた。海から南西の風が吹いてくるせいだ。その風が運んできた湿った雲が谷間に入って、山の斜面を上がっていくときに雨を降らせるのだ。家はちょうどその境界線あたりに建っていたので、家の表側は晴れているのに、裏庭では強い雨が降っているということもしばしばあった。最初のうちはずいぶん不思議な気がしたが、やがて慣れてむしろ当たり前のことになってしまった。

まわりの山には低く切れ切れに雲がかかった。風が吹くとそんな雲の切れ端が、過去から迷い込んできた魂のように、失われた記憶を求めてふらふらと山肌を漂った。細かい雪のように見える真っ白な雨が、音もなく風に舞うこともあった。だいたいいつも風が吹いているせいで、エアコンがなくてもほぼ快適に夏を過ごすことができた。

家は小さくて古かったが、庭はずいぶん広かった。放っておくと庭には緑の雑草が高く繁り、そこに隠れるように猫の一家が住み着いたが、庭師がやってきて草を刈ると、どこかに移動していった。たぶん居心地が悪かったのだろう。三匹の子供たちを抱えた縞柄の雌猫だった。きつい顔をして、生きていくのがやっとというように痩せていた。

家は山のてっぺんに建っており、南西向きのテラスに出ると、雑木林の間に海が少しばかり見えた。見えるのは洗面器に張った水くらいのサイズの海だ。巨大な太平洋のちっぽけなかけらだ。知り合いの不動産業者によれば、たとえそれくらいの大きさでも海が見えるのと見えないのとでは、土地の価値がかなり違ってくるということだったが、私としては海が見えても見えなくてもどうでもよかった。遠くから見るとその海の断片は、くすんだ色合いの鉛の塊みたいにしか見えなかった。なぜそれほど人々が海を見たがるのか、私には理解できなかった。私はむしろまわりの山の様子を眺めている方が好きだった。谷間の向かい側に見える山は季節によって、天候によって、生き生きと表情を変えていく。その日々の変化を心にとめるだけで飽きなかった。

その当時、私と妻は結婚生活をいったん解消しており、正式な離婚届に署名捺印もしたのだが、そのあといろいろあって、結局もう一度結婚生活をやり直すことになった。

どのような意味合いにおいてもわかりやすくないし、原因と結果との結びつきが当事者にさえうまく把握できないその経緯をあえてひとことで表現するなら、「元の鞘に収まった」というあまりにありきたりの表現に行き着くわけだが、その二度の結婚生活（言うなれば前期と後期）のあいだには、九ヶ月あまりの歳月が、まるで切り立った地峡に掘られた運河のように、ぽっかりと深く口を開けている。

九ヶ月あまり——それが別離の期間として長かったのか、それとも短かったのか、自分ではうまく判断できない。あとになって振り返ると、それは永遠に近い時間だったようにも思えるし、逆に意外にあっという間に過ぎてしまったようにも思える。印象は日によって変わる。よく写真に写された物体のわきに、実寸をわかりやすくするために煙草の箱が置いてあったりするが、私の記憶の映像のわきに置かれた煙草の箱は、そのときの気分次第で好き勝手に伸び縮みするみたいだ。私の記憶の枠の内側ではどうやら、事物や事象が休みなく動き変化しているのと同じように、あるいはそれに対抗するかのように、一定不変であるべき物差しもまた動き変化しているらしい。

といっても、すべての私の記憶がそのように出鱈目に移動し、勝手に伸び縮みしているわけではない。私の人生は基本的には、穏やかで整合的でおおむね理屈の通ったものとして機能してきた。ただこの九ヶ月ほどに限っていえば、それはどうにも説明のつかない混乱状態に陥っていたということだ。その期間は私にとってあらゆる意味合いにおいて例外的な、普通ではない期間だった。そこでの私は、静かな海の真ん中を泳いでいる最中に、出し抜けに正体不明の大渦に巻き込まれた泳ぎ手のようなものだった。

この時期のできごとを思い返すとき（そう、私は今から何年か前に起こった一連の出来事の記憶を辿（たど）りながら、この文章を書き記している）、ものごとの軽重や遠近や繋がり具合が往々にして揺らぎ、不確かなものになってしまうのも、またほんの少し目を離した隙に論理の順序が素早く入れ替わってしまうのも、おそらくはそのせいだ。それでも私は全力を尽くし、能力の許す限り系統的に論理的に話を進めたいと考えている。あるいは所詮（しょせん）は無駄な試みなのかもしれないが、自分なりにこしらえた仮設的な物差しに懸命にしがみついていたいと私は思う。無力な泳ぎ手がたまたま流れてきた木ぎれにしがみつくみたいに。

その家に越して最初にやったのは、安価な中古車を手に入れることだった。それまで乗っていた車は、少し前に乗りつぶして廃車処分にしていたので、新たに車を購入する必要があった。地方都市では、とりわけ山の上に一人で住んでいるような場合には、日々の買い物をするのに車は必需品になる。小田原市郊外のトヨタの中古車センターに行って、格安のカローラ・ワゴンを見つけた。セールスマンはパウダーブルーと言ったが、病気をしてやつれた人の顔のような色合いの車だった。走行距離はまだ三万六千キロだが、過去に事故歴があるということで大幅な値引きがあった。試乗してみたが、ブレーキとタイヤには問題はなさそうだった。高速道路を頻繁に利用することもないだろうから、それでじゅうぶんだった。

家を貸してくれたのは、雨田政彦。彼とは美大でクラスが同じだった。私より二歳年上だが、私にとって数少ない気が合う友人の一人であり、大学を出てからもときどき顔を合わせていた。彼は卒業後は画作をあきらめて広告代理店に就職し、グラフィック・デザインの仕事をしていた。私が妻と別れて一人で家を出て、とりあえず行き場がないことを知り、父親の持ち家が空いているんだが、留守番みたいなかたちで住んでみないかと声をかけてくれたのだ。彼の父親は雨田具彦という高名な日本画家で、小田原郊外の山中にアトリエを兼ねた家を持ち、夫人を亡くしてから十年ばかり、そこで気楽な一人暮らしを続けていた。しかし最近になって認知症が進行していることが判明し、伊豆高原にある高級養護施設に入ることになり、その家は数ヶ月前から空き家になっていた。

「なにしろ山のてっぺんにぽつんと建っていて、便利な場所とはとても言えないけど、静かなことにかけては百パーセント保証するよ。絵を描くにはまさに理想的な環境だ。気を散らすようなものもまったくないし」と雨田は言った。

家賃はほとんど名目だけのものだった。

「誰も住んでいないと家が荒れるし、空き巣や火事のことも心配だしな。誰かが定住してくれているだけで、こちらも安心できるんだ。でもまったくただというのでは、おまえも気分的に落ち着かないだろう。そのかわりこちらの都合で、短い通告で出てもらうことになるかもしれない」

私に異存はなかった。もともと小型車の荷台に積み込める程度の荷物しか所有していない。引っ越してくれといわれれば、翌日にでも引っ越せる。

私がその家にやってきたのは五月の連休明けだった。家はコテージと呼べそうなこぢんまりとした洋風の平屋建てだったが、一人暮らしには十分な広さがあった。小高い山の上にあり、まわりを雑木林に囲まれていて、正確にどこまでが敷地なのか、雨田もよく知らなかった。庭には大きな松の木が生えていて、太い枝を四方に伸ばしていた。ところどころに庭石が置かれ、灯籠（とうろう）の脇には立派な芭蕉（ばしょう）の木が生えていた。

雨田が言ったように、静かなことは間違いなく静かだった。しかし今から振り返ってみれば、気を散らすものがまったくなかったとはとても言えない。

妻と別れてその谷間に住んでいる八ヶ月ほどのあいだに、私は二人の女性と肉体の関係を持った。どちらも人妻だった。一人は年下で一人は年上だった。どちらも私が教えていた絵画教室の生徒だった。

　私は機会をつかまえて、彼女たちに声をかけて誘い（普通の状況であればまずやらないことだ。私は人見知りをする性格で、そういうことにもともと馴れていない）、彼女たちはその誘いをことわらなかった。なぜかはわからないが、そのときの私には、彼女たちをベッドに誘うことはとても簡単で、理にかなったことのように思えた。自分が教えている相手を性的に誘惑することについて、やましさをほとんど感じなかった。彼女たちと肉体関係を持つことは、道路でたまたますれ違った人に時刻を尋ねるのと同じくらい普通のことのように思えたのだ。


　最初に関係を持ったのは、二十代後半の背の高い、黒目の大きな女性だった。乳房は小さく、腰は細かった。額が広く、髪がまっすぐで美しく、体つきに比べて耳が大きかった。一般的な美人とはいえないかもしれないが、画家ならちょっと絵に描いてみたくなるような、特徴のある興味深い顔立ちをしていた（実際に私は画家であり、実際に何度か彼女をスケッチしてみたことがある）。子供はいない。夫は私立高校の歴史の教師で、家では妻を殴った。学校で暴力を振るうことができず、そのぶんの鬱屈を家で晴らしているようだった。でもさすがに顔は殴らなかった。彼女を裸にすると、身体のあちこちにアザや傷跡があることがわかった。彼女はそれを見られるのを嫌がって、服を脱いで抱き合うときにはいつも部屋の照明を真っ暗にした。

　彼女はセックスにほとんど興味を持っていなかった。いつも性器の湿り気が足りず、挿入しようとすると痛みを訴えた。時間をかけて丁寧に前戯をし、潤滑ゼリーを使っても効果はなかった。痛みは激しく、なかなか収まらなかった。痛みのためにときどき大きな声を上げた。

それでも彼女は私とセックスをしたがった。少なくともそうすることを嫌がらなかった。どうしてだろう？　あるいは彼女は痛みを求めていたのかもしれない。あるいは快感のなさを求めていたのかもしれない。あるいは彼女は何らかのかたちで自分が罰されることを求めていたのかもしれない。人は自らの人生に実にいろんなものを求めるものだから。でも彼女がそこに求めていないものがひとつだけあった。それは親密さだ。

彼女は私の家に来ることを、あるいは私が彼女の家に行くことをいやがったので、我々はいつも私の車で、少し離れた海岸沿いにあるカップル用のホテルまで行って、そこでセックスをした。ファミリー・レストランの広い駐車場で待ち合わせをし、だいたい午後の一時過ぎにホテルに入り、三時前に出てきた。そういうとき彼女はいつも大きなサングラスをかけていた。曇っていても雨が降っていても。でもあるとき彼女は待ち合わせの場所にやってこなかった。教室にも顔を見せなくなった。それが彼女との短い、ほとんど盛り上がりのない情事の終わりだった。彼女と性的な交渉を持ったのは、全部で四回か五回だったと思う。

その次に関係を持ったもう一人の人妻は、幸福な家庭生活を送っていた。少なくともどことって不足のない家庭生活を送っているように見えた。そのとき四十一歳で（だったと記憶している）、私より五歳ほど年上だった。小柄で顔立ちが整っていて、いつも趣味の良い服装をしていた。一日おきにジムに通ってヨガをしているせいで、腹の贅肉もまったくついていなかった。そして赤いミニ・クーパーを運転していた。まだ買ったばかりの新車で、晴れた日には遠くからでもきらきらと光って見えた。娘が二人いて、どちらも湘南にあるお金のかかる私立校に通っていた。彼女自身もその学校を卒業していた。夫はなにかの会社を経営していたが、どんな会社かまでは聞かなかった（もちろんとくに知りたいとも思わなかった）。

彼女がどうして私のあつかましい性的な誘いをあっさりことわらなかったのか、その理由はよくわからない。それが彼女の精神を（言うなれば）素朴な鉄片として引き寄せることになったのかもしれない。あるいはその時期の私は、特殊な磁気のようなものを身に帯びていたのかもしれない。それとも精神とか磁気とかなんてまったく関係なく、彼女はたまたま純粋に肉体的な刺激をよそに求めており、そして私は「たまたま手近にいた男」というだけだったのかもしれない。

いずれにせよそのときの私には、相手の求めているものを、それがたとえ何であれ、ごく当たり前のこととして迷いなく差し出すことができた。最初のうちは彼女も、私とのそのような関係をきわめて自然に享受しているように見えた。肉体的な領域について語るなら（それ以外に語るべき領域はあまりなかったとしても）、私と彼女との関係はきわめて円滑に運んでいた。我々はそのような行為を率直に、混じりけなくこなし、その混じりけのなさはほとんど抽象的なレベルにまで達していた。私は途中でそのことに思い当たって、いささか驚きの念に打たれたものだ。

でもきっと途中で正気に戻ったのだろう。光の鈍い初冬の朝に彼女はうちに電話をかけてきて、まるで文書を読み上げるような声で言った。「もうこの先、私たちは会わないほうがいいと思う。会っていても先はないから」と。あるいはそういう意味のことを。

たしかに彼女の言うとおりだった。我々には実際、先どころか根もとだってほとんどなかった。

美大に通っていた時代、私はおおむね抽象画を描いていた。ひとくちに抽象画といっても範囲はずいぶん広いし、その形式や内容をどのように説明すればいいのか私にもよくわからないが、とにかく「具象的ではないイメージを、束縛なく自由に描いた絵画」だ。展覧会で何度か小さな賞をとったこともある。美術雑誌に掲載されたこともある。私の絵を評価し、励ましてくれる教師や仲間も少しはいた。将来を嘱望（しょくぼう）されるというほどではないにせよ、絵描きとしての才能はまずまずあったと思う。しかし私の描く油絵は、多くの場合大きなキャンバスを必要としたし、大量の絵の具を使用することを要求した。当然ながら制作費も嵩（かさ）む。そしてあえて言うまでもないことだが、無名の画家の号数の大きな抽象画を購入し、自宅の壁に飾ってくれるような奇特な人が出現する可能性はどこまでもゼロに近い。

　もちろん好きな絵を描くだけでは生活していけなかったので、大学を卒業してからは生活の糧（かて）を得るために、注文を受けて肖像画を描くようになった。つまり会社の社長とか、学会の大物とか、議会の議員とか、地方の名士とか、そのような「社会の柱」とでも呼ぶべき人々の姿を（柱の太さに多少の差こそあれ）、あくまで具象的に描くわけだ。そこではリアリスティックで重厚で、落ち着きのある作風が求められる。応接間や社長室の壁にかけておくための、どこまでも実用的な絵画なのだ。つまり私が画家として個人的に目指していたのとはまったく対極に位置する絵画を、仕事として描かなくてはならなかったわけだ。心ならずも、と付け加えても、それは決して芸術家的傲慢（ごうまん）にはならないはずだ。

　肖像画の依頼を専門に引き受ける小さな会社が四谷にあり、美大時代の先生の個人的な紹介で、そこの専属契約画家のようなかたちになった。固定給が支払われるわけではないが、ある程度数をこなせば若い独身の男が一人生き延びていけるくらいの収入にはなった。西武国分寺線沿線の狭いアパートの家賃を支払い、一日にできれば三度食事をとり、ときどき安いワインを買って、たまに女友だちと一緒に映画を観に行く程度のつつましい生活だった。時期を定めて集中して肖像画の仕事をこなし、ある程度の生活費を確保すると、そのあとしばらくは自分の描きたい絵をまとめて描くという暮らしを何年か続けた。もちろん当時の私にとって肖像画を描くのは、とりあえず食いつなぐための方便であり、その仕事をいつまでも続けていくつもりはなかった。

ただ純粋に労働としてみれば、いわゆる肖像画を描くのはけっこう楽な仕事だった。大学時代しばらく引っ越し会社の仕事をしたことがある。コンビニエンス・ストアの店員をしたこともある。それらに比べれば肖像画を描くことの負担は、肉体的にも精神的にもずっと軽いものだった。いったん要領さえ呑み込んでしまえば、あとは同じひとつのプロセスを反復していくだけのことだ。やがて一枚の肖像画を仕上げるのにそれほど長い時間はかからないようになった。オート・パイロットで飛行機を操縦しているのと変わりない。

しかし一年ばかり淡々とその仕事を続けているうちに、私の描く肖像画が思いもよらず高い評価を受けているらしいことがわかってきた。顧客の満足度も申し分ないということだった。肖像画の出来に関して顧客からちょくちょく文句が出るようであれば、当然のことながら仕事はあまりまわってこなくなる。あるいははっきり専属契約を打ち切られてしまう。逆に評判がよければ仕事も増えるし、一点一点の報酬もいくらか上がる。肖像画の世界はそれなりにシリアスな職域なのだ。しかしまだ新人同然だというのに、私のところには次から次へと仕事がまわってきた。報酬もそこそこ上がった。担当者も私の作品の出来に感心してくれた。依頼主の中には「ここには特別なタッチがある」と評価してくれる人もいた。

私の描く肖像画がなぜそのように高く評価されるのか、自分では思い当たる節がなかった。私としてはそれほどの熱意も込めず、与えられた仕事をただ次から次へとこなしていただけなのだ。正直なところ、自分がこれまでどんな人々を描いてきたのか、今となってはただの一人も顔が思い出せない。とはいえ私は仮にも画家を志したものであり、いったん絵筆をとってキャンバスに向かうからには、それがどんな種類の絵であれ、まったく価値のない絵を描くことはできない。そんなことをしたら自分自身の絵心を汚し、自らの志した職業を貶める(おとしめる)ことになる。誇りに思えるような作品にはならないにせよ、そんなものを描いたことを恥ずかしく思うような絵だけは描かないように心がけた。それを職業的倫理と呼ぶこともあるいは可能かもしれない。私としてはただ「そうしないわけにはいかなかった」というだけのことなのだが。

もうひとつ、肖像画を描くにあたって、私は最初から一貫して自分のやり方を貫いた。まずだいいちに、私は実物の人間をモデルにして絵を描くということをしなかった。依頼を受けると、最初にクライアント(肖像画に描かれる人物だ)と面談することにしていた。一時間ばかり時間をとってもらい、二人きりで差し向かいで話をする。ただ話をするだけだ。デッサンみたいなこともしない。私がいろんな質問をし、相手がそれに答える。いつどこでどんな家庭に生まれ、どんな少年時代を送り、どんな学校に行って、どんな仕事に就き、どんな家庭を持ち、どのようにして現在の地位にまでたどり着いたか、そういう話を聴く。日々の生活や趣味についても話をする。だいたいの人は進んで自分について語ってくれる。それもかなり熱心に(たぶんほかの誰もそんな話を聞きたがらないからだろう)。一時間の約束の面談が二時間になり、三時間になることもあった。そのあと本人の写った写真を五、六枚借りる。普段の生活の中で自然に撮影された、普通のスナップ写真だ。それから場合によっては（いつもではない）自分の小型カメラを使って、いくつかの角度から何枚か顔の写真を撮らせてもらう。それだけでいい。

「ポーズをとって、じっと座っている必要はないのですか？」と多くの人は心配そうに私に尋ねる。彼らは誰しも肖像画を描かれると決まった時点から、そういう目に遭わされることを覚悟していたのだ。画家が――まさか今どきベレー帽まではかぶっていないだろうが――むずかしい顔つきで絵筆を手にキャンバスに向かい、その前でモデルがじっとかしこまっている。身動きしてはならない。そういう映画なんかでお馴染みの情景を想像していたわけだ。

「あなたはそういうことをなさりたいのですか？」と私は逆に質問する。「絵のモデルになるのは、馴れない方にはかなりの重労働になります。長い時間ひとつの姿勢を保たなくてはならないから、退屈もしますし、けっこう肩だって凝ります。もしそれがお望みであるのなら、もちろんそうさせていただきますが」

当たり前の話だが、九十九パーセントのクライアントはそんなことをしたいとは望んではいない。彼らはほとんどみんな働き盛りの多忙な人たちだ。あるいは引退した高齢の人々だ。できることならそんな無意味な苦行は抜きにしたい。

「こうしてお会いしてお話をうかがうだけでもう十分です」と私は言って相手を安心させた。「生身のモデルになっていただいても、いただかなくても、作品の出来映えにはまったく変わりありません。もしご不満があれば、責任を持って描き直させていただきます」

それから二週間ほどで肖像画は仕上がる（絵の具が乾ききるまでに数ヶ月はかかるが）。私が必要とするのは目の前の本人よりは、その鮮やかな記憶だった（本人の存在はむしろ画作の邪魔になることさえあった）。立体的なたたずまいとしての記憶だ。それをそのまま画面に移行していくだけでよかった。どうやら私にはそのような視覚的記憶能力が生まれつきかなり豊かに具（そな）わっていたようだ。そしてその能力――特殊技能と言ってしまっていいかもしれない――が職業的肖像画家としての私にとってずいぶん有効な武器になった。

そのような作業の中でひとつ大事なのは、私がクライアントに対して少しなりとも親愛の情を持つということだった。だから私は一時間ほどの最初の面談の中で、自分が共感を抱けそうな要素を、クライアントの中にひとつでも多く見いだすように努めた。もちろん中にはとてもそんなものを抱けそうにない人物もいる。これからずっと個人的につきあえと言われたら、尻込みしたくなる相手だっている。しかし限定された場所で一時的な関わりを持つだけの「訪問客」としてなら、クライアントの中に愛すべき資質をひとつかふたつ見いだすのは、さして困難なことではない。ずっと奥の方までのぞき込めば、どんな人間の中にも必ず何かしらきらりと光るものはある。それをうまく見つけて、もし表面が曇っているようであれば（曇っている場合の方が多いかもしれない）、布で磨いて曇りをとる。なぜならそういった気持ちは作品に自然に滲（にじ）み出てくるからだ。

そのようにして私はいつの間にか、肖像画を専門とする画家になっていた。その特殊な狭い世界ではいくらか名前を知られるようにもなった。私は結婚するのを機に、その四谷の会社との専属契約を打ち切って独立し、絵画ビジネスを専門とするエージェンシーを介し、より有利な条件で肖像画の依頼を引き受けるようになった。担当者は私より十歳ほど上で、有能で意欲的な人物だった。独立して、もっと大事に仕事をするようにと彼が私に勧めてくれたのだ。以来、私は多くの人の肖像画を描き（多くは財界と政界の人々だった。その分野では著名人だということだが、私はほとんど誰の名前も知らなかった）、悪くない収入を得るようになった。しかしその分野における「大家」になったというわけではない。肖像画の世界はいわゆる「芸術絵画」の世界とは成り立ちがまるで違う。写真家の世界とも違う。ポートレイト専門の写真家が世間的な評価を受け、名前を知られることは少なからずあるが、肖像画家にはそんなことは起こらない。描いた作品が外の世界に出ていくこともきわめて希だ。美術雑誌に載ることもなければ、画廊に飾られることもない。どこかの応接間の壁にかけられ、あとはただほこりをかぶって忘れられていくだけだ。その絵をたまたまじっくり眺める人がいたとしても（おそらくは暇を持て余して）、画家の名前を尋ねるようなことはまずあるまい。

ときどき自分が、絵画界における高級娼婦のように思えることがあった。私は技術を駆使して、可能な限り良心的に、定められたプロセスを抜かりなくこなす。そして顧客を満足させることができる。私にはそういう才能が具わっている。高度にプロフェッショナルではあるが、かといって機械的に手順をこなしているだけではない。それなりに気持ちは込めている。料金は決して安くはないが、顧客たちは文句ひとつ言わずそれを支払う。私が相手にするのはそもそも、支払い額など気にもしない人々だから。そして私の手腕は口コミで人から人へと伝わる。おかげで顧客の来訪は絶えない。予約帳はいつも埋まっている。しかし私自身の側には欲望というものが見当たらない。ただのひとかけらも。

自ら望んでそのようなタイプの画家になったわけではないし、そのようなタイプの人間になったわけでもない。私はただ様々な事情に流されるままに、いつの間にか自分のための絵画を描くことをやめてしまった。結婚して、生活の安定を考慮しなくてはならなかったことが、そのひとつのきっかけになったわけだが、それればかりではない。実際にはその前から既に私は「自分のための絵画」を描くことに、それほど強い意欲を抱けなくなってしまっていたのだと思う。私は結婚生活をその口実にしていただけかもしれない。私はもう若者とは言えない年齢になっていたし、何かが——胸の中に燃えていた炎のようなものが——私の中から失われつつあるようだった。その熱で身体を温める感触を私は次第に忘れつつあった。

そんな自分自身に対して、どこかで私は見切りをつけるべきだったのだろう。何かしらの手を打つべきだったのだろう。しかし私はそれを先送りにし続けていた。そして私より先に見切りをつけたのは妻の方だった。私はそのとき三十六歳になっていた。

2 みんな月に行ってしまうかもしれない

「とても悪いと思うけど、あなたと一緒に暮らすことはこれ以上できそうにない」、妻は静かな声でそう切り出した。そしてそのまま長いあいだ押し黙っていた。

それはまったく出し抜けの、予想もしなかった通告だった。急にそんなことを言われて、口にするべき言葉をみつけられないまま、私は話の続きを待った。それほど明るい続きがあるとも思えなかったが、次の言葉を待つ以外にそのときの私にできることはなかった。

我々は台所のテーブルを挟（はさ）んで座っていた。三月半ばの日曜日の午後だった。翌月の半ばに我々は六回目の結婚記念日を迎えることになっていた。その日は朝からずっと冷たい雨が降っていた。彼女のその通告を受けて私がまず最初にとった行為は、窓に顔を向けて、雨の降り具合を確認することだった。ひっそりとした穏やかな雨だ。風もほとんどない。それでもじわりと肌に凍（し）みる寒さを運んでくる雨だった。春はまだまだ遠くにあることをその寒さは教えてくれた。雨降りの奥にはオレンジ色の東京タワーが霞（かす）んで見えた。空には一羽の鳥も飛んでいない。鳥たちはどこかの軒下でおとなしく雨宿りをしているのだろう。

「理由は訊かないでくれる？」と彼女は言った。

私は小さく首を横に振った。イエスでもノーでもない。何をどう言えばいいのか、考えがまるで思い浮かばなかったから、ただ反射的に首を振っただけだ。

彼女は襟(えり)ぐりの広い、藤色の薄手のセーターを着ていた。白いキャミソールの柔らかいストラップが、浮き上がった鎖骨の隣にのぞいていた。それは特別な料理に用いる、特別な種類のパスタみたいに見えた。

「ひとつ質問があるんだけど」、私はそのストラップを見るともなく見ながらようやくそう言った。私の声はこわばって、明らかに潤いと展望を欠いていた。

「私に答えられることなら」

「それは、ぼくに責任があることなのかな？」

彼女はそれについてひとしきり考えた。それから、長いあいだ水中に潜っていた人のように、水面に顔を出して大きくゆっくりと呼吸をした。

「直接的にはないと思う」

「直接的には
ヽヽヽヽ
ない？」

「ないと思う」

私は彼女の言葉の微妙な音調を測ってみた。卵を手のひらに載せて重さを確かめるみたいに。

「つまり間接的にはある、ということ？」

妻はその質問には答えなかった。

「何日か前に、明け方近くにある夢を見たの」と彼女はそのかわりに言った。「現実と夢との境目がわからないくらい生々しい夢だった。そして目覚めたとき、こう思ったの。というか、はっきり確信したの。もうあなたとは一緒に暮らしていけなくなってしまったんだと」

「どんな夢？」

彼女は首を振った。「悪いけど、その内容はここでは話せない」

「夢というのは個人の持ち物だから？」

「たぶん」

「その夢にはぼくは出てきたの？」と私は尋ねた。

「いいえ、あなたはその夢の中には出てこなかった。だからそういう意味でも、あなたには直接的な責任はないの」

私は彼女の発言を念のために要約した。何を言えばいいのかわからないときに相手の発言を要約するのは、私の昔からの癖みたいになっている（それは言うまでもなく、しばしば相手を苛立たせる）。

「つまり、君は何日か前にとても生々しい夢を見た。そして目が覚めたとき、ぼくとはもうこれ以上一緒に生活できないと確信した。でもその夢の内容をぼくに教えることはできない。夢は個人的なものごとだから。そういうこと？」

彼女は肯（うなず）いた。「ええ、そういうことなの」

「でも、それでは何の説明にもなっていない」

彼女は両手をテーブルの上に置き、目の前のコーヒーカップの内側を見下ろしていた。その中におみくじでも浮かんでいて、そこに書かれた文句を読み取っているみたいに。彼女の目つきからすると、それはかなり象徴的で多義的な文章であるようだ。

夢はいつも妻にとって大きな意味を持っていた。彼女はしばしば見た夢によって行動を決定したり、判断を変更したりした。でもいくら夢を大事にするといっても、生々しい夢をひとつ見ただけで、六年間にわたる結婚生活の重みをまったくのゼロにできるものではない。

「夢はもちろんひとつの引き金に過ぎないの」と彼女は私の心を読んだように言った。「その夢を見ることによって、いろんなことがあらためてはっきりしたというだけ」

「引き金を引けば弾丸は出る」

「どういうこと？」

「銃にとって引き金は大事な要素であって、引き金に過ぎないというのは表現として適切じゃないような気がする」

彼女は何も言わずに私の顔をじっと見ていた。私の言わんとすることがうまく理解できていないようだった。私自身にも実際はうまく理解できていなかったが。

「君はほかの誰かとつきあっているの？」と私は尋ねた。

彼女は肯いた。

「そしてその誰かと寝ている？」

「ええ、すごく申し訳ないと思うんだけど」

誰と、どれくらい前から、とたぶん質問するべきなのだろう。しかし私はそんなことはとくに知りたくなかった。そんなことは考えたくもなかった。だから私はもう一度窓の外に目をやって、雨が降り続く様子を眺めた。どうしてそのことに今まで気がつかなかったんだろう？

妻は言った。「でもそれはいろんなものごとのうちのひとつに過ぎないの」

私は部屋の中を見渡した。長いあいだ見慣れた部屋のはずだったが、そこは私にとって既によそよそしい異郷の風景に変貌していた。

ひとつに過ぎない？

ひとつに過ぎないというのは、いったいどういうことなのだろう、と私は真剣に考えた。彼女は私以外の、誰か他の男とセックスをしている。でもそれはいろんなものごとのうちのひとつに過ぎない。いったい他にどんなことがあるのだろう？

妻は言った。「私が数日のうちによそに行くから、あなたは何もしなくていいのよ。私が責任をとらなくちゃいけないことだから、もちろん私が出て行く」

「ここを出たあとの行き場所はもう決まっているの？」

彼女はそれには答えなかったけれど、行き場所の心づもりはあるようだった。おそらく前もっていろんなことを準備してから、この話を切り出したのだろう。そう考えると、私は暗闇の中で足を踏み外したような強い無力感に襲われた。私が知らないところでものごとは着実に進展していたのだ。

妻は言った。「なるべく早く離婚の手続きを進めるから、できたらそれに応じてほしいの。勝手なことを言うみたいだけど」

私は雨降りを眺めるのをやめて、彼女の顔を見た。そしてあらためて思った。六年間同じ屋根の下で暮らしていても、私はこの女のことをほとんど何も理解していなかったんだと。人が毎晩のように空の月を見上げていても、月のことなんて何ひとつ理解していないのと同じように。

「ひとつだけ君に頼みがあるんだ」と私は切り出した。「その頼みさえ聞いてくれたら、あとは君の好きなようにしていい。離婚届にも黙って判を捺(お)すよ」

「どんな頼み？」

「ぼくがここを出ていく。それも今日のうちに。君にはあとに残ってもらいたい」

「今日のうち？」と彼女は驚いたように言った。

「だって、早いほうがいいんだろう？」

彼女はそれについて少し考えた。そして言った。「もしあなたがそう望むのなら」

「それがぼくの望んでいることだし、それ以外にとくに望みはない」

それは本当に私の正直な気持ちだった。こんな惨めな残骸のような場所に、三月の冷ややかな雨降りの中に一人で残されなくていいのなら、何をしてもかまわない。

「車は持っていくけど、それはいいね？」

あえて尋ねるまでもない。結婚する前に私が友だちからただ同然で譲り受けたマニュアル・シフトの古い車で、走行距離は十万キロをとっくに越えている。そしてどうせ彼女は運転免許を持っていないのだ。

「画材と衣服とか、必要なものはあとで取りにくる。かまわないかな？」

「かまわないけど、あとでって、だいたいどれくらいあとになるの？」

「さあ、わからない」と私は言った。そんな先のことまで考える意識の余裕は、私にはなかった。足元の地面さえもうろくに残ってはいないのだ。今ここに立っていることで、ほとんど精一杯なのだ。

「ここにはそんなに長くいないかもしれないから」と彼女は言いにくそうに言った。

「みんな月に行ってしまうかもしれない」と私は言った。

彼女はよく聞き取れなかったようだった。「今、なんて言ったの？」

「なんでもないよ。たいしたことじゃない」


その夜の七時までに、私は身の回りのものをビニールの大きなジムバッグに詰め込み、赤いプジョー205ハッチバックの荷台に積み込んだ。とりあえずの着替えと、洗面用具と、何冊かの本と日記。山歩きをするときにいつも持って行く簡単なキャンプ用品。スケッチブックと画作用鉛筆のセット。それ以外に何を持っていけばいいのか、まったく思いつけなかった。まあいい、足りないものがあればどこかで買えばいいのだ。私がそのジムバッグをかついで部屋を出るとき、彼女はやはり台所のテーブルの前に座っていた。コーヒーカップがやはりテーブルの上に置かれていた。彼女はさっきと同じ目でカップの中をのぞき込んでいた。

「ねえ、私にもひとつだけお願いがあるんだけど」と彼女は言った。「もしこのまま別れても、友だちのままでいてくれる？」

彼女が何を言おうとしているのか、うまく理解できなかった。靴を履（は）き終え、バッグを肩にかけ、片手をドアのノブの上に置いたまま、私はしばらく彼女を見ていた。

「友だちでいる？」

彼女は言った。「もし可能であれば、ときどき会って話をできればと思うんだけど」

私にはまだその意味がよく理解できなかった。友だちのままでいる？　ときどき会って話をする？　会って何の話をするのだ？　まるで謎かけをされているみたいだ。彼女はいったい何を私に伝えようとしているのだろう。私にとくに悪い感情は抱いていない、そういうことなのだろうか？

「さあ、どうだろう」と私は言った。それ以上の言葉はみつからなかった。たぶんそこに立ったまま一週間考えても、言葉はみつけられなかったはずだ。だからそのままドアを開け、外に出た。

家を出るとき自分がどんな服装をしているのか、まったく考えもしなかった。もしパジャマの上にバスローブを羽織ってそのまま出てきたとしても、たぶん自分では気づかなかったに違いない。あとになってドライブインの洗面所で、全身鏡の前に立って判明したことだが、私は仕事用のセーターに、派手なオレンジ色のダウン・ジャケット、ブルージーンズ、ワークブーツという格好だった。頭には古い毛糸の帽子をかぶっていた。ところどころほつれた丸首のグリーンのセーターには、白い絵の具のしみがついていた。着ているものの中ではブルージーンズだけが新品で、その鮮やかな青さがいやに目立った。全体としてはかなり乱雑な格好だが、異様というほどではなかった。後悔したのは、マフラーを忘れてきたことくらいだった。

マンションの地下の駐車場から車を出したとき、三月の冷ややかな雨はまだ音もなく降り続いていた。プジョーのワイパーは老人のかすれた咳のような音を立てていた。

どこに行けばいいのか見当もつかなかったから、しばらくは都内の道路をあてもなく、思いつくままに走った。西麻布（にしあざぶ）の交差点から外苑西通りを青山に向かい、青山三丁目を右に折れて赤坂に向かい、あちこち曲がった末に四谷に出た。それから目についたガソリン・スタンドに入って、タンクを満タンにした。ついでにオイルと空気圧も点検してもらった。ウィンド・ウォッシャー液も入れてもらった。これから長い距離を運転することになるかもしれない。あるいは月まで行くことになるかもしれない。

クレジット・カードで支払いをし、再び路上に出た。雨の日曜日の夜で、道路はすいていた。FMラジオをつけたが、つまらないおしゃべりが多すぎた。人々の声は甲高(かんだか)すぎた。CDプレーヤーにはシェリル・クロウの最初のアルバムが入っていた。私はそれを三曲ほど聴いてから、スイッチを切った。

気がついたとき、目白通りを走っていた。どちらに向けて走っているのか、見定めるのに時間がかかった。そのうちに、早稲田から練馬方向に向けて走っていることがわかった。沈黙が耐えられなくなったので、またCDプレーヤーのスイッチを入れ、シェリル・クロウを何曲か聴いた。そしてまたスイッチを切った。沈黙は静かすぎたし、音楽はうるさすぎた。でも沈黙の方が少しはましだった。私の耳に届くのは、ワイパーの劣化したゴムが立てるかすれた音と、タイヤが濡(ぬ)れた路面を進む、しゃーっという途切れのない音だけだった。

そんな沈黙の中で、私は妻が誰か他の男の腕に抱かれている光景を想像した。

それくらい、もっと前にわかっていてもよかったはずだ、と私は思った。どうしてそれに思い当たらなかったのだろう？　もう何ヶ月も我々はセックスをしていなかった。私が誘っても、彼女はいろんな理由をつけてそれを断った。いや、そのしばらく前から、彼女は性行為に対してあまり乗り気ではなかったと思う。でもまあ、そういう時期もあるのだろうと私は考えていた。日々の仕事が忙しくて疲れているのだろうし、体調もあるのだろう。でももちろん彼女は他の男と寝ていたのだ。いつ頃からそれが始まったのだろう？　私は記憶を辿ってみた。たぶん四ヶ月か五ヶ月前、それくらいだ。今から四ヶ月か五ヶ月前というと、十月か十一月になる。でも去年の十月か十一月に何があったか、私にはまったく思い出せなかった。そんなことを言ったら、昨日何があったかさえほとんど思い出せなかった。

信号を見落とさないように、前の車のブレーキランプに近づきすぎないように注意しながら、去年の秋に起こったことについて考え続けた。頭の芯が熱くなるくらい集中して考えていた。私の右手は交通の流れに合わせて無意識にギアを切り替えていた。左足はそれに合わせてクラッチ・ペダルを踏んでいた。そのときほど自分がマニュアル・シフト車を運転していることをありがたく思ったことはない。妻の情事について考えを巡らせる以外に、手足を使ってこなさなくてはならないいくつかの物理的な作業が私には課せられているのだ。

十月と十一月にいったい何があっただろう？

秋の夕方。大きなベッドの上で、どこかの男の手が妻の衣服を脱がせていく光景を想像した。彼女の白いキャミソールのストラップのことを私は思った。その下にあるピンク色の乳首のことを思った。そんなことをいちいち想像したくはなかったが、一度動き出した想像の連鎖をどうしても断ち切ることができなかった。私はため息をつき、目についたドライブインの駐車場に車を停めた。運転席の窓を開け、外の湿った空気を胸に大きく吸い込み、時間をかけて心臓の鼓動を整えた。それから車を降りた。ニット帽をかぶったまま、傘を差さずに細かい雨の中を横切り、店に入った。そして奥のブース席に腰を下ろした。

店内はすいていた。ウェイトレスがやってきたので、私は熱いコーヒーと、ハムとチーズのサンドイッチを注文した。そしてコーヒーを飲みながら、目を閉じて気持ちを落ち着けた。妻と他の男が抱き合っている光景を、なんとか頭の中からよそに追いやろうと努めた。でもその光景はなかなか消えてくれなかった。

洗面所に行って石鹼で丁寧に手を洗い、洗面台の前の鏡に映った自分の顔をあらためて眺めた。目はいつもより小さく、赤く血走って見えた。飢饉のために生命力を徐々に奪われていく森の動物みたいだ。やつれて怯えている。タオルのハンカチで手と顔を拭き、それから壁の全身鏡で自分の身なりを点検してみた。そこに映っているのは、絵の具のこびりついたみすぼらしいセーターを着た、三十六歳の疲弊した男だった。

おれはこれからどこに行こうとしているのだろう、とその自分自身の像を見ながら、私は思った。というかその前に、おれはいったいどこに来てしまったのだろう？　ここはいったいどこなんだ？　いや、そのもっと前に、いったいおれは誰なんだ？

鏡に映った自分を見ながら、私は自分自身の肖像画を描いてみることを考えた。もし仮に描くとしたら、いったいどんな自分自身を描くことになるだろう？　おれは自分自身に対して愛情みたいなものをひとかけらでも抱くことができるだろうか？　そこに何かしらきらりと光るものを、たったひとつでもいいから見いだせるだろうか？

結論を出せないまま私は席に戻った。コーヒーを飲み終えると、ウェイトレスがやってきて、おかわりを注いでくれた。私は彼女に頼んで紙袋をもらい、手をつけていないサンドイッチをそこに入れた。もっとあとになれば腹も減るだろう。でも今は何も食べたくない。

ドライブインを出て、道路をそのまままっすぐ進むと、やがて関越道の入り口の案内が見えてきた。このまま高速道路に乗って北に行こう、と私は思った。北に何があるのかはわからない。でもなんとなく、南に向かうよりは北に向かった方がいいような気がした。冷たくて清潔な場所に私は行きたかった。そして何より大事なことは、北であれ南であれ、少しでも遠くこの街から離れることだ。

グラブコンパートメントを開けると、中に五、六枚のCDが入っていた。そのうちの一枚はイ・ムジチ合奏団の演奏するメンデルスゾーンの八重奏曲、その音楽を聴きながらドライブをするのが妻は好きだった。弦楽四重奏団がそっくり二つぶん入った奇妙な編成だが、美しいメロディーを持った曲だ。メンデルスゾーンはまだ十六歳の時にその曲を作曲した。妻がそう教えてくれた。神童だ。

あなたは十六歳の時に何をしていた？

十六歳のとき、ぼくは同じクラスの女の子に夢中になっていたな、と私は当時のことを思い出して言った。

彼女とつきあっていたの？

いや、ほとんど口をきいたこともない。遠くからただ眺めていただけだ。話しかけるような勇気はなかったしね。そして家に帰って彼女のスケッチを描いていた。何枚も描いたよ。

昔から同じようなことをしていたのね、と妻は笑って言った。

ああ、ぼくは昔からだいたい同じようなことをしてきたんだ。

ああ、い、い、い、い、い、い、い、い、ぼくは昔からだい、い、い、い、い、い、いたい同じようなことをしてきたんだ、と私はそのときの自分の言葉を頭の中で繰り返した。

私はシェリル・クロウのCDをプレーヤーから取り出し、そのあとにMJQのアルバムを入れた。『ピラミッド』。そしてミルト・ジャクソンの心地よいブルーズのソロを聴きながら、高速道路をまっすぐ北に向かった。ときどきサービスエリアで休憩をとり、長い小便をし、熱いブラック・コーヒーを何杯も飲んだが、それ以外はほとんど一晩中ハンドルを握っていた。ずっと走行車線を走り、遅いトラックを追い抜くときだけ追い越し車線に入った。不思議に眠くはなかった。もう一生眠りが訪れることはないのではないかと思えるくらい、眠くはなかった。そして夜の明ける前に、私は日本海に着いていた。


新潟に着くと、右に折れて海岸沿いを北上し、山形から秋田県に入り、青森から北海道に渡った。高速道路はいっさい使わず、一般道をのんびりと進んだ。あらゆる意味合いにおいて急ぎの旅ではない。夜になれば、安いビジネス・ホテルか簡易旅館を見つけてチェックインし、狭いベッドに横になって眠った。ありがたいことにたとえどんな場所だろうと、どんな寝床だろうと、私はだいたいすぐに眠りに入ることができた。

二日目の朝、村上市の近くからエージェンシーの担当者に電話をかけ、これからしばらくのあいだ肖像画描きの仕事はできなくなると思うと告げた。まだ制作途中の依頼が数件あったが、私としてはとても仕事ができるような状況ではなかった。

「それはまずいですよ。いったん依頼を引き受けてしまったんだから」と彼は声を硬くして言った。

私は謝った。「でもしかたないんです。交通事故にあったとかなんとか、先方にはうまく言っておいてくれませんか。ぼくの他にも絵描きはいるでしょう」

担当者はしばらく黙り込んだ。私はこれまで一度も仕事の期限に遅れたことはない。私が仕事に関して無責任な性格でないことは彼もよく承知していた。

「事情があって、これからしばらく東京を離れようと思っているんです。そのあいだは申し訳ないけど、仕事はできません」

「しばらくって、どれくらい長く？」

私はその質問には答えられなかった。私は携帯電話のスイッチを切り、適当な川をみつけて橋の上で車を停め、その小さな通信装置を窓から投げ捨てた。申し訳ないが、あきらめてもらうしかない。月に行ったとでも思ってもらうしかない。

秋田市内で銀行に寄って、ＡＴＭで現金を引き出し、口座の残高を確認した。私の個人口座にはまだそこそこの金額が残っていた。クレジット・カードの支払いもそこから引き落とされる。しばらくはこのまま旅行を続けることができそうだった。日々それほど多くの金を使うわけではない。ガソリン代と食費、ビジネス・ホテルの宿泊費、その程度のものだ。

函館郊外のアウトレット・ストアで簡易テントと寝袋を買い求めた。初春の北海道はまだまだ寒かったから、防寒用のインナー・ウェアも買った。そして着いた場所の近辺に開いているキャンプ場があれば、そこでテントを張って眠るようにした。出費をできるだけ倹約するためだ。雪はまだ固く残っていたし、夜は冷え込んだが、それまで狭くて息苦しいビジネス・ホテルの部屋で眠ってきたせいで、テントの内部は清々しく自由に感じられた。テントの下には固い大地があり、テントの上には無限の空があった。空には無数の星が光っていた。他には何もない。

それから三週間ばかり、私はプジョーを運転して北海道の各地をあてもなくまわった。四月がやってきたが、その年の雪解けはもう少し先のことだった。しかしそれでも空の色が目に見えて変わり、植物のつぼみがほころび始めた。小さな温泉地があればそこの旅館に泊まって、ゆっくり風呂に入り、髪を洗って髭を剃り、比較的まともな食事をとった。それでも体重計に乗ると、東京にいた頃に比べて体重は五キロばかり落ちていた。

新聞も読まなかったし、テレビも見なかった。カーステレオのラジオも北海道に着いたあたりから調子が悪くなり、やがて何も聞こえなくなった。世間でどんなことが起こっているのか、まったく知らなかったし、とくに知りたいとも思わなかった。一度苫小牧でコイン・ランドリーに入り、汚れた衣服をまとめて洗濯した。洗濯が終わるのを待つ間、近所の床屋に入って伸びた髪を切ってもらった。髭も剃ってもらった。そのときに床屋のテレビでＮＨＫのニュースを久しぶりに目にした。というか、目を閉じていてもアナウンサーの声はいやでも耳に入ってきた。でもそこで伝えられた一連のニュースは始めから終わりまで、私とは何の縁も関わりも持たない、どこかよその惑星の出来事みたいに思えた。あるいは誰かが適当にでっちあげた作り事のように思えた。

私が唯一、自分になんらかの関わりを持つこととして受け入れたのは、北海道の山中で、一人でキノコ採りをしていた七十三歳の老人が熊に襲われて死んだというニュースだった。冬眠から目覚めた熊は、腹を減らせて気が立っているからとても危険なのだ、とアナウンサーは語った。私はときどきテントで眠って、気が向くと一人で森の中を散歩していたから、熊に襲われたのが私であっても不思議はなかった。襲われたのはたまたま私ではなく、たまたまその老人だったのだ。しかしそのニュースを聞いていても、熊に惨殺された老人に対する同情心はなぜか湧いてこなかった。その老人が経験したであろう痛みや恐怖やショックを思いやることもできなかった。というか、老人よりはむしろ熊の方に共感を覚えたくらいだった。いや、共感というのではないな、と私は思った。それはむしろ共謀の意識に近いものかもしれない。

おれはどうかしている、と私は鏡の中の自分自身を見つめながら思った。小さく声にも出してみた。頭がいくらかおかしくなってしまっているみたいだ。このまま誰にも近づかない方がいい。少なくともしばらくのあいだは。

四月も後半にさしかかった頃、私は寒さにもいささか飽きてきた。だから北海道をあとにして内地に渡った。そして青森から岩手、岩手から宮城へと太平洋の海岸沿いに進んだ。南に下るにつれて、季節は少しずつ本格的な春へと移っていった。そのあいだ私はやはり妻のことを考え続けていた。妻と、おそらく今頃どこかのベッドの上で彼女を抱いているであろう無名の手のことを。そんなことを考えたくはなかったが、ほかに考えるべきことをひとつとして思いつけなかった。

私が初めて妻に出会ったのは、三十歳になる少し前だった。彼女は私より三つ年下だった。四谷三丁目にある小さな建築事務所に勤めていて、二級建築士の資格を持っており、私が当時付き合っていたガールフレンドの高校時代の級友だった。髪がまっすぐで長く、化粧も薄く、どちらかといえば穏やかな見かけの顔立ちだった（見かけほど穏やかな性格ではなかったことがやがて判明するが、それはあとの話だ）。ガールフレンドとデートをしているときに、どこかのレストランでたまたま出会って紹介され、私はほとんどその場で彼女と恋に落ちた。

彼女はとくに際だった顔立ちではなかった。これという欠点も見当たらないが、はっと人目を惹（ひ）くようなところもなかった。まつげが長く、鼻が細く、どちらかというと小柄で、肩胛骨（けんこうこつ）のあたりまで伸びた髪は美しくカットされていた（彼女は髪にとても気を遣った）。ふっくらした唇の右端近くに小さなほくろがあり、表情の変化に合わせてそれが不思議な動き方をした。そういうところがほのかに肉感的な印象を与えていたが、それも「よく注意して見れば」という程度のものだ。普通に見れば、私がそのときつきあっていたガールフレンドの方がずっと美人だった。それなのに私は一目見ただけで唐突に、まるで雷に打たれたみたいに彼女に心を奪われてしまった。どうしてだろう？　その原因に思い当たるまでに数週間がかかった。でもあるときはっと思い当たった。彼女は、死んだ妹のことを私に思い出させたのだ。とてもありありと。

二人が外見的に似ていたというのではない。もし二人の写真を見比べたら、人はたぶん「ちっとも似てないじゃないか」と言うだろう。だからこそ私も最初のうち、そのことに気づかなかったのだ。彼女が私に妹を思い出させたのは、具体的な顔立ちが似ていたからではなく、その表情の動きが、とりわけ目の動きや輝きが与える印象が、不思議なくらいそっくりだったからだ。まるで魔法か何かによって、過去の時間が目の前に蘇ってきたみたいに。

妹はやはり私より三つ年下で、生まれつき心臓の弁に問題があった。小さい頃に何度か手術を受けて、手術自体は成功したのだが、後遺症がしつこく残った。その後遺症が自然治癒していくものなのか、それとも先になって致死的な問題をひき起こすものなのか、それは医師にもわからなかった。妹は結局、私が十五歳のときに亡くなった。中学校にあがったばかりだった。短い人生の中で、妹はその遺伝子的な欠陥と休みなく闘い続けてきたわけだが、それでも明るく前向きな性格を失わなかった。最後まで愚痴や泣き言を口にせず、いつも少し先のことを綿密に計画していた。自分が死ぬということは彼女の計画の中に入ってはいなかった。生まれつき聡明で、学校の成績はいつも優秀だった（私よりずっと出来の良い子供だった）。意志が強く、決めたことは何があっても曲げなかった。兄妹間で何か揉めごとがあっても――そんなことは希にしかなかったが――最後にはいつも私が譲ることになった。最後の頃は、ずいぶん身体がやせ細っていたが、それでも目だけは変わりなく瑞々しく、生命力に溢（あふ）れていた。

私が妻に惹かれたのもまさにその目だった。目の奥にうかがえる何かだった。その一対の瞳を最初に目にしたときから、私の心は激しく揺さぶられた。といっても、何も彼女を手に入れることによって、死んだ妹を復元しようと思ったわけではない。そんなものを求めても、その先にあるのは失望だけだということくらいは、私にも想像がついた。私が求めたのは、あるいは必要としたのは、そこにある前向きな意志の煌（きら）めきだった。生きるための確かな熱源のようなものだった。それは私にとってお馴染みのものだったし、またたぶん私に不足していたものだった。

私はうまく彼女の連絡先を聞き出し、デートに誘った。彼女はもちろん驚いたし、躊躇（ちゅうちょ）した。なんといっても私は、彼女の友だちの恋人なのだから。でも私は簡単には引き下がらなかった。ただ会って話をしたいんだと言った。会って話をしてくれるだけでいい。それ以上は何も求めていない。我々は静かなレストランで食事をし、テーブルを挟んでいろんな話をした。会話は最初のうちはおずおずとしたぎこちないものだったが、やがて生き生きしたものになった。彼女について知りたいことが私には山ほどあったし、話題に困ることはなかった。彼女の誕生日は、妹の誕生日と三日しか違わないことがわかった。

「君のスケッチをしてかまわないかな」と私は尋ねた。

「今、ここで?」と彼女は言ってまわりを見回した。我々はレストランのテーブルで、デザートを注文したところだった。

「デザートが運ばれて来るまでに終わるから」と私は言った。

「じゃあ、かまわないけど」と彼女は半信半疑で言った。

私はいつも持ち歩いている小型のスケッチブックをバッグから取り出し、2Bの鉛筆で素早く彼女の顔をスケッチした。そして約束通りデザートが運ばれてくる前にそれを描き終えた。大事な部分はもちろん彼女の目だった。私がもっとも描きたかったのもその目だった。その目の奥には時間を超えた深い世界が広がっている。

私はそのスケッチを彼女に見せた。彼女はその絵が気に入ったようだった。

「とても生き生きしている」

「君自身が生き生きしているからだよ」と私は言った。

彼女は長い間そのスケッチを感心したように眺めていた。まるで自分が知らなかった自分自身を目にしているみたいに。

「もし気に入ったのなら、君に進呈する」

「本当にもらっていいの?」と彼女は言った。

「もちろん。ただのクロッキーだ」

「ありがとう」

それから何度かデートをして、結局我々は恋人の関係になった。その流れはとても自然だった。ただ私のガールフレンドは、親友に私を奪われたことに、ずいぶんショックを受けたようだった。彼女はたぶん私と結婚することを視野に入れていたのだと思う。腹を立てるのもまあ当然のことだった（いずれにせよ、私が彼女と結婚することはまずなかっただろうが）。また妻の方にも当時交際している男がいたし、そちらもそう簡単に話は収まらなかった。ほかにいくつかの障碍は存在したものの、半年ほどして私たちは夫婦になった。友人たちだけが集うこぢんまりとしたお祝いのパーティーを開き、広尾にあるマンションに落ち着いた。彼女の叔父がそのマンションを所有していて、比較的安い家賃で我々に貸してくれた。私は狭い一室をスタジオにして、そこで肖像画を描く仕事を本格的に続けた。私にとってそれはもう腰掛けの仕事ではなくなっていた。結婚生活には安定した収入が必要だったし、肖像画を描く以外に私がまともな収入を得るすべはなかったから。妻はそこから地下鉄で四谷三丁目にある建築事務所に通った。そして当然の成り行きとして、家に残った私が日常の家事を引き受けることになったが、それは私にとってまった く苦痛ではなかった。家事をこなすのはもともと嫌いではなかったし、絵を描く仕事の気分転換にもなったからだ。少なくとも、毎日会社に通勤してデスクワークを押しつけられているよりは、うちで家事をしていた方が遥かに楽しい。

最初の何年間かの結婚生活は、それぞれにとって穏やかで満ち足りたものだったと思う。ほどなく日々の生活に心地よいリズムが生まれ、我々はその中に自然に身を落ち着けた。週末や休日には私も絵の仕事を休み、二人であちこちに出かけた。美術展に行くこともあれば、郊外にハイキングに出かけることもあった。ただあてもなく都内を歩き回ることもあった。親密な会話の時間を持ち、お互いについての情報を交換し合うことは、二人にとっての大事な習慣になった。それぞれの身に起こったたいていのことは包み隠さず、正直に語り合った。そして意見を交換し、感想を述べ合った。

ただし私の側にはひとつだけ、彼女にあえて打ち明けなかったことがある。それは妻の目が私に、十二歳で死んだ妹の目をありありと思い出させ、それが彼女に心を惹かれた最大の理由だったということだ。もしその目がなかったら、私があれほど熱心に彼女を口説き落とすようなこともなかったはずだ。でもそのことは言わない方がいいと私は感じていたし、実際最後まで一度も口にしなかった。それが私が彼女に対して持っていた、ただひとつの秘密だった。彼女が私に対してどんな秘密を抱えていたのか——たぶん抱えていたのだろうが——私にはわからない。

妻の名前は柚(ゆず)といった。料理に使うゆずだ。ベッドで抱き合っているとき、私は冗談でときどき彼女のことを「すだち」と呼んだ。耳元でこっそりそう囁(ささや)くのだ。彼女はそのたびに笑い、でも半分本気で腹を立てた。

「すだちじゃなくて、ゆず。似ているけど違う」と。

いったいいつからものごとが悪い方向に流れていってしまったのだろう? 車のハンドルを握り、ドライブインからドライブイン、ビジネス・ホテルからビジネス・ホテルへと、移動のための移動を続けながら、私はそのことについて思案し続けた。でもその潮目の変化のポイントを見定めることができなかった。我々はうまくやっていると私はずっと思い込んでいた。もちろん世間のすべての夫婦がそうであるように、いくつかの実際的な懸案（けんあん）は抱えていたし、それについてたまに口論をすることもあった。具体的には子供を作るか作らないかということが、我々にとっていちばん大きな懸案だったと思う。でもそれを最終的に決定しなくてはならない時期が到来するまでには、まだしばらく時間の猶予はあった。そういう問題（言うなればまだしばらく棚上げにしておける議題）を別にすれば、我々は基本的に健全な結婚生活を送っていたし、精神的にも肉体的にもうまくお互いを受け入れ合っていた。私は最後の最後までおおむねそう信じていた。

どうしてそんなにも楽観的になれたのだろう？　というか、どうしてそんなにも愚かしくなれたのだろう？　私の視野にはきっと何か生まれつきの盲点のようなものがあるに違いない。私はいつだって何かを見逃しているみたいだ。そしてその何かは常にもっとも大事なことなのだ。

朝、妻を仕事に送り出してから、昼過ぎまで集中して絵を描き、昼食をとったあと近所を散歩し、ついでに買い物をし、夕方になると食事の支度をした。週に二度か三度、近くのスポーツクラブのプールに泳ぎに行った。妻が帰宅すると、食事を作って出した。そして一緒にビールかワインを飲んだ。「今日は残業があって、会社の近くで適当に食事をとるから」という連絡があれば、一人でテーブルに向かい、簡単に食事をすませた。我々の六年間にわたる結婚生活は、おおかたそんな日々の繰り返しだった。それで私の方にはとくに不満もなかった。

建築事務所の仕事は忙しく、彼女はよく残業をした。私が一人で食事をすませる回数が次第に多くなっていった。帰宅が真夜中近くになることもあった。「ここのところ仕事が増えているの」と妻は説明した。同僚が一人急に転職して、その穴埋めを自分がしなくてはならないのだ、と言った。でも事務所はなかなか新しい人を入れてくれない。夜遅く帰宅した彼女はいつも疲れていて、シャワーを浴びるとそのまますぐに眠ってしまった。おかげでセックスの回数はかなり少なくなっていた。仕事が片付かず、休日に出社することもたまにあった。私はもちろん彼女のそんな説明を額面通りに受け取っていた。疑わなくてはならないような理由は何ひとつなかったから。

でも実は残業なんてなかったのかもしれない。私が一人で家で食事をとっているあいだ、彼女はどこかのホテルのベッドで、新しい恋人と二人きりの親密な時間を過ごしていたのかもしれない。

妻はどちらかといえば外交的な性格だった。見かけはおとなしそうだが、頭の回転が速く、機転も利き、社交的なシチュエーションをある程度必要とした。そしてそのようなシチュエーションは、私がまず提供することのできないものだった。だからユズはしばしば親しい女性の友人たちとどこかで食事をしたり（彼女には多くの友だちがいた）、仕事のあとで同僚たちと飲みに行ったりした（彼女は私よりアルコールに強かった）。ユズがそうやって別行動をとり一人で楽しむことに、私は苦情を述べなかった。むしろそうすることを勧めたかもしれない。

考えてみれば、妹と私との関係も同じようなものだった。私は昔から外に出るのが苦手で、学校から帰るといつも部屋に一人でこもって本を読んだり、絵を描いたりした。それに比べて妹は社交的で活動的な性格だった。だから日常生活の上で、私たち二人の関心や行動が一致することはそれほどなかったように思う。でも私たちはお互いのことをよく理解し合っていたし、それぞれの持ち味を尊重していた。私たちは、その年代の兄と妹にしてはあるいは珍しいことかもしれないが、まめにいろんな話をした。二階に物干し台があり、夏でも冬でもそこに上って、二人で飽きもせずに話をしたものだった。我々はとくにおかしな話をするのが好きだった。滑稽（こっけい）な話を交換しては、二人でよく笑い転げたものだった。

だからというわけでもないのだが、私自身はそのような妻との関係性に、素直に安心しきっていたところがある。私は結婚生活における自分の役割――無口で補助的なパートナーとしての役割――を自然なもの、自明なものとして引き受けていた。でもユズはそうではなかったのかもしれない。彼女にとって、私との結婚生活にはきっと何か満ち足りないものがあったのかもしれない。妻と妹とはまったく違う人格であり、存在なのだから。そして言うまでもなく、私はもう十代の少年ではないのだから。

月が変わって五月になった頃、私は来る日も来る日も車を運転し続けることにさすがに疲れてきた。ハンドルを握りながら、同じものごとを果てしなく考え続けることにも飽いてきた。質問はすべて繰り返しに過ぎず、回答はいつまでもゼロのままだった。運転席に座りつづけているせいで、腰も痛むようになってきた。プジョー205はもともとが大衆車だ。シートだってそれほど良質なものではないし、サスペンションも目に見えてくたびれてきた。そして長期間にわたって道路の照り返しを見続けてきたために、目の奥に慢性的な痛みを覚えるようになっていた。考えてみればもう一ヶ月半以上、私はほとんど休みなく、まるで何かに追いかけられているみたいにせわしなく移動を続けてきたのだ。

宮城県と岩手県の県境近くの山の中に、小さなひなびた湯治場を見つけ、そこでいったん移動を中断することにした。深い渓谷の奥にある名もない温泉で、地元の人々が療養のために長逗留(ながとうりゅう)するような宿だった。料金も安く、共同の台所で簡単な自炊をすることもできた。そこで心ゆくまで温泉につかり、眠りたいだけ眠った。運転の疲れを癒し、畳の上に寝転んで本を読んだ。本を読むのにも飽きると、バッグからスケッチブックを出して絵を描いた。絵を描こうという気持ちになったのはずいぶん久しぶりのことだった。最初に庭の花や樹木を描き、それから旅館が庭で飼っている兎たちを描いた。簡単な鉛筆の素描だったが、みんなそれを見て感心してくれた。そして頼まれるままにまわりの人々の顔をスケッチした。同宿している人々、旅館で働いている人々。私の前をただ通り過ぎていく人々。もう二度と会うこともないであろう人々。そして望まれれば、描いた絵を本人に進呈した。

そろそろ東京に戻らなくてはと私は思った。いつまでこんなことを続けていたところで、たぶんどこにも辿り着けない。そして私はまた絵を描きたかった。依頼された肖像画ではなく、簡単なスケッチでもなく、久しぶりにきちんと腰を据えて自分自身のための絵を描きたかった。それがうまくいくかどうかはわからない。でもとにかく最初の一歩を踏み出してみるしかない。

私はそのままプジョーを運転して東北地方を縦断し、東京まで戻るつもりだったのだが、国道六号線のいわき市の手前でついに車の寿命が尽きた。燃料パイプにひびが入り、エンジンがまったくかからなくなった。これまでほとんど整備もしてこなかったのだ。そうなっても文句は言えない。唯一幸運だったのは、車が動かなくなった場所がたまたま、親切な修理工がいるガレージのすぐ近くだったことだった。旧型のプジョーの部品をここで手に入れるのは困難だし、取り寄せるにしても時間もかかる。もし修理できたとしても、またすぐに他の部分に問題が出てくるだろう、とその修理工は言った。ファンベルトも危ういし、ブレーキパッドもかなりぎりぎりまで減っている。サスペンションにもがたがきている。「悪いことは言わない。このまま安楽死させた方がいい」と。一ヶ月半の路上の生活を共にし、走行距離十二万キロ近くをメーターに刻んだプジョーに別れを告げるのは寂しかったが、あとに残していかざるを得なかった。おれの代わりに車が息を引き取ってくれたのだ、と私は思った。

車を処分してもらうお礼に、テントと寝袋とキャンプ用品はその修理工に進呈した。最後にプジョー205のスケッチをしてから、私はジムバッグひとつを肩に担ぎ、常磐線に乗って東京に戻った。そして駅から雨田政彦に電話をかけて、現在置かれている事情を簡単に説明した。結婚生活がうまく行かなくなって、しばらく旅行に出ていたんだけど、東京に戻ってきた。とりあえず戻る場所がない。どこか泊めてもらえるようなところはないかな、と私は尋ねた。

それならちょうどいい家がある、と彼は言った。おれの父親がずっと一人で住んでいた家なんだが、父親は伊豆高原にある養護施設に入ることになり、しばらく空き家になっている。家具や生活必需品はみんな揃っているから、何も用意しなくていい。場所としては不便なところだが、電話はまだ使える。それでよければしばらく住んでみないか。

願ってもない話だ、と私は言った。それはまったく願ってもない話だった。

そのようにして新しい場所での、私の新しい生活が始まった。

3 ただの物理的な反射に過ぎない

小田原郊外の山頂の新しい家に身を落ち着け、数日してから妻に連絡をとった。彼女に連絡がつくまでに五回ほど電話をかけなおさなくてはならなかった。会社の仕事が忙しく、相変わらず帰宅は遅くなっているようだった。それとも誰かと外で会っていたのかもしれない。でもいずれにせよ、それはもう私には関わりのないことだった。

「ねえ、今どこにいるの？」とユズは私に尋ねた。

「今は小田原の雨田の家に落ち着いている」と私は言った。そしてその家に住むようになったいきさつを簡単に説明した。

「あなたの携帯に何度も電話をかけたんだけど」とユズは言った。

「携帯はもう持っていない」と私は言った。私の携帯電話は今頃はもう日本海に流れ着いているかもしれない。「それで、身の回りのものを引き上げるために、近くそちらに行きたいんだけど、かまわない？」

「この部屋の鍵はまだ持ってるでしょう？」

「持ってるよ」と私は言った。携帯と一緒に鍵を川に捨てることも考えたのだが、返却を求められるかもしれないと思い直して、そのまま持っていた。「でも君のいないときに勝手に部屋に入ってかまわないのか？」

「だってここはあなたのうちでもあるのよ。いいに決まっているじゃない」と彼女は言った。

「でも長いあいだ、いったいどこで何をしていたの？」

ずっと旅行していたんだ、と私は言った。一人で車を運転し続けていたこと。寒い地方をあちこち回っていたこと。途中で車の寿命が尽きてしまったこと。そんな経緯を手短に要約した。

「でもとにかく無事だったのね？」

「ぼくは生きているよ」と私は言った。「死んだのは車だ」

ユズはしばらく黙っていた。それから言った。「このあいだ、あなたが出てくる夢を見た」

どんな夢だったのか、私は尋ねなかった。彼女の夢の中に出てきた私のことを、私はべつに知りたいとは思わなかった。だから彼女もその夢の話はもうしなかった。

「部屋の鍵は置いていくよ」と私は言った。

「私としてはどちらでもいいのよ。あなたの好きにすればいい」

帰り際に郵便受けに入れておく、と私は言った。

少し間があいた。それから妻は言った。

「ねえ、最初にデートしたとき、私の顔をスケッチしてくれたことを覚えている？」

「覚えているよ」

「ときどきあのスケッチを引っ張り出して見ているの。素晴らしくよく描けている。ほんとの自分を見ているような気がする」

「ほんとの自分？」

「そう」

「だって毎朝、鏡で自分の顔を見ているから」

「それとは違う」とユズは言った。「鏡で見る自分は、ただの物理的な反射に過ぎないから」

私は電話を切ってから洗面所に行って、鏡を眺めてみた。そこには私の顔が映っていた。自分の顔を正面からまともに見るのは久しぶりのことだった。鏡に見える自分はただの物理的な反射に過ぎないと彼女は言った。でもそこに映っている私の顔は、どこかで二つに枝分かれしてしまった自分の、仮想的な片割れに過ぎないように見えた。そこにいるのは、私が選択しなかった方の自分だった。それは物理的な反射ですらなかった。


その二日後の昼過ぎに、カローラ・ワゴンを運転して広尾のマンションまで行って、身の回りのものをまとめた。その日も朝から休みなく雨が降っていた。マンションの地下の駐車場に車を停めると、いつもの雨の日の駐車場の匂いがした。

エレベーターで上にあがってドアの鍵を開け、ほとんど二ヶ月ぶりにマンションの部屋に入ると、なんだか自分が不法侵入者になったような気持ちがした。そこは六年近く私が生活を送り、隅々まで見慣れたはずの場所だった。しかし今では、ドアの内側にあるのはもう私が含まれていない風景だった。台所のシンクには食器が積み上げられていたが、それはすべて彼女の使った食器だった。洗面所には洗濯物が干してあったが、干してある衣服はすべて彼女のものだった。冷蔵庫を開けてみたが、その中に入っているのは見覚えのない食品ばかりだった。多くはそのまま食べられる出来合いの食品だ。牛乳もオレンジ・ジュースも、私が買っていたメーカーとは違うものだった。冷凍庫には冷凍食品が詰まっていた。私は冷凍食品というものをまず買わない。二ヶ月足らずのあいだに実に多くのものごとが変化を遂げてしまう。

私は流しの中に積まれた食器を洗い、洗濯物を取り込んで畳み（できればアイロンをかけ）、冷蔵庫の中の食品をきれいに整理したいという強い衝動に駆られた。でももちろんそんなことはしなかった。ここはもう他人の住まいなのだ。私が手を出すべきことではない。

荷物のうちでいちばん嵩張るのが画材だった。イーゼルやキャンバス、絵筆や絵の具類を放り込んだ大きな段ボール箱がひとつ。それから衣服。私はもともと衣服の数を必要としない人間だ。いつも同じような服を着ていても気にならない。スーツもネクタイも持たない。厚い冬用のコートを別にすれば、だいたい大型スーツケースひとつに収まってしまう。

まだ読んでいない何冊かの本と、一ダースばかりのCD。愛用していたコーヒーマグ。水着とゴーグル、スイミング・キャップ。とりあえず必要なものと言えば、せいぜいそれくらいだ。それらだってなければないで、とくには困りはしないのだが。

洗面所には私の歯ブラシや髭剃りのセットや、ローションや日焼け止めやヘアトニックがそのまま残されていた。封を切っていないコンドームの箱がそのまま残っていた。でもそんな細々したものをわざわざ新しい住まいに運ぶ気にはなれなかった。適当に処分してくれればいい。

それだけの荷物を車の荷室に積み込んでしまうと、私は台所に戻ってやかんに湯を沸かし、ティーバッグで紅茶をつくり、テーブルの前に座って飲んだ。それくらいのことはしてかまわないだろう。部屋の中はとてもしんとしていた。沈黙が空気の中に、微かな重みを与えていた。まるで一人きりで海の底に座っているみたいだ。

三十分ばかり私は一人でその部屋の中にいた。そのあいだ尋ねてくる人もいなければ、電話のベルも鳴らなかった。冷蔵庫のサーモスタットが一度切れ、一度入っただけだ。私は沈黙の中で耳を澄ませ、水深を測るおもりを垂らすみたいに部屋の気配を探った。それはどのように見ても、一人暮らしをしている女性の部屋だった。日々の仕事が忙しく、家事をこなしている暇もほとんどない。雑用は週末の休みにまとめて片付ける。部屋の中をざっと見渡してみて、そこに見受けられるものはすべて彼女自身のものだった。ほかの人物の気配は見当たらない（私の気配さえ既にほとんど見当たらない）。ここに男が訪ねてくることはないのだろう。私はそう思った。彼らはたぶん別のところで会うのだろう。

その部屋に一人でいるあいだ、うまく説明はできないのだが、自分が誰かに見られているという感触があった。隠しカメラを通して誰かに監視されているような気がした。でももちろんそんなことがあるはずはない。妻は機械類にはおそろしく弱い。リモコンの電池の交換さえ自分ではできない。隠しカメラを設置したり操作したり、そんな器用な真似ができるわけがない。私の神経が過敏になっているだけだ。

それでも私はその部屋にいるあいだ、架空のカメラで逐一行動を記録されているものとして行動した。余計なこと、不適切なことは何ひとつしなかった。ユズの机の抽斗を開けて、中にあるものを調べたりもしなかった。彼女がストッキングなどを入れたタンスの抽斗の奥に、小さな日記帳や大事な手紙を保管していることも知っていたが、それにも手を触れなかった。ノートパソコンのパスワードも知っていたが（もちろんまだ変更していなければだが）、蓋も開けなかった。そんなことはすべて、私にはもう関わりのない事柄なのだ。私は自分の飲んだ紅茶カップだけを洗い、布巾で拭いて食器棚にしまい、明かりを消した。そして窓際に立って、降り続く外の雨をしばらく眺めた。オレンジ色の東京タワーがその奥にほのかに浮き上がっていた。それから部屋の鍵を郵便受けに落とし、車を運転して小田原に戻った。おおよそ一時間半の道のりだ。でもまるで日帰りで異国に行って戻ってきたみたいに感じられた。

翌日、担当エージェントに電話をかけた。そして東京に帰ってきたのだが、悪いけれどもうこれ以上、肖像画を描く仕事を続けるつもりはないと言った。

「もう二度と肖像画は描かない、ということですか？」

「たぶん」と私は言った。

彼は私の通告を言葉少なに受け入れた。とくに苦情も言わず、忠告らしきことも口にしなかった。私がいったん何かを言い出したらあとには引かないことを、彼は知っていたから。

「でも、もしまたこの仕事をやりたくなったら、いつでも連絡してきてください。歓迎します」と彼は最後に言った。

「ありがとう」と私は礼を言った。

「余計なことかもしれませんが、どうやって生計を立てていくんですか？」

「まだ決めていません」と私は正直に答えた。「一人暮らしで、そんなに生活費はかからないし、今のところまだ多少の蓄えはあるから」

「絵は描き続けるんでしょう？」

「たぶん。ほかにとくにできることもないし」

「うまく行くといいですね」

「ありがとう」と私はもう一度礼を言った。それからふと思いついて、それに付け加えるように質問した。「何かぼくが覚えておくべきことはあるでしょうか？」

「あなたが覚えておくべきこと？」

「つまり、なんていえばいいのかな、プロのアドバイスのようなものです」

彼は少し考えた。それから言った。「あなたはものごとを納得するのに、普通の人より時間がかかるタイプのようです。でも長い目で見れば、たぶん時間はあなたの側についてくれます」

ローリング・ストーンズの古い歌のタイトルみたいだ、と私は思った。

彼は続けた。「そしてもうひとつ、私が思うに、あなたにはポートレイトを描く特別な能力が具わっています。対象の核心にまっすぐに踏み込んで、そこにあるものをつかみ取る直観的な能力です。それはほかの人があまり持ち合わせていないものです。そういう能力を手にしながら使わないままにしておくのは、いかにも惜しい気がします」

「でも肖像画を描き続けるのは、今のところぼくのやりたいことじゃないんです」

「それもよくわかっています。でもその能力はいつかまたあなたを助けてくれるはずです。うまくいくといいですね」

うまくいくといい、と私も思った。時間が私の側についてくれるといい。

最初の日、家の持ち主の息子である雨田政彦がボルボを運転して、私をその小田原の家まで連れて行ってくれた。「もし気に入れば、今日からでもそのまま住めばいい」と彼は言った。

小田原厚木道路を終点近くで降り、農道のような狭いアスファルトの道路を山に向かった。道路の両脇には畑があり、野菜を育てるビニールハウスが並び、ところどころに梅の林が見えた。そのあいだほとんど人家も見えず、ひとつの信号もなかった。最後に曲がりくねった急な坂道があり、ギアを落としてそこを延々と上っていくと、道路の突き当たりに家の門が見えた。立派な門柱が二本建っているだけで、扉はついていない。塀もついていない。門と塀をつけるつもりで作り始めたのだが、思い直してやめたみたいに見えた。そんなものをつける必要もないと途中で気がついたのかもしれない。門柱の片方に「雨田」という立派な表札が、まるで看板のようにかかっていた。その先に見える小ぶりな家は洋風のコテージで、色あせた煉瓦造りの煙突がスレートの屋根の上に突き出ていた。平屋建てだが、屋根は意外に高かった。高名な日本画家の住まいということで、私は当然のことのように古い和風の建物を想像していたのだが。

玄関の前の広い車寄せに車を停め、ドアを開けると、カケスのような黒い鳥が何羽か鋭い声を上げ、近くの木の枝から空に飛び立っていった。彼らは私たちがそこに侵入してきたことを、快く思っていないように見えた。家は周囲をほぼ雑木林に囲まれ、西側だけが谷に面して、眺望が広く開けていた。

「どうだ、見事に何もないところだろう」と雨田は言った。

私はそこに立ってあたりを見回してみた。たしかに見事に何もないところだった。よくこんな寂しいところに家を建てたものだと感心した。よほど人と関わり合うのが嫌いだったのだろう。

「君はこの家で育ったのか？」と私は尋ねた。

「いや、おれ自身はここに長く住んだことはない。ときどき泊まりに来たくらいだ。あるいは夏休みなんかに避暑をかねて遊びに来たくらいだ。学校のこともあって、おれは母親と一緒に目白の家で育った。父は仕事をしていないときには東京にやってきて、おれたちと一緒に暮らした。それからまたここに戻って一人で仕事をした。おれが独立し、十年前に母が亡くなってからは、ずっと一人でここにこもって暮らしていた。ほとんど世捨て人みたいにして」


その家の留守中の管理を任されていたという、近くに住む中年の女性もやってきて、いくつかの実際的な説明をしてくれた。台所の設備の使い方とか、プロパン・ガスや灯油の注文のしかたとか、各種道具の置き場所とか、ゴミ出しの場所と曜日とか。画家はかなりシンプルな独居生活を送っていたらしく、使っていた機械・器具類は数少なかった。従ってレクチャーを受けておかなくてはならないようなこともあまりなかった。もし何かわからないことがあったらいつでも電話をください、と彼女は言った（結局電話をかけたことは一度もなかったが）。

「誰かに住んでいただけるととても助かります。誰も住んでいないと家も荒れますし、不用心ですから。それに人がいないとわかると、イノシシや猿が寄ってきますし」

「イノシシや猿がちょくちょく出るんだよ。このへんは」と雨田が言った。

「イノシシには気をつけてくださいね」とその女性は言った。「春にはタケノコを食べるために、よくこのあたりに出没するんです。とくに子供を育てている雌イノシシは気が立っていて危険です。それからスズメバチもあぶないです。刺されて亡くなった人もいます。スズメバチは梅林に巣を作ることがあります」

開放式の暖炉のついた比較的広い居間が、家の中心になっていた。居間の南西側に屋根付きの広々としたテラスがあり、北側には正方形のスタジオがあった。そのスタジオで画伯は絵を描いていたのだ。居間の東側にはコンパクトな食堂付きの台所があり、浴室があった。そしてゆったりとした主寝室と、それよりは少し狭い客用の寝室があった。客用の寝室には書き物机が置かれていた。読書が好きな人であるらしく、本棚には数多くの古い書籍が詰まっていた。画伯はそこを書斎として使っていたようだった。古い家屋のわりには清潔で、居心地は良さそうだったが、不思議なことに（あるいは不思議ではないのかもしれないが）、壁には絵がただの一枚もかかっていなかった。壁という壁はどれも、素っ気なく剝き出しのままだった。

雨田政彦が言ったように、家具も電気器具も、食器も寝具も、生活に必要なものはだいたい揃っていた。「身ひとつでくればいい」、そのとおりだった。暖炉のための薪も納屋の軒下にたっぷり積み上げてあった。家の中にテレビはなかったが（雨田の父親はテレビを憎んでいたということだ）、居間には立派なステレオ装置があった。スピーカーはタンノイの巨大なオートグラフ、セパレート・アンプはマランツのオリジナル真空管だ。そしてアナログ・レコードの立派なコレクションがあった。一見したところオペラのボックスものが多かった。

「ここにはCDプレーヤーがないんだ」と雨田は言った。「なにしろ新しい道具がまるっきり嫌いな人でね。古くからあるものしか信用しない。もちろんインターネット環境なんてものは影もかたちもない。もし必要なら、町に降りていってインターネット・カフェを使うしかない」

インターネットはとくに必要ないと思う、と私は言った。

「もし世間の動きを知りたければ、台所の棚にあるトランジスタ・ラジオでニュースを聴くしかない。山の中だから電波の入り方はかなり悪いし、ＮＨＫの静岡局がなんとか聴けるくらいだけど、まあ何もないよりはましだろう」

「世の中のことにそれほど興味はない」

「それはいい。うちの父と話があいそうだ」

「お父さんはオペラのファンなのか？」と私は雨田に尋ねた。

「ああ、父は日本画の人だが、いつもオペラを聴きながら仕事をしていた。ウィーンに留学している頃、歌劇場に通い詰めていたらしい。おまえはオペラは聴くか？」

「少しは」

「おれはとてもだめだよ。オペラなんて長くて退屈なだけだ。そこに山ほど古いレコードがあるから、好きなだけ聴けばいい。父にはもう用のないものだから、おまえが聴いてくれればきっと喜ぶはずだ」

「もう用がない？」

「認知症が進んでいるからな。オペラとフライパンの違いだって、今ではもうわからないよ」

「ウィーン？　お父さんはウィーンで日本画の勉強をしていたのか？」

「いや、いくらなんでも、ウィーンまで行って日本画の勉強をするような物好きな人間はいない。父はもともとは洋画をやっていたんだ。だからウィーンに留学した。当時はとてもモダンな油絵を描いていたんだよ。でも日本に戻ってきてしばらくしてから、突然日本画に転向した。まあ、世間にちょくちょくあるケースだけどね。外国に出ることによって、民族的アイデンティティーに目覚めるというか」

「そして成功した」

雨田は小さく肩をすくめた。「世間的に見ればね。でも子供にしてみれば、ただの気むずかしいおっさんでしかない。絵を描くことしか頭になく、やりたい放題好き放題に生きていた。今じゃもうその面影はないけどな」

「今、いくつなんだ？」

「九十二歳。若い頃はかなり派手に遊んだという話だ。詳しいことは知らないけど」

私は礼を言った。「いろいろとありがとう。世話になった。今回のことはとても助かったよ」

「ここは気に入ったか？」

「ああ、しばらくここに住まわせてもらえるとてもありがたい」

「それはいいけど、おれとしては、できればおまえとユズとの仲がうまく戻ることを祈っているよ」

私はそれについてはとくに何も意見を言わなかった。雨田自身は結婚していない。バイセクシュアルだという噂を耳にしたことはあるが、真偽のほどはわからない。長いつきあいだが、そういう話題には触れたことがない。

「肖像画の仕事はまだ続けるのか？」と帰りぎわに雨田は私に尋ねた。

肖像画を描く仕事をすっかり断った経緯を私は彼に説明した。

「これからどうやって生活するんだ？」と雨田はエージェントと同じことを尋ねた。

生活を切り詰めて、しばらくは貯金で食いつなぐ、と私はやはり同じ答えを返した。久しぶりに制約なく好きな絵を描きたいという気持ちもあるし。

「そいつはいい」と雨田は言った。「しばらく自分のやりたいようにやってみればいい。でも、もしいやじゃなければ、アルバイトに絵の先生をやってみるつもりはないか。小田原駅前にカルチャー・スクールみたいなのがあって、そこに絵の描き方を教える教室があるんだ。主に子供たちを対象にしているが、成人向け市民教室みたいなものも併設している。デッサンと水彩だけで、油絵はやらない。そのスクールを経営している人が父の知り合いでね、商業主義的なところはあまりなくて、かなり良心的にやっている。だけど先生のなり手がいなくて困っているんだ。もしおまえが手伝ってくれたらきっと喜ぶだろう。謝礼は大したものじゃないけど、それでも少しは生活の足しになるはずだ。週に二日くらいクラスを持てばいいだけだし、それほどの負担にはならないと思う」

「でも、絵の描き方を教えたことなんてないし、水彩画のこともよく知らない」

「簡単だよ」と彼は言った。「何も専門家を養成するわけじゃない。教えるのはごく基本的なことだけだ。そんなコツは一日やればすぐにつかめる。とくに子供に絵を教えるというのは、こっちにとってもなかなか刺激になるしな。それにこんなところに一人で住むつもりなら、週に何日かは下に降りて、無理にでも人と接触を持たないと頭が変になっちゃうぜ。『シャイニング』みたいになったら困るだろう」

雨田はジャック・ニコルソンの顔真似をした。彼には昔から物真似の才能があった。

私は笑った。「やってみてもいい。うまくいくかどうかはわからないけど」

「おれの方から先方に連絡を入れておく」と彼は言った。

それから私は雨田と一緒に、国道沿いのトヨタの中古車センターに行って、そこでカローラのワゴンを現金一括払いで買い求めた。その日から私の小田原の山の上での一人暮らしが始まった。二ヶ月近くただ移動に終始する生活があり、そのあとに動きのない、ぴたりと静止した生活がやってきた。極端な転換だ。

その翌週から私は小田原駅前のカルチャー・スクールの絵画教室で、水曜日と金曜日にクラスを受け持つことになった。最初に簡単な面接があったが、雨田の紹介ということですぐに採用された。成人を教えるクラスが二回、そして金曜日にはそれに加えて子供たちのクラスをひとつ受け持つことになった。子供たちのグループを教えることに私はすぐに馴れた。彼らの描く絵を見ているのは楽しかったし、雨田が言ったように、こちらにとってもちょっとした刺激にもなった。通ってくる子供たちともすぐに親しくなれた。私がやることは、子供たちが描く絵を見て回って、ささやかな技術的な忠告を与えたり、良いところをみつけて褒めたり励ましたりすることくらいだった。私の方針として、できるだけ同じ題材を何度も描かせた。そして同じ題材でも少し見る角度を変えれば、ずいぶん違って見えることを教えた。人にいろんな側面があるように、物体にもいろんな側面がある。子供たちはその面白さをすぐに理解してくれた。

大人に絵を教えるのは、子供たちに教えるよりは少しばかりむずかしかったかもしれない。教室にやってくるのは仕事から引退した老人たちか、あるいは子供から手が離れて、生活に少し余裕ができた家庭の主婦たちだった。彼らは当然ながら、子供たちほど柔軟な頭を持ち合わせていなかったし、私が何かを示唆しても、それを受け入れることは簡単ではないようだった。でも中には何人か、比較的のびやかな感覚を持っているものもいたし、それなりに面白い絵を描くものもいた。私は求められればいくつかの有益なアドバイスを与えたが、だいたいはただ好きなように自由に絵を描かせておいた。そして描かれた絵の中になにかしら良いところを見つけて、それを褒めるだけにとどめておいた。そうすることで、彼らはけっこう幸福な気持ちになれたようだった。幸福な気持ちで絵を描けたとしたら、それでもうじゅうぶんではないかと私は考えていた。

そしてそこで私は二人の人妻と性的な関係を持つことになったわけだ。彼女たちはどちらも絵画教室に通っていて、私の「指導」を受けていた。つまり立場からすれば私の生徒ということになる（ちなみに、彼女たちはどちらもなかなか悪くない絵を描いた）。それが教師として——たとえ正式な資格を持たない即席の教師であるにせよ——許される行為だったのかどうか、判断に苦しむところだ。成人男女が合意の上で性行為を行うことにとくに問題はないはずだと私は基本的に考えていたが、社会的に見てあまり褒められたおこないでないこともまた確かだった。

でも言い訳するのではないが、自分のやっていることが正しいことなのかどうか、それを判断するような余裕は、そのときの私にはなかった。私は材木につかまって、流れのままに流されていただけだった。あたりは漆黒の闇で、空には星も月も出ていなかった。その材木にしがみついている限り溺れずにすんだが、自分が今どのあたりにいて、これからどこに向かおうとしているのか、そんなことは何ひとつわからなかった。

私が『騎士団長殺し』というタイトルのついた雨田具彦（ともひこ）の絵を発見したのは、そこに越して数ヶ月経った頃のことだった。そしてそのときには知るべくもなかったが、その一枚の絵が私のまわりの状況をそっくり一変させてしまうことになった。

4
遠くから見ればおおかたのものごとは美しく見える

五月も末に近いある晴れた朝、それまで雨田画伯が使用していたスタジオに自分の画材一式を運び込み、久しぶりにまっさらなキャンバスに向かった（スタジオには画伯の使っていた画材は何ひとつ残されていなかった。たぶん政彦がまとめてどこかに片付けたのだろう）。スタジオは五メートル四方ほどの大きさの真四角な部屋で、床は板張り、周りの壁は白く塗られていた。床は剝き出しで、敷物はただの一枚も敷かれていない。北に向けて大きな窓がひとつ開いて、簡素な白いカーテンがかかっていた。東向きの窓は小さく、カーテンもかかっていなかった。例によって壁には何も飾られていない。絵の具を洗い落とすための陶製の大きなシンクが部屋の隅にあった。ずいぶん長いあいだ使われてきたのだろう、その表面にはありとあらゆる色が混じり合って染みついていた。シンクの横には旧式の石油ストーブが置かれ、天井には大きな扇風機がひとつついていた。作業用テーブルがあり、丸い木製スツールが一脚あった。つくりつけの棚の上にはコンパクトなステレオ装置がセットされ、絵を描きながらオペラのレコードが聴けるようになっていた。窓から入ってくる風には新鮮な樹木の匂いがした。それは紛れもなく、画家が集中して絵を描くためのスペースだった。必要なものは揃っているし、余計なものは何ひとつない。

そのような新しい環境を得て、何かを描きたいという気持ちが私の中にたかまってきた。それは静かな疼きに似たものだった。そして今の私には、自分のために使える時間がほとんど無制限にあった。生活のために意に染まない絵を描く必要もなければ、帰宅する妻のために食事の支度をする義務もない（食事の支度は苦痛ではないが、それが義務であることに変わりはない）。食事の支度をするしないだけではなく、もしそう望むなら食事なんかまったくとらず、勝手に飢える権利だって私にはある。私はどこまでも自由であり、誰に遠慮することもなく好きなことが好きなだけできる。

でも結局、絵を描くことはできなかった。どれだけ長くキャンバスの前に立って、その真っ白なスペースを睨んでいても、そこに描かれるべきもののアイデアがひとかけらも湧いてこなかった。どこから始めればいいのか、きっかけというものが摑めないのだ。私は言葉を失った小説家のように、楽器をなくした演奏家のように、その飾りのない真四角なスタジオの中でただ途方に暮れることになった。

これまでそんな思いをしたことは一度もなかった。いったんキャンバスに向かえば、私の心はほとんど即座に日常の地平を離れ、何かが頭の中に浮かび上がってきたものだ。それはあるときには有益な実体を持つアイデアであり、あるときにはほとんど何の役にも立たない妄想だった。でも必ず何かは浮かび上がってきた。そして私はその中から適切な何かを見つけてつかまえ、キャンバスの上に移し替え、直観に従ってそのまま発展させていけばよかった。そうすれば、作品は自ずとできあがっていった。でも今は、その発端となるべき何かが見えてこなかった。どれだけ意欲が溢れているにせよ、胸の奥で何が疼（うず）いているにせよ、ものごとには具体的な始まりが必要なのだ。

私は朝早く起きると（私はだいたいいつも六時前に起きる）、まず台所でコーヒーをつくり、それからマグカップを手にスタジオに入って、キャンバスの前のスツールに座った。そして気持ちを集中した。心の中の響きに耳を澄ませ、そこにあるはずの何かの像を見出そうとした。そしていつも空しく敗退することになった。私は集中をしばらく試みてから、あきらめてスタジオの床に腰を下ろし、壁にもたれてプッチーニのオペラを聴いた（なぜかその時期、私はプッチーニばかり聴いていた）。『トゥーランドット』や『ラ・ボエーム』。そして気怠（けだる）く回転する天井の扇風機を見上げながら、アイデアだかモチーフだか、そんなものがやってくるのを待ち受けた。でも何ひとつやってこなかった。初夏の太陽が中空に向けて緩慢に移動していくだけだった。

いったい何がいけないのだろう？　あまりに長い歳月、生活のために肖像画を描き続けたからかもしれない。そのせいで私の中にあった自然な直観が弱められてしまったのかもしれない。海岸の砂が波に徐々にさらわれていくみたいに。とにかく、どこかで流れが間違った方向に進んでしまったのだ。時間をかける必要がある、と私は思った。ここはひとつ我慢強くならなくてはならない。時間を私の側につけなくてはならない。そうすればきっとまた、正しい流れをつかむことができるはずだ。その水路は必ず私のもとに戻ってくるはずだ。しかし正直なところ、それほど確信は持てなかった。

私が人妻たちと関係を持つようになったのも、そんな時期のことだった。私はたぶん精神的な突破口のようなものを求めていたのだと思う。今陥（おちい）っているその停滞から、なんとしても抜け出したかったし、そのためには自らに刺激を与え（どんな刺激でもいい）、精神に揺さぶりをかけることが必要だった。また私はひとりぼっちでいることに疲れ始めていた。そしてもう長いあいだ女性を抱いていなかった。

今にして思えば、ずいぶん不思議な流れ方をする日々だった。私は朝早く目覚め、白い壁に囲まれたその正方形のスタジオに入り、真っ白なキャンバスを前にし、何ひとつアイデアらしきものを得られないまま、床に座ってプッチーニを聴くことになった。創作という領域において、私はほとんど純粋な無と向き合っていたわけだ。オペラの創作に行き詰まっていた時期について、クロード・ドビュッシーは「私は日々ただ無（リアン）を制作し続けていた」とどこかに書いていたが、その夏の私もまた同じように、来る日も来る日も「無（リアン）の制作」に携（たずさ）わっていた。あるいはそのリアンと日々向き合うことに私はけっこう馴染んでいったかもしれない――親しくなったとまでは言わないにしても。

そして週に二回ほど、午後になると彼女（二人目の人妻）が赤いミニに乗ってやってきた。私たちはすぐにベッドに入って抱き合った。そして昼下がりの時間、お互いの肉体を心ゆくまでむさぼった。それが生み出すものはもちろん無ではなかった。そこには間違いなく現実の肉体が実在した。隅々までを実際に手で触ることができたし、唇を這（は）わせることもできた。そのようにして私は意識のスイッチを切り替えるみたいに、漠然としてつかみどころのないリアンと生々しいまでの実在とのあいだを行き来することになった。夫は彼女の身体をもう二年近く抱いていないということだった。彼女より十歳年上だし、仕事が忙しいし、帰宅の時刻も遅い。彼女がいろんな風に誘っても、そういう気にはなれないようだった。

「どうしてかな。こんなに素敵な身体なのに」

彼女は小さく肩をすくめた。「結婚して十五年以上になるし、子供も二人いるし、私はもう新鮮じゃなくなってしまったのよ」

「ぼくにはとても新鮮に見えるけど」

「ありがとう。そう言われると、なんだかリサイクルでもされているような気がしてくるけど」

「資源の再生利用？」

「そういうこと」

「とても大切な資源だよ」と私は言った。「社会の役にも立つ」

彼女はくすくす笑った。「正しく間違えずに仕分けさえすればね」

そして我々は少し時間を置いてから、もう一度資源の入り組んだ仕分けに意欲的にとりかかった。

正直なところ、私は彼女という人間にもともと興味を惹かれていたわけではない。そういう意味では彼女は、私がこれまでに交際してきた女性たちとは色合いを異にしていたと思う。私と彼女とのあいだには共通する話題はあまり存在しなかった。現在生活している環境にも、これまで生きてきた経歴にも、お互い重なり合う部分はほとんどなかった。私はもともと口数の少ない方だから、二人でいると主に彼女が話をした。彼女は自分の個人的な話をし、私はそれに対して相づちを打ち、いちおう感想らしきものを述べたが、それは正確には会話とは呼びがたいものだった。

そういうのは私にとってまったく初めての体験だった。ほかの女性たちに関して言えば、私はだいたいにおいて相手にまず人間的な興味を持ち、そのあとでそれに付随するように肉体関係を持つことになる。それがパターンだった。でも彼女の場合はそうではなかった。まず最初に肉体があった。しかしそれはそれでなかなか悪くないものだった。私は彼女と会っているあいだ、純粋にその行為を楽しんだと思う。彼女もやはり同じようにその行為を楽しんでいたと思う。私の腕の中で彼女は何度も絶頂を迎えたし、私も何度も彼女の中で射精した。

結婚してから、夫以外の男性と寝るのはこれが初めてだと彼女は言った。それはたぶん嘘ではないだろう。そして私も、結婚してから妻以外の女性と寝るのは初めての経験だった（いや、一度だけ例外的に一人の女とベッドを共にしたことがある。でもそれは私が望んだことではなかった。その事情についてはもっとあとで語ることになる）。

「でも同年代の友だちは、みんな奥さんだけど、だいたい浮気しているみたい」と彼女は言った。

「そういう話をよく聞かされた」

「リサイクル」と私は言った。

「自分もその一人になるとは思わなかったけど」

私は天井を見上げ、ユズのことを考えた。彼女もどこかでほかの誰かと、これと同じことをしていたのだろうか？

　彼女が帰ってしまうと私は一人きりで、ひどく手持ちぶさたになった。ベッドには彼女の窪みがまだ残っていた。何をする気にもなれず、テラスのデッキチェアに寝転んで本を読んで時間を潰した。雨田画伯の本棚にあるのは古い書籍ばかりだった。今では手に入りそうにない珍しい小説も少なからずあった。その昔にはけっこう人気があったのに、いつしか人々に忘れ去られ、もうほとんど誰の手にもとられない作品だ。私はそんな古くさい小説を好んで読んだ。そして時間に取り残されたような気持ちを、その会ったこともない老人と共有した。

　日が暮れるとワインのボトルを開け（時折ワインを飲むことが当時の私にとっての唯一の贅沢だった。もちろん高価な物ではないが）、古いＬＰレコードを聴いた。レコード・コレクションのすべてはクラシック音楽で、その大半はオペラと室内楽だった。どれも大事に聴かれてきたらしく、盤面には疵ひとつなかった。私は昼間は主にオペラを聴き、夜になると主にベートーヴェンとシューベルトの弦楽四重奏曲を聴いた。

　その年上の人妻と関係を結び、生身の女性の身体を定期的に抱くようになって、私はある種の落ち着きを得られたように思う。成熟した女性の肌の柔らかな感触は、私の抱いていたもやもやとした気分を少なからず鎮めてくれた。少なくとも彼女を抱いているあいだは、いろんな疑問や懸案を一時的に棚上げしてしまうことができた。でも何を描けばいいのか、アイデアが浮かんでこないという状況に変わりはなかった。私はときどきベッドの中で、裸の彼女を鉛筆で素描した。その多くはポルノグラフィックなものだった。私の性器が彼女の中に入っているところとか、彼女が私の性器を口にふくんでいるところとか。彼女もそんなスケッチを、顔を赤らめながらも喜んで眺めていた。もしそんなところを写真に撮ったら、大半の女性は嫌がるだろうし、そういうことをする相手に嫌悪感や警戒心を抱いたりもするだろう。しかしそれが素描であれば、そしてうまく描けていれば、彼女たちはむしろ喜んでくれる。そこには生命の温かみがあるからだ。少くとも機械的な冷ややかさはない。でもどれだけうまくそんなスケッチができたところで、私が本当に描きたい絵の像はやはりひとかけらも浮かんでこなかった。

私が学生時代に描いていたような、いわゆる「抽象画」は現在の私の心にはほとんど訴えかけてこなかった。私はそのようなタイプの絵画にもう心を惹かれなかった。今の時点から振り返ってみれば、私がかつて夢中になって描いていた作品は、要するに「フォルムの追求」に過ぎなかったようだ。青年時代の私は、フォルムの形式美やバランスみたいなものに強く惹きつけられていた。それはそれでもちろん悪くない。しかし私の場合、その先にあるべき魂の深みにまでは手が届いていなかった。そのことが今ではよくわかった。私が当時手に入れることができたのは、比較的浅いところにある造形の面白みに過ぎなかった。強く心を揺さぶられるようなものは見当たらない。そこにあるのは、良く言ってせいぜい「才気」に過ぎなかった。

私は三十六歳になっていた。そろそろ四十歳に手が届こうとしている。四十歳になるまでに、なんとか画家として自分固有の作品世界を確保しなくてはならない。私はずっとそう感じていた。四十歳という年齢は人にとってひとつの分水嶺なのだ。そこを越えたら、人はもう前と同じではいられない。それまでにまだあと四年ある。しかし四年なんてあっという間に過ぎてしまうだろう。そして私は生活のために肖像画を描き続けたことで、既にずいぶん人生の回り道をしてしまった。なんとかもう一度、時間を自分の側につけなくてはならない。

その山中の家で暮らしているうちに、私はその家の持ち主である雨田具彦のことをより詳しく知りたいと思うようになってきた。私はそれまで日本画に関心を抱いたことは一度もなかったから、雨田具彦という名前を耳にしたことはあっても、そしてそれがたまたま私の友人の父親であっても、彼がどういう人物で、これまでどんな絵を描いていたのか、ほとんど知らなかった。雨田具彦は日本画壇における重鎮の一人ではあるが、世間的な名声とは無縁に、まったくと言っていいくらい表舞台には出ないで、一人で静かに――というかかなり偏屈に――創作生活を送っている。私が彼に関して知っているのはせいぜいそれくらいのことだった。

しかし彼の残していったステレオ装置で、彼のレコードのコレクションを聴き、彼の書棚から本を借りて読み、彼の眠っていたベッドで眠り、彼の台所で日々の料理を作り、彼の使っていたスタジオに出入りしているうちに、私は次第に雨田具彦という人物に興味を抱くようになってきた。好奇心、と言った方が近いかもしれない。かつてはモダニズム絵画を指向し、ウィーンまで留学しながら、帰国後唐突に日本画に「回帰する」というその歩みにも少なからず興味をそそられた。詳しいことはよくわからないが、あくまで常識的に考えて、洋画を長く描き続けてきた人間が日本画に転向するのは、決して容易(たやす)いことではない。これまでに苦労して身につけてきた技法を、いったんすべて投げ捨てる決意が必要とされる。そしてもう一度ゼロから出発しなおさなくてはならない。にもかかわらず、雨田具彦はあえてその困難な道を選択したのだ。そこには何か大きな理由があったはずだ。

ある日、絵画教室の仕事の前に、小田原市の図書館に寄って雨田具彦の画集を探してみた。地元在住の画家ということもあるのだろう、図書館には三冊の立派な彼の画集があった。そのうちの一冊には、彼が二十代の頃に描いた洋画も「参考資料」として掲載されていた。驚いたことに彼が青年時代に描いていた一連の洋画には、私のかつての「抽象画」をどことなく思い出させるところがあった。スタイルが具体的に同じというのではないのだが（戦前の彼はキュービズムの影響を色濃く受けていた）、そこに見受けられる「貪欲にフォルムそのものを追求する」という姿勢には、私の姿勢と少なからず相通ずるところがあった。もちろん後日一流の画家になるだけあって、私の描いていた絵なんかよりはずっと底が深く、説得力もあった。テクニックにも驚嘆すべきものがあった。おそらく当時は高い評価を受けていたはずだ。しかしそこには何かが欠けていた。

　私は図書館の机の間に座り、それらの作品を長いあいだ子細に眺めた。いったい何が足りないのだろう？　私にはその何かをうまく特定することができなかった。しかし結局のところ、遠慮なく言い切ってしまえば、それらはとくになくてもかまわない絵なのだ。そのままどこかに永遠に失われてしまっても、べつに誰も不便を感じないような絵なのだ。残酷な物言いかもしれないが、それが真実だった。七十年以上の歳月を経た現在の時点から見ると、そのことがよくわかる。

　それから私はページを繰って、日本画家に「転向」したあとの彼の絵を、時代を追って眺めていった。初期のいくぶんぎこちなさを残した、先行画家の手法を真似たような時代を経て彼は徐々に、しかし確実に自分自身の日本画のスタイルを見出していった。私はその軌跡を順序立てて辿ることができた。時折の試行錯誤はあったものの、そこに迷いはなかった。日本画の筆をとってからの彼の作品には、彼にしか描けない何かがあり、彼自身もそのことを自覚していた。そして彼はその「何か」の核心に向けて、自信に満ちた足取りでまっすぐ進んでいった。そこには洋画時代の「何かが欠けている」という印象はもう見受けられなかった。彼は「転向」したというよりは、むしろ「昇華」したのだ。

雨田具彦は最初のうちは、普通の日本画家と同じように、現実にある風景や花を描いていたが、やがて（おそらくそこには何かしらの動機があったはずだが）主に日本の古代の風景を描くようになった。平安時代や鎌倉時代に題材をとったものもあったが、彼がもっとも愛好したのは西暦七世紀の初め頃、つまり聖徳太子の時代だった。そこにあった風景や、歴史上の出来事や、一般の人々の営みを彼は大胆に、そして緻密に画面に再現していった。もちろんそんな風景を実際に彼が目撃したわけではない。しかしおそらく心の目をもって、彼はありありとそれを観たのだ。なぜそれが飛鳥時代だったのか、その理由まではわからない。しかしそれが彼の独自の世界となり、固有のスタイルになった。またそれと時を同じくして、彼の日本画のテクニックはまさに磨き抜かれたものになっていった。

注意深く眺めていると、あるポイントからどうやら、彼は自分が描きたいと思うものをなんでも自由に描けるようになったようだった。その頃からあとの彼の筆は、思いのままに自由闊達（かったつ）に画面の上を躍り、舞っているようだった。彼の絵の素晴らしいところはその空白にあった。逆説的な言い方になるが、描かれていない部分にあった。彼はそこをあえて描かないことによって、自分が描きたいものをはっきりと際だたせることができた。それはおそらく日本画というフォーマットがもっとも得意とする部分であるのだろう。少なくとも私は洋画において、そのような大胆な空白を目にしたことはなかった。それを見ていると、雨田具彦が日本画家に転向した意味が、私にはなんとなく理解できるような気がした。私にわからなかったのは、いつどのように彼がその大胆な「転向」を決心し、現実に実行したかだ。

巻末にあった彼の略歴を見てみた。彼は熊本の阿蘇に生まれた。父親は大地主で地方の有力者であり、家はきわめて裕福だった。少年時代から彼の絵の才能は際だっており、若くして頭角を現した。東京美術学校（後の東京藝術大学だ）を卒業したばかりの彼が、将来を嘱望されてウィーンに留学したのは一九三六年末から三九年にかけてだった。そして三九年の初め、第二次大戦が始まる前に、ブレーメン港を出る客船に乗って帰国していた。三六年から三九年といえば、ドイツでヒットラーが政権を握っていた時代だ。オーストリアがドイツに併合された、いわゆる「アンシュルス」がおこなわれたのが一九三八年の三月だ。若き雨田具彦は、ちょうどその激動の時代にウィーンに滞在していたことになる。そこで彼は様々な歴史的光景を目撃したに違いない。

そこでいったい彼の身に何が起こったのだろう？

私は画集のひとつに収録されていた、「雨田具彦論」と題された長い論考を通読してみたが、ウィーン時代の彼についてはほとんど何も知られていないということが判明しただけだった。日本に戻ってきてからの日本画家としての彼の歩みについては、かなり具体的に詳細に論じられているのだが、おそらくウィーン時代になされたとされる「転向」の動機や経緯については、漠然としたあまり根拠のない憶測がなされているだけだった。ウィーンで彼がどんなことをしていたのか、そして何が彼に大胆な「転向」を決意させたのか、そのあたりは謎のまま残されていた。

雨田具彦は一九三九年の二月に日本に帰国し、千駄木の借家に落ち着いた。その時点で彼はもう洋画を描くことを一切放棄していたようだ。それでも彼は、生活していくのに不自由ないだけの仕送りを毎月実家から受けていた。母親がとくに彼を溺愛（できあい）していた。彼はその時期にほとんど独学で日本画の勉強をしたらしい。何度か誰かに師事しようとしたこともあったが、うまくいかなかったようだ。もともとが謙虚な性格の人ではない。他人と穏やかで友好的な関係を維持することは、彼の得意分野ではなかった。そのようにして「孤立」がこの人の人生を貫くライトモチーフになる。

一九四一年末に真珠湾攻撃があり、日本が本格的な戦争状態に突入してからは、何かと騒がしい東京を離れ、阿蘇の実家に戻った。次男坊だったから家督を継ぐ面倒からも逃れられたし、小さな家を一軒と女中を一人与えられ、そこで戦争とはほとんど無縁の静かな生活を送った。幸か不幸か肺に先天的な欠陥があり、兵隊にとられる心配もなかった（あるいはそれはあくまで表向きの口実で、徴兵を免れるように実家が裏から手を回したのかもしれない）。一般の日本国民のように深刻な飢餓（きが）に悩まされる必要もなかった。また山深いところに住んでいたから、よほどの間違いがない限り、米軍機の爆撃を受けるおそれもなかった。そのようにして一九四五年の終戦まで、彼はずっと阿蘇の山中に一人でこもっていた。世間とは関わりを断ち、日本画の技法を独学で習得することに心血を注いでいたのだろう。その期間、彼は一点の作品も発表していない。

俊英の洋画家として世間から注目を浴び、将来を期待されてウィーンにまで留学した雨田具彦にとって、六年以上にわたって沈黙を守り、中央画壇から忘れ去られることは生やさしい体験ではなかったはずだ。しかし彼は簡単に挫（くじ）ける人ではなかった。長い戦争が終わりを告げ、人々がその混乱から立ち直ろうと苦闘していた頃、新しく生まれ変わった雨田具彦は、新進の日本画家としてあらためてデビューを飾った。戦争中に描きためていた作品を、そこで少しずつ発表し始めた。それは、多くの名のある画家が戦争中に勇ましい国策絵画を描き、その責を負って沈黙を強いられ、占領軍の監視下、半ば隠遁(いんとん)を余儀なくされていた時代だった。だからこそ彼の作品は日本画革新の大きな可能性として、世間の注目を浴びることになった。いわば時代が彼の味方になったわけだ。

そのあとの彼の経歴には、あえて語るべきものはない。成功を収めたあとの人生というのは往々にして退屈なものだ。もちろん成功を収めたとたんに、カラフルな破滅に向かってまっしぐらに突き進むアーティストもいることはいるが、雨田具彦の場合はそうではなかった。彼はこれまで数え切れないほどの賞を受け(「気が散るから」という理由で文化勲章の受章は断ったが)、世間的にも有名になった。絵の価格は年を追って高騰し、作品は多くの公共の場所に展示されている。作品依頼はあとを絶たない。海外でも評価は高い。まさに順風満帆(じゅんぷうまんぱん)というところだ。しかし本人はほとんど表舞台には姿を見せない。役職に就くこともすべて固辞している。招待を受けても、国の内外を問わずどこにも出かけない。小田原の山の上の一軒家に一人でこもって(つまり私が今暮らしているこの家だ)、気の向くままに創作に励んだ。

そして現在、彼は九十二歳になり、伊豆高原にある養護施設に入っており、オペラとフライパンの違いもよくわからないような状態にある。

私は画集を閉じ、図書館のカウンターに返却した。

晴れていれば、食事のあとでテラスに出てデッキチェアに寝転び、白ワインのグラスを傾けた。

そして南の空に明るく輝く星を眺めながら、雨田具彦の人生から私が学ぶべきことはあるだろうかと思いを巡らせた。もちろんそこには学ぶべきことがいくつかあるはずだ。生き方の変更を恐れない勇気、時間を自分の側につけることの重要性。そしてまたその上で、自分だけの固有の創作スタイルと主題を見出すこと。もちろん簡単なことではない。しかし人が創作者として生きていくには、何があっても成し遂げなくてはならないことだ。できれば四十歳になる前に……。

しかし雨田具彦はウィーンでどのような体験をしたのだろう？　そこでいかなる光景を目撃したのだろう？　そしていったい何が彼に、油絵の絵筆を永久に捨てる決心をさせたのだろう？　私はウィーンの街に翩翻（へんぽん）と翻る赤と黒のハーケンクロイツの旗と、その通りを歩いて行く若き日の雨田具彦の姿を想像した。季節はなぜか冬だ。彼は厚いコートを着て、マフラーを首に巻き、ハンチングを深くかぶっている。顔は見えない。市街電車が降り始めたみぞれの中を、角を曲がってやってくる。彼は歩きながら、沈黙をそのままかたちにしたような白い息を空中に吐いている。市民たちは温かいカフェの中でラム入りコーヒーを飲んでいる。

私は彼が後年描くことになった飛鳥時代の日本の光景を、そのウィーンの古い街角の風景に重ねてみた。しかしどれだけ想像力を駆使しても、両者のあいだには何の類似点も見いだせなかった。

テラスの西側は狭い谷に面しており、その谷間を挟んで向かい側に、こちらとおおよそ同じくらいの高さの山の連なりがあった。そしてそれらの山の斜面には、何軒かの家がゆったり間隔を置いて、豊かな緑に囲まれるように建っていた。私の住んでいる家の右手のはす向かいには、ひときわ人目を引く大きなモダンな家があった。白いコンクリートと青いフィルター・ガラスをふんだんに使って山の頂上に建てられたその家は、家と言うよりは「邸宅」といった方が似つかわしく、いかにも瀟洒（しょうしゃ）で贅沢な雰囲気が漂っていた。斜面に沿って三層階になっている。おそらく第一級の建築家が手がけたものなのだろう。このあたりは昔から別荘が多いところだが、その家には一年を通して誰かが住んでいるようで、毎夜そのガラスの奥には照明がともった。もちろん防犯のために、タイマーを使って自動点灯が行われているのかもしれない。でもそうではあるまいと私は推測した。明かりは日によってまちまちな時刻に点灯されたり消されたりしたからだ。時としてすべてのガラス窓が目抜き通りのショー・ウィンドウのように目映（まばゆ）く照らし出されるかと思えば、庭園灯の仄かな明かりだけを残して、家全体が夜の闇の中に沈み込むこともあった。

　こちらを向いたテラス（それは船のトップデッキのようだ）の上に、人の姿が見えることがときどきあった。日暮れ時になると、その住人の姿をよく目にした。男か女かも定かではない。その人影は小さく、だいたい背後に光を受けて影になっていたからだ。しかしシルエットの輪郭や、その動きから見て、たぶん男だろうと私は推測した。そしてその人物は常に一人きりだった。あるいは家族がいないのかもしれない。

　いったいどんな人がその家に暮らしているのだろう？　私は暇にまかせてあれこれ想像を巡らせたものだ。その人物は一人きりでこの人里離れた山頂に住んでいるのだろうか？　何をしている人なのだろう？　その瀟洒なガラス張りの邸宅で、優雅で自由な生活を送っていることに間違いはあるまい。こんな不便な場所から、都会まで日々通勤をしているわけもないだろうから。おそらく生活について思い煩（わずら）う必要もない境遇にいるのだろう。しかし逆に向こう側から谷間を隔てこちらを見れば、この私だって何も思い煩うことなく、一人で悠々と日々を送っているように見えるのかもしれない。遠くから見ればおおかたのものごとは美しく見える。

人影はその夜も姿を見せた。私と同じようにテラスの椅子に腰掛けたまま、ほとんど身動きしなかった。私と同じように、空に瞬く星を眺めながら何か考えごとをしているようだった。きっとどれだけ考えてもまず答えの出ないものごとについて思いなしているのだろう。私の目にはそんな風に映った。どれほど恵まれた境遇にある人にだって、思いなすべき何かはあるのだ。私はワイングラスを小さく掲げ、谷間越しにその人物に密かな連帯の挨拶を送った。

そのときは、その人物がほどなく私の人生に入り込んできて、私の歩む道筋を大きく変えてしまうことになろうとは、もちろん想像もしなかった。彼がいなければこれほどいろんな出来事が私の身に降りかかることはなかったはずだし、またそれと同時にもし彼がいなかったら、あるいは私は暗闇の中で人知れず命を落としていたかもしれないのだ。

あとになって振り返ってみると、我々の人生はずいぶん不可思議なものに思える。それは信じがたいほど突飛な偶然と、予測不能な屈曲した展開に満ちている。しかしそれらが実際に持ち上がっている時点では、多くの場合いくら注意深くあたりを見回しても、そこには不思議な要素なんて何ひとつ見当たらないかもしれない。切れ目のない日常の中で、ごく当たり前のことがごく当たり前に起こっているとしか、我々の目には映らないかもしれない。それはあるいは理屈にまるで合っていないことかもしれない。しかしものごとが理屈に合っているかどうかなんて、時間が経たなければ本当には見えてこないものだ。

しかし総じて言えば、理屈に合っているにせよ合っていないにせよ、最終的に何かしらの意味を発揮するのは、おおかたの場合おそらく結果だけだろう。結果は誰が見ても明らかにそこに実在し、影響力を行使している。しかしその結果をもたらした原因を特定するのは簡単なことではない。それを手にとって「ほら」と人に示すのは、もっとむずかしい作業になる。もちろん原因はどこかにあったはずだ。原因のない結果はない。卵を割らないオムレツがないのと同じように。将棋倒しのように、一枚の駒（原因）が隣にある駒（原因）をまず最初にことんと倒し、それがまたとなりの駒（原因）をことんと倒す。それが連鎖的に延々と続いていくうちに、何がそもそもの原因だったかなんて、だいたいわからなくなってしまう。あるいはどうでもよくなってしまう。あるいは人がとくに知りたがらないものになってしまう。そして「結局のところ、たくさんの駒がそこでばたばたと倒れました」というところで話が閉じられてしまう。これから語る私の話も、ひょっとしたらそれと似たような道を歩むことになるかもしれない。

いずれにせよ、私がここでまず語らなくてはならないのは——つまり最初の二枚の駒として持ち出さなくてはならないのは——谷間を隔てた山頂に住むその謎の隣人のことと、『騎士団長殺し』というタイトルを持つ絵画のことだ。まずはその絵について語ろう。

5 息もこときれ、手足も冷たい

その家に住むようになってまず不思議に思ったのは、家中のどこにも絵画と名のつくものが見当たらないことだった。壁にかかっていないだけではなく、家の物置にも押し入れにも、絵というものがただの一枚もないのだ。雨田具彦自身の絵がないというだけではなく、ほかの作家の絵もない。壁という壁はきれいに丸裸のまま放置されている。額をかけるための釘のあとすら見つからなかった。私の知る限り画家というのは誰しも、多かれ少なかれ手元に絵を抱え込んでいるものだ。自分の絵があり、他の作家の絵がある。知らないうちにいろんな絵画が身の回りに溜まっていく。雪かきをしても、あとからあとから雪が降り積もるみたいに。

何かの用件で雨田政彦に電話をかけたとき、ついでにそのことを尋ねてみた。どうしてこの家には絵と名のつくものが一枚もないのだろう？　誰かが持ち去ったのか、それとも最初からそうだったのか？

「父は自分の作品を手元に置くことを好まなかったんだ」と政彦は言った。「描いたものはすぐに画商を呼んで渡していたし、出来の気に入らないものは庭の焼却炉で焼き捨てていた。だから父の絵が一枚も手元にないとしてもとくに不思議はないよ」

「他の作家の絵もまったく持たない？」

「四、五枚は持っていた。古いマチスだとかブラックだとか。どれも小さな作品で、戦前にヨーロッパで購入したものだ。知人から手に入れたもので、買ったときにはそれほど高価ではなかったらしい。もちろん今ではずいぶん価値が出ている。そういう絵は、父が施設に入ったときに親しい画商にまとめて預かってもらった。空き家にそのまま置いておくわけにはいかないしね。たぶんエアコンつきの美術品専用の倉庫に保管してあると思う。それを別にすれば、その家の中でほかの画家の絵を目にしたことはない。実のところ、父は同業者たちのことがあまり好きじゃなかった。そしてもちろん同業者たちも父のことをあまり好きではなかった。よく言えば一匹狼、悪く言えばはぐれがらすというところだな」

「お父さんがウィーンにいたのは、一九三六年から三九年にかけてだったね？」

「ああ、二年くらいはいたはずだ。でもどうして行き先がウィーンだったのか、よくわからないんだ。父の好きな画家はほとんどフランス人だったからね」

「そしてウィーンから日本に戻ってきて、突然日本画家に転向した」と私は言った。「いったい何がお父さんにそんな大きな決心をさせたんだろう？　ウィーンに滞在しているあいだに何か特別なことが起こったんだろうか？」

「うーん、そいつは謎なんだ。父はウィーン時代のことは多くを語らなかったからね。どうでもいいような話はときどき聞かされたよ。ウィーンの動物園の話とか、食べ物の話とか、歌劇場の話とかさ。でも自分のことについては口の重い人だった。こちらもあえて尋ねなかった。おれと父とは半ば離れればなれに暮らしていたし、たまに顔を合わせる程度だった。父親というより、ときどき訪ねてくる親戚の伯父さんみたいな存在だった。そして中学校に入った頃からは、父親の存在がだんだん鬱陶しくなり、接触を避けるようになった。おれが美大に進んだときにも相談もしなかった。複雑な家庭環境というほどでもないが、ノーマルな家庭だったとは言えない。おおよその感じはわかるだろう？」

「だいたいのところは」

「いずれにせよ今となっては、父の過去の記憶はすべて消滅している。あるいはどこかの深い泥の底に沈みっぱなしになっている。何を訊いても返事はかえってこない。おれが誰なのかもわからない。自分が誰なのかもおそらくわかっていない。こうなる前にいろんな話を聞いておくべきだったのかもしれない。そう思うこともある。でも今さら手遅れだ」

政彦は少し考え込むように黙っていたが、やがて口を開いた。「なぜそんなことを知りたがる？　うちの父に興味を持つようなきっかけが何かあったのか？」

「いや、そういうわけじゃない」と私は言った。「ただこの家で生活していると、お父さんの影のようなものをあちこちに感じてしまうんだ。それでお父さんについて少しばかり図書館で調べものをした」

「父の影のようなもの？」

「存在の名残みたいなもの、かな」

「いやな感じはしない？」

私は電話口で首を振った。「いや、いやな感じはまったくない。ただ雨田具彦という人の気配がなんとなく、まだそのへんに漂っているみたいなんだ。空気の中に」

　政彦はまたしばらく考え込んでいた。それから言った。「父は長くそこに住んでいたし、たくさん仕事もしたからな。気配だって残るかもしれない。まあそういうのもあって、おれとしては正直なところ、あまり一人でその家には近寄りたくないんだ」

　私は何も言わず彼の話を聞いていた。

　政彦は言った。「前にも言ったと思うけど、雨田具彦はおれにとっちゃただの気むずかしい面倒なおっさんにすぎなかった。いつも仕事場に閉じこもって、むずかしい顔で絵を描いていた。口数も少なく、何を考えているのかわからなかった。同じ屋根の下にいるときには母親に『お父さんのお仕事の邪魔をしちゃいけない』といつも注意された。走り回ることも大声を出すこともできなかった。世間的には有名な人で、優れた絵描きかもしれないが、小さな子供にとっちゃただ迷惑なだけだ。そしておれが美術方面に進んでからは、父親は何かとやっかいな重荷になった。名前を名乗るたびに、あの雨田具彦さんのご親戚ですか、みたいなことを言われてね。よほど名前を変えようかと思ったよ。今にして思えば、そんな悪い人ではなかったと思う。あの人なりに子供を可愛がろうとしていたんだろう。しかし手放しで子供に愛を注げるような人ではなかった。でもまあそれはしょうがないんだ。あの人には絵がまず第一だったからな。芸術家ってそういうものだろう」

「たぶん」と私は言った。

「おれはとても芸術家にはなれそうにない」と雨田政彦はため息をついて言った。「父親からおれが学んだのはそれくらいかもしれない」

「たしか前に、お父さんは若い時代にはけっこうやりたい放題、好き勝手なことをしていた、みたいなことを言っていなかったか？」

「ああ、おれが大きくなった頃にはもうそんな面影はなかったけど、若い頃はずいぶん遊んでいたようだ。長身で顔立ちも良かったし、地方の金持ちのぼんぼんだし、絵の才能もあった。女が寄ってこないわけがない。父の方もまた女には目がなかった。実家が金を出して始末をつけなくてはならないようなややこしいこともあったらしい。しかし留学から帰国してからは、人が変わったようだったと親戚の人たちは言っていた」

「人が変わった？」

「日本に帰ってきてからは、父はもう遊び歩くのをやめ、一人で家に籠もって絵の制作に打ち込むようになった。人付き合いも極端に悪くなったようだ。東京に戻ってきて、長いあいだ独身生活を送っていたが、絵を描くだけで十分生活できるようになってから、突然思いついたように郷里の遠縁の女性と結婚した。まるで人生の帳尻を合わせるみたいにさ。かなりの晩婚だった。そしておれが生まれた。結婚してから女遊びをしていたのかどうかまではわからん。しかしとにかく派手に遊びまわるようなことはもうなくなっていたはずだ」

「ずいぶん大きな変化だ」

「ああ、しかし父の両親は帰国してからの父の変化を喜んだようだ。もう女の問題で迷惑をかけられずにすむからな。でもウィーンでどんなことがあったのか、なぜ洋画を捨てて日本画に転向したのか、そのへんは親戚の誰に訊いてもやはりわからない。そのことについては父はとにかく海の底の牡蠣（かき）のように堅く口を閉ざしていた」

そして今となってはその殻をこじ開けても、中身はもう空っぽになっているのだろう。私は政彦に礼を言って電話を切った。

私がその『騎士団長殺し』という不思議な題をつけられた雨田具彦の絵を発見したのは、まったく偶然の成り行きによるものだった。

夜中にときどき、寝室の屋根裏からがさがさという小さな物音を耳にすることがあった。最初は鼠かリスが屋根裏に入り込んだのだろうと思った。しかしその音は、小型の齧歯類の足音とは明らかに異なるものだった。蛇の這う音とも違う。それはなんとなく、油紙をくしゃくしゃと手で丸めるときの音に似ていた。うるさくて眠れないというほどの音ではなかったが、それでも家の中に得体の知れない何かがいるというのは、やはり気になるものだ。ひょっとしてそれは家に害をなす動物であるかもしれない。

あちこち探し回った末に、客用寝室の奥にあるクローゼットの天井に、屋根裏への入り口がついていることがわかった。入り口の扉は八十センチ四方ほどの真四角な形だった。私は物置からアルミ製の脚立を持ってきて、懐中電灯を片手に、入り口の蓋を押し開けた。そして恐る恐るそこから首を突き出して、あたりを見回した。屋根裏のスペースは思ったより広く、薄暗かった。右手と左手に小さな通風口が開いていて、そこから僅かに昼間の光が入ってくる。懐中電灯で隅々まで照らしてみたが、何の姿も見えなかった。少なくとも動くものは見当たらない。私は思いきって開口部から屋根裏にあがってみた。

空気にはほこりっぽい匂いがしたが、不快に感じるほどではなかった。風通しが良いらしく、床にはそれほどの埃もたまっていない。何本かの太い梁が頭上低くわたされていたが、それをよければいちおう立って歩くことができた。私は用心しながらゆっくり前に進み、二つの通風口を点検してみた。どちらも金網が張られて、動物が侵入できないようになっていたが、北向きの通風口の金網には切れ目ができていた。何かがぶつかるかして自然に破れたのかもしれない。あるいは何かの動物が中に入ろうと故意に網を破ったのかもしれない。いずれにせよ、そこには小型動物が楽に通り抜けられるくらいの穴が開いていた。

それから私は夜中に物音を立てる張本人を目にした。それは梁の上の暗がりにひっそりと身を潜めていた。小型の灰色のみみずくだった。みみずくはどうやら目を閉じて眠りについているようだった。私は懐中電灯のスイッチを切り、相手を怖がらせないように少し離れたところから静かにその鳥を観察した。みみずくを近くに見るのは初めてのことだった。それは鳥というよりは羽の生えた猫のように見えた。美しい生き物だ。

たぶんみみずくは昼間をここで静かに休んで過ごし、夜になると通風口から出ていって、山で獲物を探すのだろう。その出入りするときの物音が、おそらく私の目を覚ましたのだ。害はない。それにみみずくがいれば、鼠や蛇が屋根裏にいつく心配もない。そのままにしておけばいい。私はそのみみずくに自然な好意を抱くことができた。私たちはたまたまこの家を間借りし、共有しているのだ。好きなだけこの屋根裏にいればいい。しばらくみみずくの姿を観賞してから、私は忍び足で帰途についた。入り口のわきに大きな包みをみつけたのはそのときだった。

それが包装された絵画であることは一目で見当がついた。大きさは縦横が一メートルと一メートル半ほど。茶色の包装用和紙にぴったりくるまれ、幾重にも紐がかけてある。それ以外に屋根裏に置かれているものは何もなかった。通風口から差し込む淡い陽光、梁の上にとまった灰色のみみずく、壁に立てかけられた一枚の包装された絵。そのとり合わせには何かしら幻想的な、心を奪われるものがあった。

その包みをそっと注意深く持ち上げてみた。重くはない。簡単な額におさめられた絵の重さだ。包装紙にはうっすらほこりが溜まっていた。かなり前から、誰の目に触れることもなくここに置かれていたのだろう。紐には一枚の名札が針金でしっかりとめられ、そこには青いボールペンで『騎士団長殺し』と記されていた。いかにも律儀そうな書体だった。おそらくそれが絵のタイトルなのだろう。

なぜその一枚の絵だけが、屋根裏にこっそり隠すように置かれていたのか、その理由はもちろんわからない。私はどうしたものかと思案した。当たり前に考えれば、そのままの状態にしておくのが礼儀にかなった行為だった。そこは雨田具彦の住居であり、その絵は間違いなく雨田具彦が所有する絵であり（おそらくは雨田具彦自身が描いた絵であり）、何らかの個人的理由があって、彼が人目に触れないようにここに隠しておいたものなのだ。だとしたら余計なことはせず、みみずくと一緒に屋根裏に置きっぱなしにしておけばいいのだ。私がかかわるべきことではない。

でもそれが話の筋としてわかっていても、私は自分の内に湧き起こってくる好奇心を抑えることができなかった。とくにその絵のタイトルである（らしい）『騎士団長殺し』という言葉が私の心を惹きつけた。それはいったいどんな絵なのだろう？　そしてなぜ雨田具彦はそれを――よりによってその絵だけを――屋根裏に隠さなくてはならなかったのだろう？

私はその包みを手にとり、それが屋根裏の入り口を抜けられるかどうか試してみた。理屈からいえば、ここに運びあげることができた絵を下に運びおろせないわけはなかった。そして屋根裏に通じる開口部はそれ以外にないのだ。でもいちおう実際に試してみた。絵は思った通り、対角線ぎりぎりのところでその真四角な開口部を通り抜けることができた。私は雨田具彦がその絵を屋根裏に運び上げるところを想像してみた。そのとき彼はおそらく一人きりで、何かの秘密を心に抱えていたはずだ。私はその情景を実際に目撃したことのように、ありありと思い浮かべることができた。

この絵を私が屋根裏から運び出したことがわかったところで、雨田具彦はもう怒りはしないだろう。彼の意識は今では深い混沌の中にあって、息子の表現を借りれば「オペラとフライパンの見分けもつかなく」なっている。彼がこの家に戻ってくることはまずあり得ない。それにこの絵を、通風口の網が破損した屋根裏にこのまま置きっぱなしにしておいたら、いつか鼠やリスに齧(かじ)られてしまわないとも限らない。あるいは虫に食われるかもしれない。もしその絵が雨田具彦の描いたものであるなら、それは少なからぬ文化的損失を意味することになるだろう。

その包みをクローゼットの棚の上におろし、梁の上でまだ身を縮めているみみずくに小さく手を振ってから、私は下に降りて、入り口の蓋を静かに閉めた。

しかしすぐには包装をとかなかった。何日かの間、その茶色の包みをスタジオの壁に立てかけておいた。そして床に腰を下ろし、ただあてもなくそれを眺めていた。包装を勝手にほどいてしまっていいものかどうか、なかなか決心がつかなかった。それはなんといっても他人の所有物であり、どのように都合良く考えても、包装を勝手にはぐ権利は私にはない。もしそうしたければ、少なくとも息子の雨田政彦の許可を得る必要がある。しかしなぜかはわからないが、政彦にその絵の存在を知らせる気になれなかった。それは私と雨田具彦の間のあくまで個人的な、一対一の問題であるような気がしたのだ。どうしてそんな奇妙な考えを抱くようになったのか説明はできない。でもとにかくそう感じたのだ。

　包装用和紙にくるまれ、厳重に紐をかけられたその絵（らしきもの）を、文字どおり穴が開くほど見つめ、思案に思案を重ねてから、ようやく中身を取り出す決心がついた。私の好奇心は、私が礼節や常識を重んじる気持ちよりも遥かに強く執拗だった。それが画家としての職業的な好奇心なのか、あるいは一人の人間としての単純な好奇心なのか、自分では判別できない。しかしどちらにせよ、私はその中身を見ずにはいられなかった。誰に後ろ指をさされようがかまわない、と私は心を定めた。鋏を持ってきて、硬く縛られた紐を切った。そして茶色の包装紙をはがしてみた。必要があればもう一度包装しなおせるように、時間をかけて丁寧にはがした。

　幾重にも重ねられた茶色の包装紙の下には、さらしのような柔らかい白い布でくるまれた簡易額装の絵があった。私はその布をそっとはがしてみた。重い火傷を負った人の包帯をはがすときのように、静かに用心深く。

　その白い布の下から姿を見せたのは、私が前もって予想していたとおり、一幅の日本画だった。横に長い長方形の絵だ。私はその絵を棚の上に立てかけ、少し離れたところから眺めた。

　疑いの余地なく、雨田具彦その人の手になる作品だった。紛れもない彼のスタイルで、彼独自の手法を用いて描かれている。大胆な余白と、ダイナミックな構図。そこに描かれているのは、飛鳥時代の格好をした男女だった。その時代の服装とその時代の髪型。しかしその絵は私をひどく驚かせた。それは息を呑むばかりに暴力的な絵だったからだ。

　私の知る限り、雨田具彦が荒々しい種類の絵画を描いたことはほとんどない。一度もない、と言っていいかもしれない。彼の描く絵は、ノスタルジアをかきたてるような、穏やかで平和なものであることが多い。歴史上の事件を題材にすることもたまにあるが、そこに見られる人々の姿はおおむね様式の中に溶け込んでいる。人々は古代の豊かな自然の中で緊密な共同体に含まれ、調和を重んじて生きている。多くの自我は共同体の総意の内に、あるいは穏やかな宿命の内に吸収されている。そして世界の環は静かに閉じられている。そのような世界が彼にとってのユートピアだったのだろう。彼はそのような古代の世界を、様々な角度から様々な視線で描き続けた。そのスタイルを多くの人は「近代の否定」と呼び、「古代への回帰」と呼んだ。中にはもちろんそれを「現実からの逃避」と呼んで批判するものもいた。いずれにせよ彼はウィーン留学から日本に戻ったあと、モダニズム指向の油絵を捨て、そのような静謐（せいひつ）な世界に一人で閉じこもったのだ。ひとことの説明もなく、弁明もなく。

　しかしその『騎士団長殺し』という絵の中では、血が流されていた。それもリアルな血がたっぷり流されていた。二人の男が重そうな古代の剣を手に争っている。それはどうやら個人的な果たし合いのように見える。争っているのは一人の若い男と、一人の年老いた男だ。若い男が、剣を年上の男の胸に深く突き立てている。若い男は細い真っ黒な口髭をはやして、淡いよもぎ色の細身の衣服を着ている。年老いた男は白い装束に身を包み、豊かな白い鬚（ひげ）をはやしている。首に珠を連ねた首飾りをつけている。彼は持っていた剣をとり落とし、その剣はまだ地面に落ちきっていない。彼の胸からは血が勢いよく噴き出している。剣の刃先がおそらく大動脈を貫いたのだろう。その血は彼の白い装束を赤く染めている。口は苦痛のために歪んでいる。目はかっと見開かれ、無念そうに虚空を睨んでいる。彼は自分が敗れたことを悟っている。しかし本当の痛みはまだ訪れていない。

一方の若い男はひどく冷たい目をしている。その目は相手の男をまっすぐに見据えている。その目には後悔の念もなく、戸惑いや怯えの影もなく、興奮の色もない。その瞳があくまで冷静に目にしているのはただ、迫り来る他の誰かの死と、自らの間違いのない勝利だ。ほとばしる血はその証に過ぎない。それは彼にどのような感情ももたらしてはいない。

正直なところ、私はこれまで日本画というものを、どちらかといえば静的な、様式的な世界を描く美術のフォームだと捉えていた。日本画の技法や画材は、強い感情表現には向かないものと単純に考えていた。自分とはまったく無縁な世界だと。しかしその雨田具彦の『騎士団長殺し』を前にすると、私のそんな考えが思いこみに過ぎなかったことがよくわかった。雨田具彦の描くその二人の男の命を賭けた、激しい果たし合いの光景には、見る者の心を深いところで震わせるものがあった。勝った男と負けた男。刺し貫いた男と、刺し貫かれた男。その落差のようなものに、私は心を惹かれた。この絵には何か特別なものがある。

そしてその果たし合いを近くで見守っている人々が何人かいた。一人は若い女性だった。上品な真っ白な着物を着た女だ。髪を上にあげ、大きな髪飾りをつけている。彼女は片手を口の前にやって、口を軽く開けている。息を吸い込み、それから大きな悲鳴をあげようとしているように見える。美しい目は大きく見開かれている。

そしてもう一人、若い男がいた。服装はそれほど立派ではない。黒っぽく、装飾も乏しく、いかにも行動しやすい衣服だ。足には簡単な草履（ぞうり）を履いている。召使いか何かのように見える。剣を帯びてはおらず、腰に短い脇差しのようなものを差しているだけだ。小柄でずんぐりして、薄く顎鬚（あごひげ）をはやしている。そして左手に帳面のようなものを、今でいえばちょうど事務員がクリップボードを持つようなかっこうで、持っている。右手は何かを摑もうとするように、宙に伸ばされている。しかしその手は何も摑めないでいる。彼が老人の召使いなのか、若い男の召使いなのか、それとも女の召使いなのか、画面からはわからない。ひとつわかるのは、この果たし合いが急速な展開の末に起こったことであり、女にも召使いにもまったく予測できなかった出来事であるらしいということくらいだ。紛れもない驚きの表情が二人の顔に浮かんでいる。

　四人の中で驚いていないのはただ一人、若い殺人者だけだ。おそらく何ごとも彼を驚かせることはできないのだろう。彼は生まれつきの殺し屋ではない。人を殺すことを楽しんではいない。しかし目的のためには、誰かの息の根を止めることに躊躇したりはしない。彼は若く、理想に燃え（それがどんな理想なのかは知らないが）、力に溢れた男なのだ。そして剣を巧みに使う技術も身につけている。既に人生の盛りを過ぎた老人が、自分の手にかかって死んでいく姿を見るのは、彼にとって驚くべきことではない。むしろ自然な、理にかなったことなのだ。

　そしてもう一人、そこには奇妙な目撃者がいた。画面の左下に、まるで本文につけられた脚注のようなかっこうで、その男の姿はあった。男は地面についた蓋を半ば押し開けて、そこから首をのぞかせていた。蓋は真四角で、板でできているようだ。その蓋はこの家の屋根裏に通じる入り口の蓋を私に思い出させた。形も大きさもそっくりだ。男はそこから地上にいる人々の姿をうかがっている。

地面に開いた穴？　四角いマンホール？　まさか。飛鳥時代に下水道があるわけはない。そして果たし合いが行われているのは屋外であり、何もない空き地のようなところだ。背景に描かれているのは、枝を低く落とした松の木だけだ。なぜそんなところの地面に、蓋つきの穴が開いているのだろう？　筋が通らない。

そしてそこから首を突き出している男もまたずいぶん奇怪だった。彼は曲がった茄子のような、異様に細長い顔をしていた。そしてその顔中が黒い鬚だらけで、髪は長くもつれていた。浮浪者のようにも、世を捨てた隠者のようにも見える。痴呆のように見えなくもない。しかしその眼光は驚くほど鋭く、洞察のようなものさえうかがえる。とはいえ、その洞察は知性を通して獲得されたものではなく、ある種の逸脱が――ひょっとしたら狂気のようなものが――たまたまもたらしたもののように見える。細かい服装まではわからない。私が目にすることができたのは、首から上の姿だけだったから。彼もまたその果たし合いを見守っている。しかしその成り行きにとくに驚いてはいないようだ。むしろそれを起こるべくして起こったこととして、純粋に傍観しているように見える。あるいはその出来事の細部をいちおう念のために確認している、という風にも見える。娘も召使いも、背後にいるその顔の長い男の存在には気がついていない。彼らのまなざしは激しい果たし合いに釘付けになっている。誰も後ろを振り返ったりはしない。

この人物はいったい何ものなのか？　何のために彼はこうして古代の地中に潜んでいるのだろう？　雨田具彦はどのような目的をもって、この得体の知れない奇怪な男の姿を、釣り合いの取れた構図を無理に崩すようなかたちで、わざわざ画面の端に描き込んだりしたのだろう？

そしてだいたい、この作品になぜ『騎士団長殺し』というタイトルがつけられたのだろう？

たしかにこの絵の中では、身分の高そうな人物が剣で殺害されている。しかし古代の衣裳をまとった老人の姿は、どのように見ても「騎士団長」という呼び名には相応しくない。「騎士団長」という肩書きは明らかにヨーロッパ中世あるいは近世のものだ。日本の歴史にはそんな役職は存在しない。それでも雨田具彦はあえて『騎士団長殺し』という、不思議な響きのタイトルをこの作品につけた。そこには何かの理由があるはずだ。

しかし「騎士団長」という言葉には、私の記憶を微かに刺激するものがあった。その言葉を以前、耳にした覚えがあった。私は細い糸をたぐり寄せるように、その記憶の痕跡を辿った。どこかの小説だか戯曲だかで、その言葉を目にしたことがあるはずだ。それもよく知られた有名な作品である。どこかで……。

それから私ははっと思い出した。モーツァルトのオペラ『ドン・ジョバンニ』だ。その冒頭にたしか「騎士団長殺し」のシーンがあったはずだ。私は居間のレコード棚の前に行って、そこにある『ドン・ジョバンニ』のボックス・セットを取り出し、解説書に目を通した。そして冒頭のシーンで殺害されるのがやはり「騎士団長」であることを確認した。彼には名前はない。ただ「騎士団長」と記されているだけだ。

オペラの台本はイタリア語で書かれており、そこで最初に殺される老人は「コメンダトーレ(Il Commendatore)」と記されていた。それを誰かが「騎士団長」と日本語に訳し、その訳語が定着したのだ。現実の「コメンダトーレ」が正確にどのような地位なのか役職なのか私にはわからない。いくつかあるボックス・セットのどの解説書にも、それについての説明は記されていなかった。このオペラにおける彼は、名前を持たないただの「騎士団長」であり、その主要な役目は、冒頭にドン・ジョバンニの手にかかって刺し殺されることだ。そして最後に歩く不吉な彫像となってドン・ジョバンニの前に現れ、彼を地獄に連れて行くことだ。

考えてみれば、わかりきったことじゃないか、と私は思った。この絵の中に描かれている顔立ちの良い若者は、放蕩者ドン・ジョバンニ（スペイン語でいえばドン・ファン）だし、殺される年長の男は名誉ある騎士団長だ。若い女は騎士団長の美しい娘、ドンナ・アンナであり、召使いはドン・ジョバンニに仕えるレポレロだ。彼が手にしているのは、主人ドン・ジョバンニがこれまでに征服した女たちの名前を逐一記録した、長大なカタログだ。ドン・ジョバンニはドンナ・アンナを力尽くで誘惑し、それを見とがめた父親の騎士団長と果たし合いになり、刺し殺してしまう。有名なシーンだ。どうしてそのことに気がつかなかったのだろう？

おそらくモーツァルトのオペラと、飛鳥時代を扱った日本画という組み合わせが、あまりにかけ離れすぎていたからだろう。だから私の中でその二つがうまく結びつかなかったのだ。しかしいったんわかってしまえば、すべては明らかだった。雨田具彦はモーツァルトのオペラの世界をそのまま飛鳥時代に「翻案」したのだ。たしかに興味深い試みだ。それは認める。しかしその翻案の必然性はいったいどこにあるのだろう？　それは彼の普段の画調とはあまりに違いすぎている。そしてなぜ彼は、その絵をわざわざ厳重に梱包して屋根裏に隠匿しなくてはならなかったのだろう？

そしてその画面の左端の、地中から首を出す細長い顔をした人物の存在はいったい何を意味しているのだろう？　モーツァルトのオペラ『ドン・ジョバンニ』にはもちろんそんな人物は登場しない。雨田具彦が何らかの意図をもって、その人物をそのシーンに描き加えたのだ。そしてまたオペラの中では、父親が刺し殺される現場をドンナ・アンナは実際には目撃していない。彼女は恋人の騎士ドン・オッタービオに助けを求めにいった。そして二人で現場に戻ってきたときに、既にこときれている父親を発見するのだ。雨田具彦の絵ではその状況設定が——おそらく劇的な効果をあげるためだろう——微妙に変更されている。しかし地中から顔を出しているのは、どう見てもドン・オッタービオではない。その男の相貌は明らかに、この世の基準からははずれた異形のものだ。ドンナ・アンナを助ける白面の正義の騎士ではあり得ない。

その男は地獄からやってきた悪鬼(あっき)なのだろうか？　最後にドン・ジョバンニを地獄に連れて行く偵察をするために、前もってここに姿を見せたのだろうか？　でもどう見ても、その男は悪鬼や悪魔には見えなかった。悪鬼はこれほど奇妙な輝きを持つ目を持ってはいない。悪魔は正方形の木製の蓋をこっそり持ち上げ、地上に顔をのぞかせたりはしない。その人物はむしろある種のトリックスターとして、そこに介在しているように見える。私は仮にその男を「顔なが」と名付けた。

それから数週間、私はその絵をただ黙って眺めていた。その絵を前にしていると、自分の絵を描こうという気持ちはまったく起きなかった。まともな食事をとる気にもなれなかった。冷蔵庫を開けて目についた野菜にマヨネーズをつけて齧るか、あるいは買い置きの缶詰を開けて鍋で温めるか、せいぜいそんなところだ。私はスタジオの床に座り、『ドン・ジョバンニ』のレコードを繰り返し聴きながら、『騎士団長殺し』を飽きることなく見つめた。日が暮れるとその前でワインのグラスを傾けた。

見事な出来の絵だ、と私は思った。しかし私が知る限り、この絵は雨田具彦のどの画集にも収録されていない。つまりこの作品の存在は世間一般には知られていないということになる。もし公開されていれば、この作品は間違いなく雨田具彦の代表作のひとつになっているはずだから。いつか彼の回顧展が開かれるなら、ポスターに使われてもおかしくない作品だ。そしてこれはただ「見事に描けている」というだけの絵ではない。この絵の中には明らかに、普通ではない種類の力が漲っている。それは少しなりとも美術に心得のある人なら見逃しようがない事実だ。見る人の心の深い部分に訴え、その想像力をどこか別の場所に誘うような示唆的な何かがそこには込められている。

そして私はその画面の左端にいる鬚だらけの「顔ながが」から、どうしても目が離せなくなった。まるで彼が蓋を開けて、私を個人的に地下の世界に誘っているような気がしたからだ。他の誰でもなく、この私をだ。実際のところ、その蓋の下にどのような世界があるのか、私は気になってならなかった。彼はいったいどこからやってきたのだろう？　そこでいったい何をしているのだろう？　その蓋はやがてまた閉められるのだろうか、それとも開きっぱなしになるのだろうか？　私はその絵を眺めながら、歌劇『ドン・ジョバンニ』のその場面を繰り返し聴いた。序曲に続く、第一幕・第三場。そしてそこで歌われる歌詞、口にされる台詞をほとんどそのまま覚えてしまった。

ドンナ・アンナ
「ああ、あの人殺しが、私のお父様を殺したのよ。

この血……、この傷……、
顔は既に死の色を浮かべ、
息もことされ、
手足も冷たい
お父様、優しいお父様！
気が遠くなり、
このまま死んでしまいそう」

6 今のところは顔のない依頼人です

エージェントから電話がかかってきたのは、夏もそろそろ終わりを迎えた頃だった。誰かから電話がかかってくるのは久しぶりのことだ。昼間にはまだ夏の暑さが残っていたが、日が暮れると山の中の空気は冷え込んだ。あれほどうるさかった蟬の声がだんだん小さくなり、そのかわりに虫たちが盛大な合唱を繰り広げるようになった。都会に暮らしているときとは違って、私を取り囲む自然の中で、推移する季節はその取り分を遠慮なく切り取っていった。

我々はまず最初に、それぞれの近況の報告をしあった。とはいっても、語るべきことはたいしてない。

「ところで、画作の方はうまく捗(はかど)ってますか？」

「少しずつね」と私は言った。もちろん嘘だ。この家に移ってきて四ヶ月あまり、用意したキャンバスはまだ真っ白なままだ。

「それはよかった」と彼は言った。「そのうちに作品を少し見せて下さい。何かお手伝いできることがあるかもしれませんから」

「ありがとう。そのうちに」

それから彼は用件を切り出した。「ひとつお願いがあって電話を差し上げました。どうでしょう？　一度だけ、肖像画をまた描いてみる気はありませんか？」

「肖像画の仕事はもうしないって言ったはずですよ」

「ええ、それはたしかにうかがいました。でもこの話は報酬が法外にいいんです」

「法外に良い？」

「飛び抜けて素晴らしいんです」

「どれくらい飛び抜けているんだろう？」

彼は具体的に数字をあげた。私は思わず口笛を吹きそうになった。でももちろん吹かなかった。

「世の中には、ぼくのほかにも肖像画を専門に描く人はたくさんいるはずだけど」と私は冷静な声で言った。

「それほどたくさんではないけれど、そこそこ腕の立つ肖像専門の画家は、あなたのほかにも何人かいます」

「じゃあ、そちらに話を持っていけばいい。その金額なら、誰だって二つ返事で引き受けるでしょう」

「先方はあなたを指名しているんです。あなたが描くということが先方の条件になっています。他の人では駄目だと」

私は受話器を右手から左手に持ち替え、右手で耳の後ろを掻(か)いた。

相手は言った。「その人はあなたの描いた肖像画を何点か目にして、とても気に入ったそうです。あなたの絵の持つ生命力が、ほかでは求めがたいということで」

「でもわからないな。だいいちぼくがこれまで描いた肖像画を、一般の人が何点か目にするなんて、そんなことが可能なんでしょうか？　画廊で毎年個展を開いているわけでもあるまいし」

「細かい事情までは知りません」と彼は少し困ったような声で言った。「私はクライアントから言われたとおりのことをお伝えしているだけです。あなたはもう肖像画を描く仕事とは手を切っていると、最初に先方に言いました。決心は堅そうだから、頼んでもまず駄目でしょうと。でも先方はあきらめませんでした。そこでこの具体的な金額が出てきたわけです」

　私は電話口でその提案について考えてみた。正直なところ、提示された金額には心をひかれた。また私の描いた作品に――たとえ賃仕事として半ば機械的にこなしたものであれ――それだけの価値を見出す人がいるということに、少なからず自尊心をくすぐられもした。しかし私はもう二度と営業用の肖像画は描くまいと自らに誓った。妻に去られたことを契機として、もう一度人生の新しいスタートを切ろうという気持ちになったのだ。まとまった金を目の前に積まれただけで簡単に決心を覆す（くつがえ）ことはできない。

「しかしそのクライアントは、どうしてそれほど気前がいいのでしょう？」と私は尋ねてみた。

「こんな不景気な世の中ですが、その一方でお金が余っている人もちゃんといるんです。インターネットの株取り引きで儲けたか、あるいはＩＴ関係の起業家か、そんな関係の人であることが多いようです。肖像画の制作なら経費で落とすことができますしね」

「経費で落とす？」

「帳簿上では肖像画は美術品ではなく、業務用の備品扱いにできますから」

「それを聞くと心が温まる」と私は言った。

　インターネットの株取り引きで儲けた人間や、ＩＴ関係のアントレプレナーたちが、いくら金が余っているにせよ、たとえ経費で落とせるにせよ、自分の肖像画を描かせて備品としてオフィスの壁に掛けたがるとは私には思えなかった。その多くは洗いざらしのジーンズとナイキのスニーカー、くたびれたＴシャツにバナナ・リパブリックのジャケットという格好で仕事をし、スターバックスのコーヒーを紙コップで飲むことを誇りとするような若い連中だ。重厚な油絵の肖像画は彼らのライフスタイルには似合わない。でも世の中にはもちろんいろんなタイプの人間がいる。一概にこうと決めつけることはできない。スターバックス（だかどこか）のコーヒー（もちろんフェア・トレードのコーヒー豆を使用したもの）を紙コップで飲んでいるところを描いてほしがる人間だっていないとは限らない。

「ただし、ひとつだけ条件があります」と彼は言った。「そのクライアントを実際のモデルにして、対面して描いてもらいたいというのが先方の要望です。そのための時間は用意するからと」

「でも、ぼくはだいたいそういう描き方はしませんよ」

「知っています。クライアントと個人的に面談はするけれど、実際の画作のモデルとしては使わない。それがあなたのやり方です。そのことは先方にも伝えました。そうかもしれないが、でも今回はしっかり本人を目の前にして描いてほしい。それが先方の条件になります」

「その意味するところは？」

「私にはわかりません」

「ずいぶん不思議な依頼ですね。なぜそんなことにこだわるんだろう？　モデルをつとめなくてもいいなら、むしろありがたいはずなのに」

「一風変わった依頼です。しかし報酬に関しては申し分ないように思いますが」

「報酬に関しては申し分ないとぼくも思います」と私は同意した。

「あとはあなた次第です。なにも魂を売ってくれと言われているわけじゃない。あなたは肖像画家としてとても腕がいいし、その腕が見込まれているんです」

「なんだか引退したマフィアのヒットマンみたいだな」と私は言った。「最後にあと一人だけターゲットを倒してくれ、みたいな」

「でもなにも血が流されるわけじゃない。どうです、やってみませんか？」

いいいいいいいい、血が流されるわけじゃない、と私は頭の中で繰り返した。そして『騎士団長殺し』の画面を思い浮かべた。

「それで描く相手はどんな人なんですか？」と私は尋ねた。

「実を言うと、私も知りません」

「男か女か、それもわからない？」

「わかりません。性別も年齢も名前も、何も聞いていません。今のところは純粋に顔のない依頼人です。代理人と名乗る弁護士がうちに電話をかけてきて、その人とやりとりしただけです」

「でもまともな話なんですね？」

「ええ、決してあやしい話じゃありません。相手はしっかりした弁護士事務所でしたし、話がまとまれば着手金をすぐに振り込むということでした」

私は受話器を握ったまままたため息をついた。「急な話なので、すぐには返事ができそうにない。

少し考える時間がほしいんですが」

「いいですよ。得心がいくまで考えてみてください。とくに差し迫った話ではないと先方は言っています」

私は礼を言って電話を切った。そして他にやることも思いつかなかったので、スタジオに行って明かりをつけ、床に座って『騎士団長殺し』の絵をあてもなく見つめた。そのうちに小腹が減ってきたので、台所に行って、トマトケチャップと皿に盛ったリッツ・クラッカーを持って戻ってきた。そしてクラッカーにケチャップをつけて食べ、また絵を眺めた。そんなものはもちろん美味くもなんともない。どちらかといえばひどい味がする。しかし美味くても美味くなくても、そのときの私にとっては些細なことだった。空腹が少しでも満たされればそれでかまわない。

その絵は全体としてまた細部として、私の心をそれほど強く惹きつけていた。ほとんどその絵の中に囚われてしまったといってもいいくらいだった。数週間かけてその絵を眺め尽くしたあとで、私は今度は近くに寄って、ひとつひとつのディテールをとりあげ、細かく検証してみた。とくに私の関心を惹きつけたのは、五人の人物たちが顔に浮かべている表情だった。私はその絵の中の一人ひとりの表情を鉛筆で精密にスケッチした。騎士団長から、ドン・ジョバンニからドンナ・アンナからレポレロから、「顔なが」に至るまで。読書家が本の中の気に入った文章を、ノートに一字一句違わずに丁寧に書き写すように。

日本画に描かれた人物を自分の筆致でデッサンするのは、私にとって初めての体験だったが、やり始めてすぐにそれが予想していたより遥かにむずかしい試みであることがわかった。日本画はもともと線が中心になっている絵画だし、その表現法は立体性より平面性に傾いている。そこではリアリティーよりも象徴性や記号性が重視される。そのような視線で描かれた画面を、そのままいわゆる「洋画」の語法に移し替えるのは本来的に無理がある。それでも何度かの試行錯誤の末に、それなりにうまくこなせるようになった。そのような作業には「換骨奪胎(かんこつだったい)」とまではいかずとも、自分なりに画面を解釈し「翻訳」することが必要とされるし、そのためには原画の中にある意図をまず把握しなくてはならない。言い換えるなら、私は――あくまで多かれ少なかれではあるけれど――雨田具彦という画家の視点を、あるいは人間のあり方を理解しなくてはならない。比喩的に言うなら、彼の履いている靴に自分の足を入れてみる必要がある。

そのような作業をしばらく続けたあとでふと、「久しぶりに肖像画を描いてみるのも悪くないかもな」と私は考えるようになった。どうせ何も描けないでいるのだ。何を描けばいいのか、自分が何を描きたいと思っているのか、そのヒントさえつかめないでいる。たとえ意に染まない仕事であれ、実際に手を動かして何かを描いてみるのも悪くないかもしれない。何ひとつ生み出せない日々をこのまま続けていたら、本当に何も描けなくなってしまうかもしれない。肖像画すら描けなくなってしまうかもしれない。もちろん提示された報酬の金額にも心を惹かれた。今のところこうしてほとんど生活費のかからない生活を送っているが、絵画教室の収入だけではとても生活はまかなえない。長い旅行もしたし中古のカローラ・ワゴンも買ったし、蓄えは少しずつではあるが間違いなく減り続けている。まとまった額の収入はもちろん大きな魅力だった。

私はエージェントに電話をかけ、今回に限って仕事を引き受けてもいいと言った。彼はもちろん喜んだ。

「しかしクライアントと対面して、実物を前に描くとなると、ぼくがそこまで出向かなくちゃならないことになります」と私は言った。

「そのご心配は無用です。先方があなたの小田原のお宅に伺うということでした」

「小田原の？」

「そうです」

「その人はぼくの家を知っているのですか？」

「お宅の近隣にお住まいだということです。雨田具彦さんのお宅に住んでおられることもご存じでした」

私は一瞬言葉を失った。それから言った。「不思議ですね。ぼくがここに住んでいることはほとんど誰も知らないはずなんだけど。とくに雨田具彦の家であることは」

「私ももちろん知りませんでした」とエージェントは言った。

「じゃあ、どうしてその人は知っているのだろう？」

「さあ、そこまで私にはわかりません。しかしインターネットを使えばなんだってわかってしまう世界です。手慣れた人の手にかかれば、個人的な秘密なんて存在しないも同然かもしれませんよ」

「その人がうちの近くに住んでいたというのはたまたまの巡り合わせなのかな？　それとも近くに住んでいるからというのも、先方がぼくを選んだ理由のひとつになっているんでしょうか？」

「そこまではわかりません。先方と顔を合わせてお話しになるときに、知りたいことがあればご自分で訊いてみてください」

そうすると私は言った。

「それでいつから仕事にとりかかれますか？」

「いつでも」と私は言った。

「それでは先方にそのように返事をして、あとのことはあらためて連絡をします」とエージェントは言った。

受話器を置いてから、私はテラスのデッキチェアに横になって、その成り行きについて考えを巡らせた。考えれば考えるほど疑問の数が増えていった。私がこの家に住んでいることをその依頼人が知っていたという事実が、まず気に入らなかった。まるで自分が誰かにずっと見張られ、一挙一動を観察されていたような気がした。しかしどこの誰が、いったい何のために、私という人間にそれほどの関心を抱くのだろう？　そしてまた全体的にいささか話がうますぎるという印象がある。私の描く肖像画はたしかに評判はよかった。私自身もそれなりの自信を持っている。とはいえそれは所詮どこにでもある肖像画だ。どのような見地から見てもそれを「芸術品」と呼ぶことはできない。そして私は世間的に見ればまったく無名の画家だ。いくら私の絵をいくつか目にして個人的に気に入ったにせよ（私としてはそんな話を額面通り受け取る気にはなれなかったが）、そこまで気前よく報酬をはずむものだろうか？

ひょっとしてその依頼主は、私が現在関係を持っている女性の夫ではあるまいか？　そんな考えがふと私の脳裏をよぎった。具体的な根拠はないのだが、考えれば考えるほどそういう可能性もなくはないように思えてきた。私に個人的に興味を持つ匿名の近所の人間となると、それくらいしか思いつけない。でもどうして彼女の夫が、大金を払ってわざわざ妻の浮気相手に自分の肖像画を描かせなくてはならないのだろう？　話の筋が通らない。相手がよほど変質的な考え方をする人間でない限りは。

まあいい、と私は最後に思った。目の前にそういう流れがあるのなら、いったん流されてみればいい。相手に何か隠された目論見があるのなら、その目論見にはまってみればいいじゃないか。動きがとれないまま、こうして山の中で立ち往生しているよりは、その方がよほど気が利いているかもしれない。そしてまた私には好奇心もあった。私がこれから相手にしようとしているのは、いったいどのような人物なのだろう？　その相手は多額の報酬を積む見返りとして、私に何を求めているのだろう？　その何かを見届けてみたいと私は思った。

そう心を決めてしまうと、気持ちは少し楽になった。その夜は、久しぶりに何も考えずにまっすぐ深い眠りに入ることができた。夜中にみみずくの動き回るがさがさという音を聞いたような気がした。しかしそれは切れ切れな夢の中の出来事だったかもしれない。

7 良くも悪くも覚えやすい名前

東京のエージェントとのあいだで何度か電話のやりとりがあり、翌週の火曜日の午後にその謎のクライアントと顔を合わせることになった（その時点でも相手の名前はまだ明らかにされなかった）。最初の日には初対面の挨拶をし、一時間ほど会話をするだけで、実際に絵を描く作業にはかからないという私の従来の手順は認めてもらった。

肖像画を描くために必要なのは言うまでもなく、相手の顔の特徴を的確にとらえる能力だが、それだけでは十分とは言えない。それだけだとただの似顔絵（カリカチュア）になってしまいかねない。生きた肖像画を描くために必要とされるのは、相手の顔だちの核心にあるものを見て取る能力だ。顔はある意味では手相に似ている。もって生まれたものというよりはむしろ、歳月の流れの中で、またそれぞれの環境の中で徐々に形作られてきたものであり、同一のものはひとつとしてない。

火曜日の朝、私は家の中をきれいに片付け、掃除をし、花瓶に庭で摘んできた花を飾り、『騎士団長殺し』の絵をスタジオから客用の寝室に移動し、もともとかけられていた茶色の和紙で包んで見えないようにしておいた。その絵を他人の目に晒（さら）すわけにはいかない。

一時五分過ぎに一台の車が急な坂道を上ってきて、玄関前の車寄せに停まった。重く野太いエンジン音がしばらくあたりに響き渡った。大きな動物が洞窟の奥で満足げに喉を鳴らしているような音だ。おそらく排気量の大きなエンジンだろう。それからエンジンが停止し、谷間に再び静寂が降りた。銀色のジャガーのスポーツ・クーペだった。ちょうど雲間からこぼれた太陽の光が、よく磨かれた長いフェンダーに眩しく反射していた。私はそれほど車に詳しくはないので、型式まではわからない。しかしそれが最新型のモデルであり、走行キロ数はまだ四桁に留まっており、その価格は私が中古のカローラ・ワゴンに払った額の少くとも二十倍はするだろうという程度のことは推測できた。しかしとくに驚くような話ではない。自分の肖像画にそれだけの大金を出すことができる人物なのだ。たとえ大型ヨットに乗ってやってきたところで何の不思議もない。

車から降りてきたのは身なりの良い中年の男だった。濃い緑色のサングラスをかけ、長袖の真っ白なコットンのシャツに（ただ白いだけではない。真っ白なのだ）、カーキ色のチノパンツをはいていた。靴はクリーム色のデッキシューズ。身長は百七十センチより少し高いくらいだろう。顔はむらなく、ほどよく日焼けしていた。いかにも清潔そうな雰囲気が全体に漂っていた。しかし彼に関して最初に私の目を惹いたのは、なんといってもその髪だった。軽くウェーブのかかった豊富な髪は、おそらく一本残らず白髪だった。灰色とかごま塩とか、そういうのではない。とにかくすべてが積もりたての処女雪のように純白なのだ。

彼が車を降りて、ドアを閉め（高級車のドアを無造作に閉めるときの、独特の小気味良い音がした）、ロックはせずに車のキーをズボンのポケットに入れ、うちの玄関の方に歩いてやってくるのを、私は窓のカーテンの隙間から見守っていた。とても美しい歩き方だった。背筋がまっすぐ伸ばされ、必要な筋肉が隅々までまんべんなく使われている。きっと日常的に何か運動をしているのだろう。それもかなりしっかりと。私は窓の前を離れ、居間の椅子に腰を下ろし、そこで玄関のベルが鳴るのを待った。ベルが鳴ると、ゆっくり玄関まで歩いて行って、ドアを開けた。

私がドアを開けると、男はサングラスをはずし、シャツの胸ポケットに入れ、それから何も言わずに手を前に差し出した。私もほとんど反射的に手を差し出した。男は私の手を握った。アメリカ人がよくやるような、力強い握手だった。私の感覚からいうと少し力が強すぎたが、痛いというほどではない。

「メンシキです。よろしく」と男は明瞭な声で名乗った。講演会の最初に、講演者がマイクのテストを兼ねて挨拶をするような口調だった。

「こちらこそ」と私は言った。「メンシキさん?」

「免税店の免に、色合いの色と書きます」

「免色さん」と私は頭の中で二つの漢字を並べてみた。なんとなく不思議な字の組み合わせだ。

「色を免れる」と男は言った。「あまりない名前です。うちの親族を別にすれば、ほとんど見かけません」

「でも覚えやすい」

「そのとおりです。覚えやすい名前です。良くも悪くも」と男は言って微笑んだ。頬から顎にかけてうっすらと無精鬚がのびていたが、おそらく無精鬚ではないのだろう。正確に数ミリぶんわざと剃り残されているのだろう。鬚は髪とは違い、半分くらいは黒かった。髪だけがなぜそれほど見事に真っ白になれたのか、私には不思議だった。

「どうぞお入りください」と私は言った。

免色という男は小さく会釈をし、靴を脱いで家に上がった。身のこなしはチャーミングだが、そこにはいくらか緊張が含まれているようだった。新しい場所に連れてこられた大きな猫のように、ひとつひとつの動作が用心深く柔らかで、その目は素速くあちこちを観察していた。

「快適そうなお住まいですね」と彼はソファに腰を下ろして言った。「とても静かで落ち着いている」

「静かなことはとても静かです。買い物とかをするには不便ですが」

「でもあなたのようなお仕事をなさるには、きっと理想的な環境なのでしょうね」

私は彼の向かいの椅子に腰を下ろした。

「免色さんもこの近くにお住まいと聞きましたが」

「ええ、そうです。歩いて来ると少し時間はかかりますが、直線距離でいうならかなり近いです」

「直線距離でいうなら」と私は相手の言葉を繰り返した。その表現がどことなく奇妙に響いたからだ。「直線距離でいうなら、具体的にどれくらい近くなのでしょうか？」

「手を振れば、見えるくらいです」

「つまりここからあなたのお宅が見えるということですか」

「そのとおりです」

どう言えばいいのか迷っていると、免色が言った。「うちをご覧になりますか？」

「できれば」と私は言った。

「テラスに出てかまいませんか?」

「もちろんどうぞ」

免色はソファから起ち上がり、居間からそのまま続いているテラスに出た。そして手すりから身を乗り出すようにして、谷間を隔てた向かい側を指さした。

「あそこに白いコンクリートの家が見えるでしょう。山の上の、陽を受けてガラスが眩しく光っている家です」

そう言われて私は思わず言葉を失った。それは私が夕暮れにテラスのデッキチェアに寝転んで、ワイングラスを傾けながらよく眺めていた、あの瀟洒な邸宅だった。私の家の右手はす向かいにある、とても目立つ大きな家だ。

「少し距離はありますが、大きく手を振れば、挨拶くらいはできそうです」と免色は言った。

「それにしても、ぼくがここに住んでいると、どうやってわかったんですか?」と私は手すりに両手を置いたまま彼に尋ねた。

彼はわずかに戸惑ったような表情を顔に浮かべた。本当に戸惑っているわけではない。ただ戸惑っているように見せているだけだ。とはいえそこには演技的な要素はほとんど感じられなかった。彼は受け答えに少し間を置きたかっただけなのだ。

免色は言った。「いろんな情報を効率よく手に入れるのが、私の仕事の一部になっています。そういうビジネスに携わっています」

「インターネット関連ということですか?」

「そうです。というか正確に言えば、インターネット関連も私の仕事の一部に含まれているということですが」

「でもぼくがここに住んでいることは、まだほとんど誰も知らないはずなんですが」

免色は微笑んだ。「ほとんど誰も知らないというのは、逆説的に言えば、知っている人が少しはいるということです」

私はもう一度谷間の向かい側の、その白い豪華なコンクリートの建物に目をやった。それからあらためて免色という男の姿かたちを眺めた。おそらく彼があの家のテラスに、毎夜のように姿を見せていた男なのだろう。そう思って見てみると、彼の体型や身のこなしは、その人物のシルエットにぴたりとあてはまるようだった。年齢はうまく判断できない。雪のように真っ白な髪を見ると、五十代後半か六十代前半のようにも見えたが、肌は艶やかで張りがあり、顔には皺ひとつなかった。そしてその一対の奥まった目は三十代後半の男の若々しい輝きを放っていた。それらをすべて総合して実際の年齢を算出するのは至難の業だった。四十五歳から六十歳までのどの年齢だと言われても、そのまま信用するしかないだろう。

免色は居間のソファの上に戻り、私も居間に戻ってまた彼の向かい側に腰を下ろした。私は思いきって切り出した。

「免色さん、ひとつ質問があるのですが」

「もちろん。なんでも訊いてください」と相手はにこやかに言った。

「ぼくがあなたの家の近くに住んでいることは、今回の肖像画のご依頼と何か関係あるのでしょうか？」

免色は少しばかり困ったような顔をした。彼が困ったような顔をすると、目の両脇に数本の小さな皺が寄った。なかなかチャーミングな皺だった。彼の顔の造作は、ひとつひとつ見るととてもきれいに整っていた。眼は切れ長で少しばかり奥まり、額は端正に広く、眉はくっきりと濃く、鼻は細くて適度に高い。小柄な顔にぴたりと似合う目と眉と鼻だ。しかし彼の顔は小柄というには、いくぶん横に広がりすぎていて、そのせいで純粋に美的な観点から見ると、そこにいささかのバランスの悪さが生じていた。縦横の均衡がうまくとれていないのだ。しかしその不均衡を一概に欠点と決めつけることはできない。それはあくまで彼の顔立ちのひとつの持ち味になっており、そのバランスの悪さには、逆に見るものを安心させるところがあったからだ。もしあまりにきれいに均整がとれていたら、人はその容貌に対して軽い反感を持ち、警戒心を抱いたかもしれない。しかしその顔には、初対面の相手をひとまずほっとさせるものがあった。それは「大丈夫です、安心してください。私はそれほど悪い人間じゃありません。あなたにひどいことをするつもりはありませんから」と愛想良く語りかけているように見えた。

　尖(とが)った大きな耳の先が、きれいにカットされた白髪の間から小さく顔をのぞかせていた。その耳は新鮮な生命力のようなものを私に感じさせた。それは秋の雨上がりの朝、積もった落ち葉のあいだからぐいと頭をのぞかせている、森の活発なキノコを思わせた。口は横に広く、細い唇はきれいにまっすぐに閉じられ、いつでもすぐに微笑むことができるように怠りなく準備を整えていた。

　彼をハンサムな男と呼ぶことはもちろん可能だった。また実際のところハンサムなのだろう。しかし彼の顔立ちには、そのような通り一遍の形容をはねつけ、あっさり無効化してしまうところがあった。彼の顔はただハンサムと呼ぶにはあまりに生き生きとして、動きが精妙だった。そこに浮かんだ表情は計算してこしらえられたものではなく、あくまで自然に自発的に浮かび上がってきたもののように見えた。もしそれが意図されたものであったとしたら、彼は相当な演技者ということになるだろう。

私は初対面の人の顔を観察し、しかしたぶんそうではあるまいという印象を私は持った。それが習慣になっている。多くの場合、そこには具体的な根拠のようなものはない。あくまで直観に過ぎない。しかし肖像画家としての私を助けてくれるのは、ほとんどの場合そのようなただの直観なのだ。

「答えはイエスであり、ノーです」と免色は言った。彼の手は両膝の上で、手のひらを上に向けて大きく開かれ、それからひっくり返された。

私は何も言わずに彼の次の言葉を待った。

「私は、近所にどのような人が住んでおられるのか、気になる人間です」と免色は続けた。「いや、気になるというより興味を持つ、という方が近いかもしれません。とくに谷間越しにちょくちょく顔を合わせるような場合には」

顔を合わせるという表現にはいささか遠すぎる距離ではないかと私は思ったが、何も言わなかった。彼が高性能の望遠鏡を所持しており、それを使ってこっそりうちを観察していたのではないかという可能性が頭にふと浮かんだが、そのこともちろん口にはしなかった。そもそもいかなる理由があって、彼がこの私を観察したりしなくてはならないのか？

「それであなたがここにお住まいになっていることを知りました」と免色は話を続けた。「あなたが専門的な肖像画家であることがわかり、興味をひかれてあなたの作品をいくつか拝見しました。最初はインターネットの画像で見たのですが、それでは飽きたらず、実物を三つばかり見せていただきました」

　それを聞いて、私は首をひねらないわけにはいかなかった。「実物を見たとおっしゃいますと？」

「肖像画の持ち主、つまりモデルになった人々のところに行って、お願いして見せていただいたんです。みんな喜んで見せてくださいましたよ。自分の肖像画を見たいという人がいると、描かれた本人としてはずいぶん嬉しいものみたいですね。それらの絵を間近に見せていただき、そして実際のご本人の顔と見比べていると、私はいささか不思議な気持ちになりました。絵と本物とを見比べていると、だんだんどちらがリアルなのかわからなくなってきたからです。どういえばいいのでしょう、あなたの絵には何かしら、見るものの心を普通ではない角度から刺激するものがあります。一見すると通常の型どおりの肖像画なんですが、よくよく見るとそこには何かが身を潜めています」

「何か？」と私は尋ねた。

「何かです。言葉ではうまく表現できないのですが、本物のパーソナリティーとでも呼べばいいのでしょうか」

「パーソナリティー」と私は言った。「それはぼくのパーソナリティーなのですか？　それとも描かれた人のパーソナリティーなのですか？」

「たぶん両方です。絵の中でおそらくそのふたつが混じり合い、腑分け（ふわ）ができないくらい精妙に絡み合っているのでしょう。それは見過ごすことのできないものです。ぱっと見てそのまま通り過ぎても、何かを見落としたような気がして自然に後戻りし、今一度見入ってしまいます。私はその何かに心を惹かれたのです」

　私は黙っていた。

「それで私は思ったんです。何があってもこの人に私の肖像画を描いてほしいものだと。そしてすぐにあなたのエージェントに連絡をとりました」

「代理人をつかって」

「そうです。私は通常、代理人を用いていろんなものごとを進めます。法律事務所がその役をつとめてくれます。べつに後ろめたいところがあるわけじゃありません。ただ匿名性を大事にしているだけです」

「覚えられやすい名前だし」

「そのとおりです」と言って彼は微笑んだ。口が大きく横に開き、耳の先端が小さく揺れた。

「名前を知られたくないときもあります」

「それにしても報酬の金額がいささか大きすぎるようですが」と私は言った。

「あなたもご存じのように、ものの価格というのはあくまで相対的なものです。需要と供給のバランスによって価格が自然に決定されます。それが市場原理です。もし私が何かを買いたいと言って、あなたがそれを売りたくないと言えば、価格は上がります。その逆であれば、当然ながら下がります」

「市場原理のことはわかります。でもそこまでして、ぼくに肖像画を描かせることが、あなたにとって必要なんですか？　こう言ってはなんですが、肖像画なんてとりあえずなくて困るものでもないでしょう」

「そのとおりです。なくて困るものではありません。しかし私には好奇心というものがあります。あなたが私を描くとどのような肖像画ができるのだろう。私としてはそれが知りたい。言い換えるなら、私は自分の好奇心に自分で値段をつけたわけです」

「そしてあなたの好奇心には高い値段がつく」

彼は楽しそうに笑った。「好奇心というのは、純粋であればあるほど強いものですし、またそれなりに金のかかるものです」

「コーヒーをお飲みになりますか？」と私は尋ねてみた。

「いただきます」

「さっきコーヒーメーカーでつくったものですが、かまいませんか？」

「かまいません。ブラックでお願いします」

私は台所に行って、コーヒーを二つのマグカップに注ぎ、それを持って戻ってきた。

「ずいぶんたくさんオペラのレコードをお持ちなのですね」と免色はコーヒーを飲みながら言った。「オペラがお好きですか？」

「そこにあるレコードは、ぼくの持ち物じゃありません。家の持ち主が置いていったものです。おかげでここに来てからずいぶんオペラを聴くようになりました」

「持ち主というのは雨田具彦さんのことですね？」

「そのとおりです」

「あなたには、とくに何か好きなオペラはありますか？」

私はそれについて考えてみた。「最近は『ドン・ジョバンニ』をよく聴いています。ちょっと

「どんな理由ですか？　もしよろしければ聞かせていただけますか」

「個人的なことです。大したことではありません」

「『ドン・ジョバンニ』は私も好きで、よく聴きます」と免色は言った。「一度プラハの小さな歌劇場で『ドン・ジョバンニ』を聴いたことがあります。たしか共産党政権が倒れて、まだ間もない頃のことでした。ご存じだとは思いますが、プラハは『ドン・ジョバンニ』が初演された街です。劇場も小さく、オーケストラの編成も小さく、有名な歌手も出ていませんが、とても素晴らしい公演でした。歌手は大歌劇場でやるときのように、大きな声を張り上げる必要はありませんから、とても親密に感情表現を行うことができるんです。メトやスカラ座ではそうはいきません。名の通った声の大きな歌手が必要とされます。アリアは時として、まるでアクロバットみたいになります。でもモーツァルトのオペラのような作品に必要なのは、室内楽的な親密さです。そう思いませんか？　そういう意味ではプラハの歌劇場で聴いた『ドン・ジョバンニ』は、ある意味理想的な『ドン・ジョバンニ』だったかもしれません」

　彼はコーヒーを一口飲んだ。私は何も言わずに彼の動作を観察していた。

「これまで世界中いろんなところでいろんな『ドン・ジョバンニ』を聴く機会がありました」と彼は続けた。「ウィーンでも聴いたし、ローマでも、ミラノでも、ロンドンでも、パリでも、メトでも、東京でも聴きました。アバド、レヴァイン、小澤、マゼール、後は誰だったかな……ジョルジュ・プレートルだったか、でもそのプラハで聴いた『ドン・ジョバンニ』が不思議に心に残っています。歌手や指揮者は名前も聞いたことがない人々でしたが。公演が終わって外に出ると、プラハの街に深い霧がかかっていました。当時はまだ照明も少なく、夜になると街は真っ暗になりました。人気のない石畳の道をあてもなく歩いていると、そこに古い銅像がぽつんと建っていました。誰の銅像だかはわかりません。でも中世の騎士のような格好をしていました。そこで私は思わず彼を夕食に招待したくなりました。もちろんしませんでしたが」

彼はまたそこで笑った。

「外国にはよくお出かけになるのですね?」と私は尋ねた。

「仕事でときどき出かけます」と彼は言った。そして何かに思い当たったようにそのまま口を閉ざした。仕事の具体的な内容に触れたくないのだろうと私は推測した。

「それでいかがでしょう?」と免色は私の顔をまっすぐ見て尋ねた。「私はあなたの審査をパスしたのでしょうか?」

「審査なんてしてはいませんよ。ただこうして向かいあってお話をしているだけです」

「でもあなたは画作に入る前に、まずクライアントと会って話をする。意に染まなかった相手の肖像画は描かない、という話を耳にしましたが」

私はテラスに目をやった。テラスの手すりには大きなカラスが一羽とまっていたが、私の視線の気配を感じたように、艶やかな羽を広げてすぐに飛び立った。

私は言った。「そのような可能性もあるかもしれませんが、幸運なことに今のところ、そこまで意に染まない方にお目にかかったことはありません」

「私が最初の一人にならないといいのですが」と免色は微笑んで言った。でもその目は決して笑ってはいなかった。彼は真剣なのだ。

「大丈夫です。ぼくとしては喜んで、あなたの肖像画を描かせていただきます」

「それはよかった」と彼は言った。そして一息間を置いた。「ただ勝手なことを申し上げるようですが、私の方にもちょっとした希望があります」

私はあらためてまっすぐ彼の顔を見た。「どのようなご希望でしょう？」

「もしできることなら私としてはあなたに、肖像画という制約を意識しないで、私を自由に描いていただきたいのです。もちろんいわゆる肖像画を描きたいということであれば、それでかまいません。これまで描いてこられたような一般的な画法で描いていただいてけっこうです。しかしそうじゃない、これまでにない別の手法で描いてみたいということであれば、それを私は喜んで歓迎します」

「別の手法？」

「それがどのようなスタイルであれ、あなたが好きなように、そうしたいと思うように描いていただければいいということです」

「つまり一時期のピカソの絵のように、顔の片側に目が二つついていてもかまわない、ということですか？」

「あなたがそのように私を描きたいのであれば、こちらにはまったく異存はありません。すべてをおまかせします」

「あなたはそれをあなたのオフィスの壁にかけることになる」

「私は今のところオフィスというものを持ち合わせておりません。ですからおそらくうちの書斎の壁にかけることになると思います。もしあなたに異存がなければですが」

もちろん異存はなかった。どこの壁だって、私にとってそれほどの違いはない。私はしばらく考えてから言った。

「免色さん、そのように言っていただけるのはとてもありがたいのですが、どんなスタイルでもいい、自由に好きなように描けと言われても、具体的なアイデアが急には浮かんできません。ぼくは一介の肖像画家です。長いあいだ決められた様式で肖像画を描いてきました。制約をとってしまえと言われても、制約そのものが技法になっている部分もあります。ですからたぶんこれまでどおりのやり方で、いわゆる肖像画を描くことになるのではないかと思います。それでもかまいませんか？」

免色は両手を広げた。「もちろんそれでけっこうです。あなたがいいと思うようにすればいい。あなたが自由であること、それが私の求めるただひとつのことです」

「それから、実際にあなたをモデルにして肖像画を描くとなると、このスタジオに何度か来ていただいて、長く椅子に座っていただくことになります。お仕事がお忙しいとは思いますが、それは可能ですか？」

「時間はいつでもあけられるようにしてあります。実際に対面して描いてほしいというのは、そもそもこちらが希望したことですから。ここに来て、できるだけ長くおとなしくモデルとして椅子に座っています。そのあいだゆっくりお話しできると思います。話をするのはかまわないのでしょうね？」

「もちろんかまいません。というか、会話はむしろ歓迎するところです。ぼくにとってあなたはまさに謎の人です。あなたを描くには、あなたについての知識をもう少し多く持つ必要があるかもしれませんから」

免色は笑って静かに首を振った。彼が首を振ると、真っ白な髪が風に吹かれる冬の草原のように柔らかく揺れた。

「どうやらあなたは、私のことを買いかぶりすぎておられるようだ。私にはとくに謎なんてありませんよ。自分についてあまり語らないのは、そんなことをいちいち人に話してもただ退屈なだけだからです」

彼が微笑むと、目尻の皺がまた深まった。いかにも清潔で裏のない笑顔だった。しかしそれだけではあるまいと私は思った。免色という人物の中には、何かしらひっそり隠されているものがある。その秘密は鍵の掛かった小箱に入れられ、地中深く埋められている。それが埋められたのは昔のことで、今ではその上に柔らかな緑の草が茂っている。その小箱が埋められている場所を知っているのは、この世界で免色ひとりだけだ。私はそのような種類の秘密の持つ孤独さを、彼の微笑みの奥に感じとらないわけにはいかなかった。


免色とはそれから二十分ばかり向かい合って話をした。いつからモデルとしてここに通ってくるか、どれくらい時間の余裕があるか、そういう実務的な打ち合わせを我々はおこなった。帰り際に、玄関口で彼はまたとても自然に手を差し出し、私も自然にそれを握った。最初と最後に堅い握手をするのが、免色氏の習慣であるらしかった。彼がサングラスをかけ、ポケットから車のキーを取りだし、銀色のジャガー（よく躾（しつ）けられた大型の滑らかな生き物のように見える）に乗り込み、その車が優雅に坂を下っていくのを私は窓から見ていた。それからテラスに出て、彼がおそらくこれから帰っていくであろう山の上の白い家に目をやった。

　不思議な人物だと私は思った。愛想は決して悪くないし、とくに無口なわけでもない。しかし実際には彼は、自らについて何も語らなかったも同然だった。私が得た知識は、彼が谷間を隔てたその瀟洒な住宅に住んでいることと、ITが部分的に関係する仕事をしていることと、外国に出ることが多いということくらいだ。また熱心なオペラのファンでもある。しかしそれ以外のことはほとんど何もわからない。家族がいるのかいないのか、年齢はいくつなのか、出身地はどこなのか、いつからその山の上に住んでいるのか？　考えてみれば、ファーストネームさえ教えてもらっていない。

　そもそも彼はなぜそこまで熱心に、この私に自分の肖像画を描いてもらいたいのだろう？　それは私に揺るぎない絵の才能が具わっているからだ、見る人が見ればそんなことは自明ではないか——できればそう思いたかった。しかしそれだけが彼の依頼の動機ではないことは、わかりきった話だった。たしかに私の描いた肖像画は、ある程度は彼の興味を惹いたかもしれない。彼がまったくの嘘をついているとは私には思えなかった。しかし彼の言いぶんをそのまま真に受けるほど、私は無邪気な人間ではない。

　それでは免色という人物はいったい何を私に求めているのだろう？　彼の目的はどこにあるのだろう？　彼はどのような筋書きを私のために用意しているのだろう？

　実際に彼と会って、膝をまじえて話をしても、私にはその答えがまだ見当たらなかった。むしろ謎は逆に深まっただけだった。だいたいどうして彼はあれほど見事な白髪をしているのだろう？　その白さには何かしら尋常ではないところがあった。エドガー・アラン・ポーの短編小説の、大渦巻きに遭遇して一夜で髪が白くなったあの漁師のように、彼も何かとても深い恐怖を体験したのだろうか。

日が落ちると、谷間の向かい側の白いコンクリートの屋敷に明かりがついた。電灯は明るく、数もふんだんにあった。電気料金のことなど考えもしない強気（ごうぎ）な建築家が設計した家のように見えた。あるいは極端に暗闇を恐れる依頼主が建築家に、隅々まで明々と照らし出される家を作るように要請したのかもしれない。いずれにせよその家は遠くから見ると、夜の海を静かに進んでいく豪華客船のように見えた。

私は暗いテラスのデッキチェアに横になり、白ワインをすすりながらその明かりを眺めていた。免色氏がテラスに出てこないかと期待していたのだが、彼はその日はとうとう姿を見せなかった。でも彼が向かい側のテラスに出てきたから、それでどうだというのだ？　こちらから大きく手を振って挨拶でもすればいいのか？

そのうち自然にいろんなことがわかってくるだろう。それ以外に私に期待できることは何もなかった。

8

かたちを変えた祝福

　水曜日の絵画教室で、夕方に一時間ばかり成人クラスを指導したあと、私は小田原駅の近くにあるインターネット・カフェに入り、グーグルに接続して、「免色」という言葉を入力して検索してみた。しかし免色という姓を持つ人物は、ただの一人も見当たらなかった。「運転免許」と「色弱」という単語を含んだ記事が山ほど出てきただけだった。免色氏についての情報は世間にはまったく出回ってはいないようだ。彼が「匿名性を大事にしたい」と言っていたことはどうやら本当らしかった。もちろんその「免色」という名前が本名であればということだが、そこまでの嘘はつかないだろうというのが私の直観だった。住んでいる家の場所まではっきり教えて、それでいて本名を教えないというのは筋が通らない。それにもし架空の名前をでっちあげるなら、よほどの理由がない限りもう少し一般的な目立たない名前を選ぶことだろう。

　家に帰ってから、雨田政彦に電話をかけてみた。ひととおりの世間話をしたあとで、谷間の向かい側に住んでいる免色という人物について何か知らないかと尋ねてみた。そして山の上に建てられた白いコンクリートの屋敷の説明をした。彼はその家のことをぼんやりと記憶していた。

「メンシキ？」と政彦は言った。「いったいどういう名前なんだ、それは？」

「色を免れる、と書く」

「なんだか水墨画のようだ」

「白と黒も色のうちだよ」と私は指摘した。

「理屈から言えば、そりゃそうだが。免色ねえ……その名前は耳にしたことがないと思うな。だいたい、谷をひとつ隔てた向こうの山の上に住んでいる人のことまで、おれが知るわけはないよ。こっちの山に住んでいる人のことだってぜんぜん知らないんだから。で、その人物が何かおまえと関係があるのか？」

「ちょっとしたつながりみたいなのができてね」と私は言った。「それで、君が彼について何か知らないかと思ったんだ」

「インターネットで調べてみたか？」

「グーグルはあたってみたが、空振りだった」

「フェイスブックとか、ＳＮＳ関係は？」

「いや。そのへんのことはよく知らない」

「おまえが竜宮城で鯛と一緒に昼寝をしていたあいだに、文明はどんどん前に進んでいるんだよ。まあいい、こっちでちょっと調べてみよう。何か分かったら、あとでまた電話をかけるよ」

「ありがたい」

それから政彦は急に黙り込んだ。電話口の向こうで、彼が何かを思い巡らせている気配があった。

「なあ、ちょっと待ってくれ。メンシキって言ったっけ？」と政彦は言った。

「そうだよ。メンシキ。免税店の免に、色彩の色だ」

「メンシキ……」と彼は言った。「前にどこかで、その名前を耳にしたような記憶があるんだが、ひょっとしたらおれの錯覚かもしれない」

「あまりない名前だから、一度聞いたら忘れないんじゃないかな」

「そうなんだ。だからこそ頭の隅にひっかかっていたのかもしれない。でもそれがいつだったか、どういう経緯だったか、記憶が辿れない。なんだか、喉に魚の小骨がひっかかっているみたいな感じだ」

思い出したら知らせてくれと私は言った。そうすると政彦は言った。


私は電話を切って、軽く食事をとった。食事の最中に、つきあっている人妻から電話があった。明日の午後そちらに行ってかまわないか？　かまわないと私は言った。

「ところでメンシキという人について何か知らない？」と私は尋ねてみた。「この近くに住んでいる人なんだけど」

「メンシキ？」と彼女は言った。「それが苗字なの？」

私は字の説明をした。

「聞いたこともない」と彼女は言った。

「うちの谷を隔てた向かい側に、白いコンクリートの家があっただろう。あそこに住んでいる人なんだ」

「その家のことは覚えている。テラスから見えるすごく目立つ家よね」

「それが彼の家なんだ」

「メンシキさんがそこに住んでいる」

「そうだよ」

「それで、その人がどうかしたの？」

「どうもしない。ただ君がその人を知っているかどうか、知りたかったんだ」

彼女の声が一瞬暗くなった。「それは何か私に関係したことなの？」

「いや、君はまったく関係していない」

彼女はほっとしたようにため息をついた。「じゃあ、明日の午後にそちらに行く。たぶん一時半くらいに」

待っていると私は言った。私は電話を切り、食事を終えた。


その少しあとで政彦から電話がかかってきた。

「免色という名前を持つ人は香川県に何人かいるみたいだ」と政彦は言った。「あるいはその免色氏は、なんらかのかたちで香川県にルーツを持っているのかもしれない。でも小田原近辺に現在在住している免色さんについての情報は、どこにも見当たらなかった。で、その人物のファーストネームは？」

「ファーストネームはまだ教えてもらっていない。職業もわからない。部分的にＩＴのからんだ仕事をしていて、その暮らしぶりから見るに、ビジネスはかなり成功を収めているらしい。それくらいのことしかわからない。年齢も不詳だ」

政彦は言った。「そうか、そうなるとお手上げかもしれないな。情報というのはあくまで商品だからね、金さえうまく動かせば、自分の足跡をきれいに始末することも可能だ。とくに本人がＩＴの事情に通じていれば、それはなおさらやりやすくなる」

「つまり免色さんはなんらかの方法を使って、自分の足跡を巧妙に消している。そういうことなのか？」

「ああ、そういうことかもしれない。時間をかけていろんなサイトを調べてまわって、それでただの一件もヒットしなかった。かなり珍しい目立つ名前なのに、まったく表に浮かび上がってこない。不思議といえば不思議だ。世間知らずのおまえは知らないだろうが、この世界で自分についての情報の流出を堰(せ)き止めるのは、ある程度の活動をしている人間にとっては相当にむずかしいことなんだ。おまえについての情報だって、おれについての情報だって、それなりに世間に出回っている。おれの知らないおれについての情報だって出回っているくらいだ。おれたちのような取るに足らない小物ですらそうなんだ。大物が姿を隠すのはまさに至難のわざだ。おれたちはそういう世の中に生きているんだ。好むと好まざるとにかかわらず。なあ、おまえは自分についての情報を目にしたことってあるか？」

「いや、一度もない」

「じゃあ、そのまま見ない方がいい」

見るつもりはないと私は言った。

いろんな情報を効率よく手に入れるのが、私の仕事の一部になっています。そういうビジネス

に携わっています。それが免色の口にした言葉だった。もし情報を自由に手に入れられるのなら、それを都合良く消すことだって可能かもしれない。

「そういえばその免色という人物は、インターネットで調べて、ぼくの描いた肖像画を何点か見たと言った」と私は言った。

「それで？」

「それでぼくに自分の肖像画を描いてもらいたいと依頼してきたんだ。ぼくの描く肖像画が気に入ったと言って」

「でもおまえは、もう肖像画の営業はしないと言って断った。そうだろ？」

私は黙っていた。

「ひょっとしてそうでもない？」と彼は尋ねた。

「実をいうと断らなかった」

「どうして？　決心はずいぶん堅かったんじゃないのか？」

「報酬がずいぶんよかったからさ。それで、もう一度くらいは肖像画を描いてもいいかもしれないと思った」

「金のために？」

「それが大きな理由であることは間違いない。しばらく前から収入の道はほとんど途絶えているし、生活のこともそろそろ考えなくちゃならない。今のところたいして生活費はかからないけど、それでも何やかや出て行くものはあるから」

「ふうん。それで、どれくらいの報酬なんだ？」

私はその金額を口にした。政彦は電話口で口笛を吹いた。

「そいつは大したものだ」と彼は言った。「確かにそれなら引き受ける価値はあるかもしれないな。金額を聞いておまえもびっくりしただろう？」

「ああ、もちろん驚いたよ」

「こう言ってはなんだけど、おまえの描く肖像画にそれだけの金を払おうというような物好きな人間は、この世の中に他にまずいないよ」

「知ってる」

「誤解されると困るんだが、おまえに画家としての才能が欠けていると言っているわけじゃないぜ。おまえは肖像画のプロとして、きちんと良い仕事をしてきたし、それなりの評価を受けてきた。美大の同期で、今現在曲がりなりにも油絵を描くだけで飯を食えているのはおまえくらいのものだ。どの程度のレベルの飯なのか、それはわからんけど、とにかく賞賛に値することだ。でもはっきり言わせてもらえば、おまえはレンブラントでもないし、ドラクロワでもないし、アンディー・ウォーホルですらない」

「それももちろんよく知っているよ」

「それがわかっているとしたら、その提示された報酬の金額が常識的に考えて、法外なものであることは、もちろん理解できるよな？」

「もちろん理解できる」

「そして彼はたまたまおまえの家のかなり近くに住んでいる」

「そのとおりだ」

「たまたま、というのはかなり遠慮がちな表現だ」

私は黙っていた。

「そこには何か裏があるのかもしれない。そう思わないか？」と彼は言った。

「それについてはぼくも考えてみた。でもそれがどんな裏なのか見当がつかない」

「でもとにかくその仕事は引き受けた？」

「引き受けたよ。明後日から仕事を開始する」

「報酬がいいから？」

「報酬のことも大きい。でもそれだけじゃない。他にも理由がある」と私は言った。「正直なところ、いったい何が起こるかを見てみたいんだ。それがもっと大きな理由だよ。相手がそれだけの多額の金を払う理由を、ぼくとしては見届けてみたい。もしそこに何か裏の事情があるのなら、それがどういうものなのかを知りたい」

「なるほど」と言って政彦はひと息ついた。「何か進展があったら知らせてくれ。おれとしてもいささか興味がある。面白そうな話だ」

そのとき私はふとみみずくのことを思い出した。

「言い忘れていたけど、この家の屋根裏にみみずくが一羽住み着いているんだ」と私は言った。

「小さな灰色のみみずくで、昼間は梁(はり)の上で眠っている。夜になると通風口から外に出て、餌をとりに行く。いつからいるのかは知らないが、どうやらここをねぐらにしているみたいだ」

「屋根裏？」

「ときどき天井で音がするので、昼間に様子を見に上がってみたんだ」

「ふうん。屋根裏に上がれたなんて知らなかったな」

「客用寝室のクローゼットの天井に入り口がある。でも狭いスペースだよ。屋根裏部屋というほどのものじゃない。みみずくが住むにはちょうどいいくらいだけど」

「でもそれはいいことだ」と政彦は言った。「みみずくがいれば、鼠や蛇が寄りつかなくなる。それにみみずくが家に住み着くのは吉兆だという話を、以前どこかで耳にしたことがある」

「その吉兆が、肖像画の高い報酬をぼくにもたらしてくれたのかもしれない」

「そうだといいけどね」と彼は笑って言った。「Blessing in disguise（ブレッシング・イン・ディスガイズ）という英語の表現を知っているか？」

「語学は不得意でね」

「偽装した祝福。かたちを変えた祝福。一見不幸そうに見えて実は喜ばしいもの、という言い回しだよ。Blessing in disguise。で、もちろん世の中にはその逆のものもちゃんとあるはずだ。理論的には」

理論的には、と私は頭の中で繰り返した。

「よくよく気をつけた方がいい」と彼は言った。

気をつけると私は言った。


翌日の一時半に彼女はうちにやってきて、我々はいつものようにすぐにベッドの中で抱き合った。そしてその行為のあいだ二人ともほとんど口もきかなかった。その日の午後には雨が降った。秋にしては珍しい激しい通り雨だった。まるで真夏の雨のようだった。風に乗った大粒の雨が音を立てて窓ガラスを叩き、雷も少しばかり鳴ったと思う。分厚い黒雲の群れが谷間を通り過ぎ、雨がさっと降り止むと、山の色がすっかり濃くなっていた。どこかで雨宿りをしていた小鳥たちが一斉に姿を現し、賑やかにさえずりながら、懸命に虫を探し回っていた。雨上がりは彼らにとっての格好のランチタイムなのだ。雲の切れ目から太陽が姿を見せ、あたりの木の枝に水滴を煌めかせた。雨が降っているあいだ、我々はずっとセックスに夢中になっていた。雨降りのこともほとんど考えなかった。そしてひととおりの行為が終了するのとほぼ同時に雨があがった。まるで待ち受けていたみたいに。

我々は裸のままベッドに横になり、薄い布団にくるまって話をした。主に彼女の二人の娘の学校の成績の話をした。上の娘は勉強もよくしたし、成績もかなり良かった。問題のない落ち着いた子供だ。しかし下の娘は勉強が大嫌いで、とにかく机の前から逃げ回っていた。しかし性格は明るく、なかなかの美人だった。物怖じもせず、まわりの人々にも好かれた。運動も得意だ。いっそ勉強のことはもうあきらめて、タレントにでもした方がいいのかしら？　ゆくゆくは子役を育てる学校に入れてみようかとも思っているんだけど。

考えてみれば不思議なものだ。知り合ってまだ三ヶ月ほどにしかならない女性の隣で、会ったこともない彼女の娘たちについての話に耳を傾けている。それも二人とも一糸まとわぬ姿で。でもとくに悪い心持ちはしなかった。進路の相談すら受けている。ほとんど未知の人と言ってもいい誰かの生活をたまたま覗き込むこと。この先まず関わりを持つことはない人々と部分的に触れあうこと。それらの情景は目の前にありながら、遥か遠くにある。そんな話をしながら彼女は私の柔らかくなったペニスをいじり、やがてそれはまた少しずつ硬さを帯びていった。

「最近は何か絵を描いているの？」と彼女は尋ねた。

「そうでもない」と私は正直に言った。

「あまり創作意欲がわかないってこと？」

私は言葉を濁した。「……でも何はともあれ、明日からは依頼された仕事にかからなくちゃならない」

「依頼を受けて絵を描くの？」

「そうだよ。たまには稼がなくちゃならないからね」

「依頼って、どんな依頼？」

「肖像画を描くんだ」

「ひょっとして、昨日電話で話していたメンシキさんっていう人の肖像画？」

「そうだよ」と私は言った。彼女には妙に勘の鋭いところがあって、ときどき私は驚かされた。

「それでそのメンシキさんについて、あなたは何かを知りたいのね？」

「今のところ彼は謎の人物なんだ。一度会って話してはみたけれど、どういう人なのかまだぜんぜんわからない。自分がこれから描こうとしているのがどんな人物なのか、絵を描く人間として少しばかり興味がある」

「本人に訊けばいいじゃない」

「訊いても正直には教えてくれないかもしれない」と私は言った。「自分に都合の良いことしか教えてくれないかもしれない」

「調べてあげてもいいけど」と彼女は言った。

「調べる手だてはあるの？」

「心当たりが少しはあるかもしれない」

「インターネットではまったくヒットしなかったよ」

「インターネットはジャングルではうまく働かない」と彼女は言った。「ジャングルにはジャングルの通信網があるの。たとえば太鼓を叩くとか、猿の首にメッセージを結びつけるとか」

「ジャングルのことはよく知らないな」

「文明の機器がうまく働かないときには、太鼓と猿を試してみる価値はあるかも」

彼女の柔らかく忙しい指の下で、私のペニスは十分な硬さを取り戻していた。それから彼女は唇と舌を巧妙に貪欲に使い、我々のあいだにしばらく意味深い沈黙の時間が降りた。鳥たちがさえずりながら忙しく生命の営みを追求している中で、我々は二度目のセックスにとりかかった。


間に休憩を挟んだ長いセックスを終えた後、我々はベッドを出て、気怠い動作でそれぞれの服を床から拾い集め、身につけた。それからテラスに出て、温かいハーブティーを飲みながら、谷間を隔てた向かい側に建ったその白いコンクリートの大きな家を眺めた。色褪せた木製のデッキチェアに並んで腰を下ろし、新鮮な湿気を含んだ山の空気を胸に深く吸い込んだ。南西の雑木林のあいだから、まぶしく光る小さな海が見えた。巨大な太平洋のほんのひとかけらだ。あたりの山肌は既に秋の色に染まっていた。黄色と赤の精緻（せいち）なグラデーション。そこに常緑樹の一群が緑色の塊を割り込ませている。その鮮やかな混合が、免色氏の屋敷のコンクリートの白さをいっそう鮮やかに際だたせていた。それはほとんど潔癖に近い白で、これから先どんなものにも——雨風にも土埃にも、たとえ時間そのものにも――汚されることがないように、貶(おとし)められることがないように見えた。白さも色のうちなんだ、と私は意味もなく思った。決して色が失われているわけではない。我々はデッキチェアの上で長いあいだ口を閉ざしていた。沈黙はごく自然なものとしてそこにあった。

「白いお屋敷に住むメンシキさん」、しばらくあとで彼女はそう口にした。「なんだか楽しいおとぎ話の出だしみたいね」

でももちろん私の前に用意されていたものは、「楽しいおとぎ話」なんかではなかった。あるいはかたちを変えた祝福でもなかった。そしてそれが明らかになってきた頃には、もう後戻りはできなくなっていた。

9 お互いのかけらを交換し合う

金曜日の午後一時半に、免色は同じジャガーに乗ってやってきた。急な坂道を上ってくるエンジンの太い唸(うな)りが次第に大きくなり、やがて家の前で止んだ。免色は前と同じ重厚な音を立ててドアを閉め、サングラスを外して上着の胸のポケットに入れた。すべては前回と同じ繰り返しだ。ただ今回の彼は白いポロシャツの上に、ブルーグレイの綿のジャケット、クリーム色のチノパンツに、茶色の革のスニーカーという格好だった。着こなしのうまさはそのまま服飾雑誌に出してもおかしくないほどだが、それでいて「隙がない」という印象はなかった。すべてがさりげなく自然で清潔だった。そしてその豊かな髪は、彼の住んでいる屋敷の外壁と同じくらい混じりけなく純白だった。私はその様子をやはり窓のカーテンの隙間から観察していた。

玄関のベルが鳴り、私はドアを開けて彼を中に入れた。今回、彼は握手の手を差し出さなかった。私の目を見て軽く微笑み、小さく会釈をしただけだった。それで私は少なからずほっとした。会うたびに堅い握手をされるのではないかという不安を密かに抱いていたからだ。私は前と同じように彼を居間に通し、ソファに座らせた。そして作ったばかりのコーヒーを二つ台所から運んできた。

「どんな服を着てくればいいのか、わからなかったのですが」と彼は言い訳をするように言った。

「こんな服装でいいのでしょうか?」

「今のところはどんな服装でもかまいません。どんな格好にするかは最後に考えればいいでしょう。スーツ姿だろうが、ショートパンツにサンダルだろうが、服装はあとからなんとでも調整できます」

手にしたスターバックスの紙コップだろうが、と私は心の中で付け加えた。

免色は言った。「絵のモデルになるというのは、どうも落ち着かないものですね。服を脱がなくてもいいとわかっていても、なんとなく裸にされてしまうような気がしてならない」

私は言った。「ある意味ではそのとおりかもしれません。絵のモデルになるというのは、往々にして丸裸にされることでもあります——多くの場合実際的に、またときとして比喩的に。画家は目の前にいるモデルの本質を、少しでも深く見抜こうとします。つまりモデルのまとった見かけの外皮を剝がしていかなくてはならないということです。しかしもちろんそのためには、画家が優れた眼力と、鋭い直観を持ち合わせている必要があります」

免色は膝の上で両手を広げ、点検するようにしばらく眺めていた。それから顔を上げて言った。

「あなたはいつもは実際のモデルを使わずに肖像画を描かれる、と聞きましたが」

「そうです。相手の方に一度実際にお目にかかって、膝をまじえて話をしますが、モデルになっていただくことはありません」

「それには何か理由があるのですか?」

「理由というほどのものはとくにありません。ただその方が経験的に言って、作業を進めやすいからです。最初の面談にできるだけ意識を集中し、相手の姿かたちや、表情の動きや、癖や性向みたいなものを把握し、記憶に焼き付けます。そうすればあとは記憶から形象（けいしょう）を再生していくことができます」

免色は言った。「それはとても興味深い。つまり簡単に言えば、脳裏に焼き付けられた記憶を後日、画像としてリアレンジし、作品として再現していくということですね。あなたにはそのような才能が具わっている。人並みではない視覚的記憶力みたいなものが」

「才能と呼べるほどのものじゃありません。おそらくただの能力、技能という方が近いでしょう」

「いずれにせよ」と彼は言った「私があなたの描いた肖像画をいくつか拝見して、他のいわゆる肖像画とは——つまり純粋な商品としてのいわゆる肖像画とは——何かが違っているように強く感じたのは、そのせいかもしれません。再現性の新鮮さというか……」

彼はコーヒーを一口飲み、上着のポケットから淡いクリーム色の麻のハンカチを出して口もとを拭った。それから言った。

「でも今回はとくべつにこうしてモデルを用いて——つまり私を目の前にして——肖像画を描くことになった」

「そのとおりです。それがあなたの望まれたことですから」

彼は肯いた。「実を言いますと、私には好奇心があったんです。自分の目の前で、自分の姿かたちが絵に描かれていくというのはいったいどんな気持ちがするものなのか。私はそれを実際に体験してみたかった。ただ絵に描かれるだけではなく、それをひとつの交流として体験してみたかったのです」

「交流として？」

「私とあなたとのあいだの交流としてです」

私はしばらく黙っていた。交流という表現が具体的に何を意味しているのか、急にはわからなかったからだ。

「お互いの一部を交換し合うということです」と免色は説明した。「私は私の何かを差し出し、あなたはあなたの何かを差し出す。もちろんそれが大事なものである必要はありません。簡単なもの、しるしみたいなものでいいんです」

「子供がきれいな貝殻を交換するみたいに？」

「そのとおりです」

私はそれについてしばらく考えてみた。「なかなか面白そうではありますが、ただぼくの方は、あなたに差し出せるような立派な貝殻を持ち合わせていないかもしれません」

免色は言った。「あなたにとって、そういうのはあまり居心地の良くないことなのでしょうか？　普段はモデルを使わないで描くというのは、そういう交流や交換を意図して遠ざけているということなのかな？　もしそうなら私は……」

「いや、そんなことはありません。とくにそうする必要がないから、モデルを用いないだけで、決して人間的な交流を遠ざけているわけではありません。ぼくも長いあいだ絵の勉強をしてきた人間ですし、モデルを使って絵を描いた経験は数え切れないほどあります。もしあなたが一時間か二時間、何もしないでじっと硬い椅子に座っているという苦役を厭わないのであれば、あなたをモデルとして絵を描くことにまったく異存はありません」

「けっこうです」と免色は両手の手のひらを上に向け、軽く宙に上げて言った。「もしよろしければ、そろそろその苦役にとりかかりましょう」


我々はスタジオに移った。私は食堂の椅子を持ってきて、そこに免色を座らせた。好きなかっこうをさせた。私は彼と向かい合うように古い木製のスツールに腰を下ろし（それはおそらく雨田具彦が絵を描くときに使っていたものだろう）、柔らかな鉛筆を使って、まずスケッチにかかった。彼の顔をどのようにキャンバスの上に造形していくか、その基本方針をおおまかに決めておく必要があった。

「ただじっと座っていても退屈でしょう。よければ何か音楽でもお聴きになりますか？」と私は彼に尋ねた。

「もし邪魔にならなければ、何か聴きたいですね」と免色は言った。

「居間のレコード棚から、どれでもお好きなものを選んで下さい」

彼は五分ほどかけてレコード棚を見渡し、ゲオルグ・ショルティが指揮するリヒアルト・シュトラウスの『薔薇の騎士』を持って戻ってきた。四枚組のＬＰボックスだ。オーケストラはウィーン・フィルハーモニー、歌手はレジーヌ・クレスパンとイヴォンヌ・ミントン。

「『薔薇の騎士』はお好きですか？」と彼は私に尋ねた。

「まだ聴いたことはありません」

『薔薇の騎士』は不思議なオペラです。オペラですからもちろん筋立ては大事な意味を持ちますが、たとえ筋がわかっていなくても、音の流れに身を任せているだけで、その世界にすっぽりと包み込まれてしまうようなところがあります。リヒアルト・シュトラウスがその絶頂期に到達した至福の世界です。初演当時には懐古趣味、退嬰的という批判も多くあったようですが、実際にはとても革新的で奔放な音楽になっています。ワグナーの影響を受けながらも、彼独自の不思議な音楽世界が繰り広げられます。いったんこの音楽を気に入ると、癖になってしまうところがあります。私はカラヤンかエーリッヒ・クライバーの指揮したものを好んで聴きますが、ショルティ指揮のものはまだ聴いたことがありません。もしよければこの機会に是非聴いてみたいのですが」

「もちろんかまいません。聴きましょう」

彼はレコードをターンテーブルに載せ、針を落とした。そしてアンプのボリュームを注意深く調整した。それから椅子に戻り、適正なポジションに身体を落ち着け、スピーカーから流れてくる音楽に意識を集中した。私はその顔をいくつかの角度から素速くスケッチブックにデッサンした。彼の顔は端正でありながらも特徴的で、ひとつひとつの細部の特徴を捉えるのはそれほどむずかしいことではなかった。三十分ほどのあいだに、私は五枚の異なった角度からのデッサンを仕上げた。しかしそれらをあらためて見直したとき、一種不思議な無力感にとらわれることになった。私の描いた絵は彼の顔の特徴を的確に捉えてはいたが、そこには「上手に描かれた絵」という以上のものはなかったからだ。すべてが不思議なほど浅く表面的で、しかるべき奥行きを欠いていた。街頭の似顔絵描きが描く似顔絵とたいして変わりはない。私は更に何枚かのデッサンを試みてみたが、結果はほとんど同じだった。

それは私にとって珍しいことだった。私は人の顔を画面に再構成することについては長い経験を積んでいたし、それなりの自負も持っていた。鉛筆なり絵筆を持って人を前にすれば、いくつかの画像がだいたい苦労なく自然に頭に浮かび上がってきた。絵の構図を確定するのに苦労したことはほとんどない。しかし今回、免色という男を前にして、そこにあるべき画像はひとつとしてうまく焦点を結ばなかった。

私は大事な何かを見落としているのかもしれない。そう思わないわけにはいかなかった。免色はそれを私の目から巧妙に隠しているのかもしれない。あるいはもともとそんなものは彼の中に存在しないのかもしれない。

『薔薇の騎士』四枚組レコードの一枚目B面が終わったところで、私はあきらめてスケッチブックを閉じ、鉛筆をテーブルの上に置いた。プレーヤーのカートリッジを上げ、レコードをターンテーブルから取り、ボックスの中に戻した。そして腕時計に目をやり、ため息をついた。

「あなたを描くのはとてもむずかしい」と私は正直に言った。

彼は驚いたように私の顔を見た。「むずかしい?」と彼は言った。「それは私の顔に何か、絵画的な問題があるということなのでしょうか?」

私は軽く首を振った。「いや、そうじゃありません。あなたの顔にはもちろん何も問題はありません」

「じゃあ、何がむずかしいのでしょう?」

「それはぼくにもわかりません。ただむずかしいと、ぼくが感じるだけです。あるいはひょっとしたら我々のあいだには、あなたの言うところの『交流』がいくぶん不足しているのかもしれません。つまり貝殻の交換がまだ十分にできていないというか」

免色は少し困ったように微笑んだ。そして言った。「それについて何か私にできることはありますか？」

私はスツールから起ち上がって窓際に行き、雑木林の上を飛んでいく鳥たちの姿を眺めた。

「免色さん、もしよろしければ、あなたについてもう少しばかり情報をいただくことはできませんか？　考えてみれば、ぼくはあなたという人について、ほとんど何も知らないも同然なのです」

「いいですよ、もちろん。私は自分についてとくに何かを隠しているわけではありません。大それた秘密のようなものも抱えていません。たいていのことはお教えできると思います。たとえばどのような情報でしょう？」

「たとえばあなたのフルネームをまだうかがっていません」

「そうでしたね」と彼は少しびっくりしたような顔をして言った。「そういえばそうだった。話をするのに夢中になっていて、うっかりしていたようです」

彼はチノパンツのポケットから黒い革製のカード入れを取りだし、その中から名刺を一枚出した。私はその名刺を受け取って読んだ。真っ白な厚手の名刺には、

免色　渉

Wataru Menshiki

とあった。そして裏面に神奈川県の住所と電話番号とEメール・アドレスが書かれていた。それだけだ。会社名や肩書きはない。

「川を渉るのわたるです」と免色は言った。「どうしてそんな名前がつけられたのか理由はわかりません。これまで水とはあまり関係のない人生を歩んできましたから」

「免色さんというのも、あまり見かけない名前ですね」

「四国にルーツがあるという話を聞きましたが、私自身は四国とはまったく縁がありません。東京で生まれて、東京で育ちました。学校もずっと東京です。うどんよりは蕎麦の方が好きです」、そう言って免色は笑った。

「お歳をうかがってもよろしいでしょうか？」

「もちろんです。先月、五十四歳になりました。あなたの目にはだいたい何歳くらいに見えますか？」

私は首を振った。「正直なところ、まったく見当がつきませんでした。だからうかがったんです」

「きっとこの白髪のせいですね」と彼は微笑みながら言った。「白髪のせいで、年齢がよくわからないと言われます。恐怖のために一夜で白髪になるというような話をよく耳にしますね。私もひょっとしてそうじゃないかとよく訊かれるんですが、そんなドラマチックな経験はありません。ただ若い頃から白髪の多いたちだったんです。四十代半ばにはもうほとんど真っ白になっていました。不思議です。というのは祖父も父親も二人の兄も、みんな禿げているからです。一族の中で総白髪になったのは私くらいです」

「差し支えなければ教えていただきたいのですが、具体的にどんなお仕事をしておられるのですか？」

「差し支えなんてちっともありません。ただ何といえばいいのか、ちょっと言い出しにくかっただけです」

「もし言いにくいのであれば……」

「いや、言いにくいというより、少し気恥ずかしいだけのことです」と彼は言った。「実を言えば、今のところ何も仕事をしていないんです。失業保険こそもらっていませんが、公式には無職の身です。一日に数時間、書斎のインターネットを使って株式と為替を動かしていますが、たいした量じゃありません。道楽というか、暇つぶし程度のものです。頭を働かせておく訓練をしているだけです。ピアニストが日々音階練習をするのと同じです」

免色はそこで軽く深呼吸をして、脚を組み直した。「かつてはＩＴ関係の会社を立ち上げて経営していましたが、少し前に思うところがあって、持ち株をすべて売却し引退しました。買い主は大手の通信会社でした。おかげでしばらく何もせずに食べていけるくらいの蓄えができました。それを機会に東京の家を売り払って、こちらに移ってきました。早い話、隠居したわけです。蓄えはいくつかの国の金融機関に分散されており、為替の変動に合わせてそれを移動させることで、ささやかですが利ざやを稼ぎます」

「なるほど」と私は言った。「ご家族は？」

「家族はいません。結婚したこともありません」

「あの大きな家に一人きりで住んでおられるのですか？」

彼は肯いた。「一人で住んでいます。使用人は今のところ入れていません。長いあいだ一人で暮らしていて、自分で家事をすることには馴れていますし、とくに不便もありません。ただかなり大きな家ですので、一人ではとても掃除をしきれないし、週に一度専門のクリーニング・サービスを入れていますが、それ以外のことはだいたい一人でやっています。あなたはいかがですか？」

私は首を振った。「一人で生活するようになって一年も経っていませんから、まだまだアマチュアのようなものです」

免色は小さく肯いただけで、それについて何も質問はせず、意見も述べなかった。「ところで、あなたは雨田具彦さんとは親しいのですか？」と免色は尋ねた。

「いいえ、雨田さんご本人にお目にかかったことは一度もありません。ぼくは雨田さんの息子と美術大学が一緒で、そういう縁があり、ここで空き家の留守番のようなことをしないかと持ちかけられました。ぼくもいろんな事情があり、ちょうど住むところがなかったので、とりあえず一時的に住まわせてもらっているわけです」

免色は小さく何度か肯いた。「このあたりは普通の勤め人が住むにはずいぶん不便な場所ですが、あなたがたのような人にとっては素晴らしい環境なのでしょうね」

私は苦笑して言った。「同じ絵描きとはいっても、雨田具彦さんとぼくとではレベルが違いすぎます。同列に並べられると、恐縮するしかありませんが」

免色は顔を上げ、真面目な目で私を見た。「いや、そんなことはまだわかりませんよ。あなただってゆくゆくは名を知られる画家になるかもしれません」

それについて口にするべきことはとくになかったので、私はただ黙っていた。

「人は時として大きく化けるものです」と免色は言った。「自分のスタイルを思い切って打ち壊し、その瓦礫（がれき）の中から力強く再生することもあります。雨田具彦さんだってそうだった。若い頃の彼は洋画を描いていました。それはあなたもご存じですね？」

「知っています。戦前の彼は若手の洋画家の有望株だった。でもウィーン留学から帰国してからなぜか日本画家に変身し、戦後になって目覚ましい成功を収めました」

免色は言った。「私は思うのですが、大胆な転換が必要とされる時期が、おそらく誰の人生にもあります。そういうポイントがやってきたら、素速くその尻尾を摑まなくてはなりません。しっかりと堅く握って、二度と離してはならない。世の中にはそのポイントを摑める人と、摑めない人がいます。雨田具彦さんにはそれができた」

大胆な転換。そう言われて、『騎士団長殺し』の画面がふと頭に浮かんだ。騎士団長を刺し殺す若い男。

「ところであなたは日本画に詳しいですか？」と免色が私に尋ねた。

私は首を振った。「門外漢も同然です。大学時代に美術史の講義で学んだことはありますが、知識といえばそれくらいです」

「とても初歩的な質問ですが、日本画というのは、専門的にはどのように定義されているのでしょう？」

私は言った。「日本画を定義するのは、それほど簡単なことではありません。一般的には膠と顔料と箔などを主に用いた絵画であると捉えられています。そしてブラシではなく、筆や刷毛で描かれる。つまり日本画というのは、主に使用する画材によって定義される絵画である、ということになるかもしれません。もちろん古来の伝統的な技法を継承していることもあげられますが、アバンギャルドな技法を用いた日本画もたくさんありますし、色彩も新しい素材を取り入れたものが盛んに使用されています。つまりその定義はどんどん曖昧になってきているわけです。しかし雨田具彦さんの描いてきた絵に関して言えば、これはまったく古典的な、いわゆる日本画です。典型的な、と言ってもいいかもしれません。もちろんそのスタイルは紛れもなく彼独自のものですが、技法的に見ればということです」

「つまり画材や技法による定義が曖昧になれば、あとに残るのはその精神性でしかない、ということになるのでしょうか？」

「そういうことになるかもしれません。しかし日本画の精神性となると、誰にもそれほど簡単に定義はできないはずです。日本画というものの成り立ちがそもそも折衷的なものですから」

「折衷的というのは？」

私は記憶の底を探って、美術史の講義の内容を思い出した。「十九世紀後半に明治維新があり、そのときに他の様々な西洋文化と共に、西洋絵画が日本にどっと入ってきたわけですが、それまでは『日本画』というジャンルは事実上存在しませんでした。というか『日本画』という呼称さえ存在しませんでした。『日本』という国の名前がほとんど使われなかったのと同じようにです。外来の洋画が登場して、それに対抗するべきものとして、それと区別するべきものとして、そこに初めて『日本画』という概念が生まれたわけです。それまでにあった様々な絵画スタイルが、『日本画』という新しい名のもとに便宜的に、意図的に一括り(ひとくくり)にされたわけです。もちろんそこから外されて衰退していったものもありました。たとえば水墨画のように。そして明治政府はその『日本画』なるものを、欧米文化と均衡をとるための日本文化のアイデンティティーとして、言うなれば『国民芸術』として確立し、育成しようとしました。要するに『和魂洋才』の和魂に相応するものとして。そしてそれまで屛風(びょうぶ)絵とか襖(ふすま)絵とか、あるいは食器の絵付けなどの生活デザイン、工芸デザインとされていたものが、額装されて美術展に出展されるようになりました。言い換えれば、暮らしの中の自然な画風であったものが、西欧的なシステムに合わせて、いわゆる『美術品』に格上げされていったわけです」

私はそこでいったん話をやめ、免色の顔を見た。彼は真剣に私の話に耳を傾けているようだった。私は話を続けた。

「岡倉天心やフェノロサが当時のそのような運動の中心になりました。これはその時代に急速に行われた日本文化の大がかりな再編成の、ひとつの目覚ましい成功例と考えられています。音楽や文学や思想の世界でも、それとだいたい似たような作業が行われました。当時の日本人はずいぶん忙しかったと思いますよ。短期間にやってのけなくてはならない大事な作業が山積していたわけですから。でも今から見ると、我々はかなり器用に巧妙にそれをやってのけたようです。西欧的な部分と非西欧的な部分の、融合と棲み分けがおおむね円滑に行われました。日本人というのはそのような作業にもともと向いていたのかもしれません。日本画というのは本来、定義があってないようなものなのです。それはあくまで漠然とした合意に基づく概念でしかない、と言っていいかもしれません。最初にきちんとした線引きがあったわけではなく、いわば外圧と内圧の接面(せつめん)として結果的に生まれたものです」

免色はそれについてしばらく真剣に考えているようだった。そして言った。「漠然とはしているが、それなりの必然性のあった合意、ということですね？」

「そのとおりです。必要性に従って生み出された合意です」

「固定された本来の枠組を持たないことが、日本画の強みともなり、また同時に弱みともなっている。そのように解釈してもいいのでしょうか？」

「そういうことになると思います」

「しかし我々はその絵を見て、だいたいの場合、ああ、これは日本画だなと自然に認識することができます。そうですね？」

「そうです。そこには明らかに固有の手法(メチエ)があります。傾向とかトーンというものがあります。そして暗黙の共通認識のようなものがあります。でもそれを言語的に定義するのは、時として困難なことになります」

免色はしばらく沈黙していた。そして言った。「もしその絵画が非西欧的なものであれば、それは日本画としての様式を有するということになるのでしょうか？」

「そうとは限らないでしょう」と私は答えた。「非西欧的な様式を持つ洋画だって、原理的に存在するはずです」

「なるほど」と彼は言った。そして微かに首を傾げた。「しかしもしそれが日本画であるとすれば、そこには多かれ少なかれ、何かしらの非西欧的な様式が含まれている。そういうことは言えますか？」

私はそれについて考えてみた。「そう言われてみれば、たしかにそういう言い方もできるかもしれませんね。あまりそんな風に考えたことはなかったけれど」

「自明ではあるが、その自明性を言語化するのはむずかしい」

私は同意するように肯いた。

彼は一息置いて続けた。「考えてみれば、それは他者を前にした自己の定義と通じるところがあるかもしれませんね。自明ではあるが、その自明性を言語化するのはむずかしい。あなたがおっしゃったように、それは『外圧と内圧によって結果的に生じた接面』として捉えるしかないものなのかもしれません」

免色はそう言ってほんの少し微笑んだ。「とても興味深い」と彼はまるで自分に言い聞かせるように、小さな声で付け加えた。

我々はいったい何の話をしているのだろう、と私はふと思った。それなりに興味深い話題ではある。しかしこんなやりとりが彼にとって、いったいどんな意味を持つというのだ？　それはただの知的好奇心なのだろうか？　それとも彼は私の知力を試しているのだろうか？　もしそうだいったい何のために？

「ちなみに私は左利きです」と免色はある時点で、ふと思い出したように言った。「何かの役に立つかどうかわかりませんが、それも私という人間に関する情報のひとつになるかもしれない。右か左かどちらかに行けと言われたら、いつも左をとるようにしています。それが習慣になっています」

　やがて三時近くになり、我々は次回の日取りを決めた。三日後の月曜日、午後一時に彼はうちにやってくることになった。そして今日と同じように二時間ほどをスタジオで一緒に過ごす。そこで私はもう一度、彼のデッサンを試みる。

「急ぐことはありません」と免色は言った。「最初にも言ったことですが、好きなだけ時間をかけてください。私には時間はいくらでもありますから」

　そして免色は帰って行った。私は彼がジャガーに乗って去っていくのを窓から見ていた。それから描き上げた何枚かのデッサンを手に取り、しばらく眺め、首を振って放り出した。

　家の中はひどく静かだった。私ひとりになると、沈黙が一挙に重みを増したようだった。テラスに出ると風はなく、そこにある空気はゼリーのように濃密で冷ややかに感じられた。雨の予感がした。

　私は居間のソファに座って、免色とのあいだに交わされた会話を順番に思い出していった。肖像画のモデルになることについて。シュトラウスのオペラ『薔薇の騎士』。ＩＴ関係の会社を立ち上げ、その株を売り払い、まとまった額の金を手にして、若くして引退したこと。一人きりで大きな家に暮らしていること。ファーストネームは渉。川を渉るの「わたる」。ずっと独身で、若い頃から白髪であったこと。左利きで、現在の年齢は五十四歳。雨田具彦の人生、その大胆な転換、チャンスの尻尾を摑んで離さないこと。日本画の定義について。そして最後に、自己と他者との関係についての考察。

彼は私にいったい何を求めているのだろう?

そしてなぜ私には彼をまともにデッサンすることができないのだろう?

その理由は簡単だ。私には彼の存在の中心にあるものがまだ把握できていないからだ。

彼との会話のあと、私の心は不思議なほど乱れていた。そしてそれと同時に免色という人間に対する好奇心は、私の中でますます強いものになっていた。

三十分ほどあとで大粒の雨が降り始めた。小さな鳥たちはもうどこかに姿を消していた。

10 僕らは高く繁った緑の草をかき分けて

私が十五歳のときに妹が亡くなった。唐突な死に方だった。彼女はそのとき十二歳、中学校の一年生だった。生まれつき心臓に問題があったのだが、なぜか小学校の高学年になった頃には症状らしい症状もあまり出なくなっていたので、家族はいくらか安心していた。このまま何ごともなく人生は続いていくのではないか、という淡い期待を我々は抱くようになっていた。しかしその年の五月頃から急に、動悸が不規則的に激しくなることが増えてきた。とくに横になるとよくそれが起こり、うまく眠れない夜が多くなった。大学病院で診察してもらったのだが、どれだけ精密に検査をしても、これまでと変わったところを見つけることができなかった。根本的な問題は手術によって既に取り除かれているはずなのだが、と医師たちは首をひねった。

「激しい運動はできるだけ避け、規則正しい生活を送るようにしてください。そのうちに落ち着いてくるはずです」と医師は言った。たぶんそうとしか言えなかったのだろう。そして何種類かの薬を処方してくれた。

しかし不整脈は治まらなかった。私は食卓をはさんで座った妹の胸に目をやって、そこにある彼女の不完全な心臓をよく想像した。彼女はだんだん胸が膨らみ始めているところだった。心臓に問題を抱えてはいても、彼女の肉体は成熟への道を着々と進んでいた。日々膨らみを増していく妹の胸を見るのは、なんだか不思議なものだった。このあいだまでほんの小さな子供だった妹が突然あるとき初潮を迎え、乳房が徐々に形成されていく。でも私の妹はその小さな胸の奥に、欠陥のある心臓を抱えているのだ。そしてその欠陥は専門医にも正確に突き止めることができない。その事実がいつも私の心を乱した。いつなんどきこの小さな妹を失ってしまうかもしれないという考えを胸の片隅に抱きながら、私は少年時代を送ってきたような気がする。

妹は身体が弱いのだから大事に護ってやらなくてはならない、私は常日頃（つねひごろ）両親からそう言い聞かされていた。だから同じ小学校に通っているときは、私はいつも彼女に目を注いで、何かがあったときには身を挺（てい）して、彼女とその小さな心臓を護ってやらなくてはと決意を固めていた。そのような機会は実際には一度も訪れなかったが。

妹は中学校からの帰り道、西武新宿線の駅の階段を上っているときに意識を失って倒れ、救急車で近くの救急病院に運び込まれた。私が学校から戻り、その病院に駆けつけたときには既にその心臓は動きを停めていた。あっという間の出来事だった。その日の朝、食卓で一緒に朝食をとり、玄関前で別れて、私は高校に行き妹は中学校に行った。そして次に顔を合わせたとき、彼女はもう呼吸することをやめていた。大きな目は永遠に閉じられ、口は何かを言いたそうに小さく開かれていた。その膨らみ始めたばかりの乳房はもうそれ以上膨らむことをやめていた。

次に私が彼女を見たのは、棺（ひつぎ）に入れられた姿だった。お気に入りの黒いベルベットのワンピースを着せられ、薄く化粧をほどこされ、髪はきれいに梳（す）かれ、黒いエナメルの靴を履き、小振りな棺の中に仰向けに横になっていた。ワンピースには白いレースの丸襟がついていて、それはほとんど不自然なくらい白かった。

横になった彼女は、ただ安らかに眠り込んでいるように見えた。身体を少し揺すったら今にも起き上がりそうだ。でもそれは錯覚だ。どれだけ呼びかけても揺すっても、彼女がもう目を覚ますことはない。

私としては、そんな狭苦しい箱の中に妹の華奢な身体を詰め込んでほしくなかった。その身体はもっと広々としたところに寝かされているべきなのだ。たとえば草原の真ん中に。そして僕らは高く繁った緑の草をかき分けて、言葉もなく彼女に会いに行くべきなのだ。風が草をゆっくりそよがせ、そのまわりでは鳥たちや虫たちが、あるがままの声を上げているべきなのだ。野生の花たちがその粗い匂いを、花粉と共に空中に漂わせているべきなのだ。日が沈んだら、無数の銀色の星が頭上の空に鏤められるべきなのだ。朝になったら新しい太陽が、まわりの草の葉についた露を宝石のように煌めかせるべきなのだ。でも実際には彼女は小さな、馬鹿げた棺の中に収められていた。まわりに飾られているのは、鋏で切られ花瓶にいけられた不吉な白い花ばかりだった。狭い部屋を照らしているのは色を抜かれたような蛍光灯の光だった。天井に埋め込まれた小さなスピーカーからは、オルガン曲が人工的な音で流れていた。

私は彼女が焼かれるのを見ていることはできなかった。棺の蓋が閉じられてしっかりロックされたとき、もう我慢できなくなって、火葬場の部屋を出ていった。そして彼女の骨を拾うこともしなかった。私は火葬場の中庭に出て、一人で声を出さず涙を流した。そしてその短い人生の中で、ただの一度も妹を助けてやれなかったことを心から悲しく思った。

妹が亡くなったあと、家族もすっかり変わってしまった。父親は前にも増して無口になり、母親は前にも増して神経質になった。私はおおむねこれまでどおりの生活を送った。登山クラブに入っていたのでその活動が忙しかったし、その合間に油絵の勉強をしていた。中学校の美術の教師から、君は先生について正式に絵の勉強をした方がいいと勧められたのだ。そして絵画教室に通っているうちに、次第に絵画に真剣に興味を持つようになっていった。当時の私は死んだ妹のことを考えなくて済むように、できるだけ自分を忙しくしていたような気がする。

何年くらいだろう、妹が亡くなったあとかなり長いあいだ、両親は彼女の部屋をそのままにしていた。机の上に積まれた教科書や参考書も、ペンや消しゴムやクリップも、ベッドのシーツや布団や枕も、洗濯されて畳まれたパジャマも、クローゼットの中の学校の制服もそのままに残されていた。壁にかかったカレンダーには、彼女の小さなきれいな字で予定の書き込みがしてあった。カレンダーは妹の死んだ月のままで、そこから時間はまったく進んでいないように見えた。今にもドアが開いて、彼女が中に入ってきそうな気配があった。家人がいないとき、私はときどきその部屋に入って、きれいにメイクされたベッドに静かに腰を下ろし、あたりを眺め回したものだった。でもそこに置かれているものには一切手を触れなかった。私としては、そこに静かに残された妹の生きたしるしを、僅かなりとも乱したくなかったからだ。

もし十二歳で死ななかったら、妹はその先どのような人生を送ったのだろうとよく想像したものだ。でももちろんそんなことは私にわかりっこない。自分自身がどんな人生を送ることになるのか、それだって見当もつかないのだ。妹の人生の先のことまでわかるわけがない。しかしもし心臓の弁の機能に生来の問題さえなければ、彼女はきっと有能で魅力的な大人の女性に成長したに違いない。多くの男に愛され、おそらくは彼らに優しく抱かれたことだろう。でもそんな光景はなかなか具体的には思い浮かべられなかった。私にとっての彼女はあくまで三歳年下の、私の保護を必要としている小さな妹だった。

妹が亡くなったあとしばらく、私は熱心に彼女の絵を描いた。彼女の顔を忘れないために自分の記憶の中にあるその顔を、いろんな角度からスケッチブックに再現していった。もちろん妹の顔を忘れたりするわけはない。私は死ぬまで彼女の顔を忘れられないだろう。しかしそれはそれとして私が求めていたのは、その時点の私が記憶している彼女の顔を忘れないことだった。そしてそのためには、それを形として具体的に描き残しておくことが必要だった。私はまだ十五歳で、記憶についても絵についても時間の流れ方についても、多くを知らなかった。しかし現在の記憶をそのままのかたちで残しておくためには、何らかの方策を講じなくてはならないということだけはわかっていた。それは放っておけば、やがてどこかに消えてしまうだろう。その記憶がどれほど鮮やかなものであれ、時間の力はそれにも増して強力なものなのだ。私にはそのことが本能的にわかっていたのだと思う。

私は誰もいない彼女の部屋の、彼女のベッドに腰を下ろし、スケッチブックに彼女の絵を描き続けた。何度も何度も描き直した。心の目に映る妹の姿を、白い紙の上になんとか再現しようと試みた。当時の私は経験も不足していたし、まだそれだけの技術を持ち合わせていなかった。だからその作業はもちろん簡単にはいかなかった。描いては破り、描いては破りという繰り返しだった。でも今そのときの絵を見直してみると（当時のスケッチブックをまだ大事に保管している)、そこに紛れもない本物の哀しみが溢れていることがわかる。技術的には未熟であっても、それは妹の魂を私の魂が呼び起こそうとしていた真摯な作業であったことが理解できる。それらの絵を見ていると、知らないうちに涙が溢れてくる。そのあと私はずいぶんたくさんの絵を描いた。でも私自身に涙を流させる絵を描いたことは、それ以来一度もない。

もうひとつ妹の死が私にもたらしたものがある。それは極度の閉所恐怖症だ。彼女が狭い棺に詰め込まれ、蓋を閉じられて堅くロックされ、火葬炉に送り込まれる光景を目にしてから、私は狭い密閉された場所に入ることができなくなった。長いあいだエレベーターに乗ることができなかった。エレベーターを前にすると、それが地震か何かで自動的に停止し、自分がその狭い空間に閉じ込められたまま、どこにも行けなくなってしまうところを想像する。それを考えただけでパニック状態に陥り、正常に呼吸ができなくなる。

妹が亡くなってすぐにそのような症状が出てきたわけではない。それが表面に出てくるまでに三年近くを要した。私が初めてパニック状態に陥ったのは、美術大学に入ってすぐ、引っ越し会社のアルバイトをしていたときだった。私は運転手の助手として有蓋トラックの荷物の積み降ろしをしていたのだが、あるときちょっとした手違いがあって、空っぽの荷室に閉じ込められてしまった。一日の仕事の終わりに、荷室内に置き忘れがないかどうか最後の点検をしているときに、運転手が中に人がいることを確認しないまま、外から扉をロックしてしまったのだ。

次に扉が開かれ、私がそこから抜け出せるまでにおおよそ二時間半を要した。私はそのあいだ密閉された狭い暗黒の空間に、一人で閉じ込められていた。密閉されているといっても、冷凍車とかそういうものではないから、空気が出入りする隙間はある。冷静に考えれば、窒息する恐れはないくらいのことはわかる。

しかしそのとき私は強烈なパニックに襲われた。そこに酸素は十分にあるはずなのに、どれだけ大きく空気を吸い込んでも体内に酸素が行き渡らない。そのせいで呼吸がどんどん激しくなり、一種の過呼吸状態に陥ってしまったのだと思う。頭がくらくらとして息が詰まり、説明のつかない激しい恐怖に支配された。大丈夫、落ち着け。じっとしていれば、そのうちにここから出られる。窒息するようなことはあり得ない。私はそう考えようとした。しかし理性というものがまるで機能しなかった。私の頭に浮かぶのは、狭い棺に閉じ込められ、火葬炉に送り込まれていく妹の姿だけだった。私は恐怖に取りつかれ、荷室の壁を叩きまくった。

トラックは会社の駐車場に入っており、従業員は全員一日の仕事を終えて家に帰って行った。私の姿が見えないことには誰も気づかなかったのだろう。どれだけ強くパネルの壁を叩いても、それを耳にする人間は一人もいないようだった。下手をしたら、朝までここに閉じ込められることになるかもしれない。そう思うと、身体中の筋肉がばらばらにほどけてしまいそうだった。

私の立てる物音に気づいて、トラックの扉を外から開けてくれたのは、駐車場を見回りにきた夜間警備員だった。私がひどく消耗し取り乱しているのを見て、仮眠室のベッドにしばらく横にならせてくれた。そして温かい紅茶を飲ませてくれた。どれくらいそこに横になっていたのか自分でもわからない。でもやがて呼吸がなんとか正常になり、夜明けがやってきたので、私は警備員に礼を言い、始発電車に乗って家に帰った。そして自分の部屋のベッドに潜り込み、長いあいだ激しく震えていた。

私がエレベーターに乗れなくなったのはそれ以来だ。その事件が、私の内部に眠っていた恐怖心を目覚めさせたのだろう。そしてそれが死んだ妹の記憶によってもたらされたものであることに、ほとんど疑いの余地はなかった。エレベーターばかりでなく、それがどのようなものであれ、密閉された狭い場所に足を踏み入れることができなくなった。潜水艦や戦車が出てくる映画を見ることもできなかった。そんな狭い空間に自分が閉じ込められるところを想像しただけで、ただ想像しただけで、うまく呼吸ができなくなった。映画を見ている途中で席を立ち、映画館を出てくることもしばしばあった。誰かが密閉された場所に閉じ込められるシーンが出てくると、私はもうそれ以上その映画を見ていることができなくなった。だから私は人と一緒に映画を見たことがほとんどない。

北海道を旅行しているとき、一度やむを得ぬ事情があって、カプセル・ホテルみたいなところで一夜を過ごすことになったが、呼吸が困難になってどうしても眠ることができず、仕方なく外に出て、駐車場の車の中で一夜を過ごした。初春の札幌だったから、それは実に悪夢のような一夜となった。

妻はそのパニックのことでよく私をからかったものだ。高いビルの上の階に上がらなくてはならないことがあると、彼女は一人で先にエレベーターで上に行って、私が十六階ぶんの階段を息を切らせて上ってくるのを楽しそうに待っていた。でも私はその恐怖が生じた理由を彼女には説明しなかった。ただ生まれつきなぜかエレベーターが怖いんだ、としか言わなかった。

「でもまあ、健康のためにはいいことかもね」と彼女は言った。

また私は人並み以上に大きな乳房を持つ女性に対して、怯えに似た感情を抱くようにもなった。

それが十二歳で死んだ妹の、膨らみかけの乳房と関係しているのかどうか、正確なところは自分でもよくわからない。しかし私は昔からなぜか小振りな乳房を持った女性に心を惹かれたし、そのような乳房を目にするたびに、それに手を触れるたびに、妹の胸の小さな膨らみを思い起こすことになった。誤解されると困るのだが、なにも妹に対して性的な関心を抱いていたわけではない。私はおそらくある種の情景を求めているのだと思う。失われてもう二度と戻ることのない、限定された情景のようなものを。

土曜日の午後、私は人妻の恋人の胸の上に手を置いていた。彼女の乳房はとくに小さくもなく、とくに大きくもなかった。程よい大きさで、それは私の手のひらにうまく収まった。私の手のひらの中で、彼女の乳首はまだ先ほどの堅さを残していた。

彼女が土曜日に私の家にやってくることはまずない。彼女は週末を家族とともに過ごすからだ。しかしその週末、彼女の夫は出張でムンバイに出かけており、二人の娘たちは泊まりがけで、那須にある従姉妹の家に遊びに行っていた。だから彼女はうちに来ることができたのだ。そしていつもの平日の午後のように、我々はゆっくり時間をかけて性交した。そのあと二人は気怠い沈黙の中に浸っていた。いつものように。

「ジャングル通信のことを聞きたい？」と彼女が言った。

「ジャングル通信？」。それがいったい何のことか、急には思い出せなかった。

「忘れちゃったの？　谷の向かい側の白い大きな家に住んでいる謎の人のことよ。メンシキさん、その人について調べてほしいって、この前言ったじゃない」

「ああ、そうだった。もちろん覚えているよ」

「少しだけだけど、わかったことがある。私のママ友が一人、あのあたりに住んでいるの。だから少しだけ情報を集めることができた。聞きたい？」

「もちろん聞きたい」

「メンシキさんがあの見晴らしの良いおうちを買ったのは、今から三年くらい前のことになる。その前はあそこには別の家族が住んでいたの。その人たちがそもそもあの家を建てたんだけど、そのオリジナルの持ち主は二年くらいしかあの家に暮らさなかった。ある晴れた朝、突然その人たちは荷物をまとめて出ていって、メンシキさんが入れ替わりにそのあとに入ってきた。彼は新築同然の屋敷をそっくりそのまま買い取ったわけ。どういう経緯でそんなことになったのか、それは誰も知らない」

「つまり、彼があの家を建てたわけじゃないんだ」と私は言った。

「そう。彼は既にあった容れ物にあとから入り込んできただけ。まるですばしこいヤドカリみたいに」

そう言われて意外な気がした。あの白い家は彼が建てたものと、最初から私は思いこんでいたからだ。それくらいその山の上の白い屋敷は、免色という人物のイメージと——たぶん見事な白髪と呼応してだろう——自然に繋がっていた。

彼女は続けた。「メンシキさんがどんな仕事をしている人なのか、誰にもわからない。わかっているのは、彼はいっさい通勤をしていないということ。ほとんど一日中家にいて、たぶんコンピュータを使って情報をやりとりしているんでしょう。書斎にはそういう機器がいっぱいあるということだから。最近では能力さえあれば、たいていのことはコンピュータでできちゃうのよ。私の知り合いに、ずっと自宅で仕事をしている外科医がいる。熱心なサーファーで、海のそばを離れたくないということで」

「自宅から出ないで、外科医の仕事ができちゃうんだ？」

「患者についてのすべての画像と情報を送ってもらって、それを解析して手術のプロトコルだかなんだかを制作し、それを先方に送り、実際の手術を画像でモニターしながら、必要に応じてアドバイスを与えるの。あるいはこちらからコンピュータのマジックハンドを使っておこなえる手術もある。そういう話」

「なかなかすごい時代だ」と私は言った。「個人的にはあまりそんな風に手術を受けたくはないけれど」

「メンシキさんもきっと、何かそれに似たようなことをしているんじゃないかしら」と彼女は言った。「そして何をしているにせよ、まったく不足のない収入を得ている。あの大きな家に一人で暮らしていて、ときどきまとめて長い旅行をする。たぶん海外に行っているのでしょうね。家の中には、エクササイズ・マシンをいっぱい揃えたジムのような部屋があって、暇があればそこでせっせと筋肉を鍛えている。贅肉は一切れもついていない。主にクラシック音楽を愛好し、充実したオーディオルームもある。優雅な生活だと思わない？」

「どうしてそんな細かいことまでわかるんだろう？」

彼女は笑った。「どうやらあなたは、世間の女性の情報収集能力というものを過小評価しているみたいね」

「そうかもしれない」と私は認めた。

「車は全部で四台持っている。ジャガーを二台とレンジローバー。それに加えてミニ・クーパー。どうやら英国車の愛好家みたいね」

「ミニは今ではBMWが作っているし、ジャガーはたしかインドの企業に買収されたんじゃないかな。どちらも正確には英国車とは呼べないような気がする」

「彼が乗っているのは旧型の方のミニ。それにジャガーはどこの企業に買収されようが、結局は英国車よ」

「ほかに何かわかったことは？」

「彼の家に出入りする人はほとんどいない。メンシキさんはかなり孤独を愛好する人のようね。一人でいるのが好きで、たくさんの古典音楽を聴き、たくさんの本を読んでいる。独身でお金持ちなのに、女性をうちに連れてきたりすることもほとんどないみたい。見たところとても簡素で清潔な生活を送っている。ひょっとしたらゲイかもしれない。でもたぶんそうではないだろうというくつかの根拠がある」

「きっとどこかに豊かな情報源があるんだろうね」

「今はもういないけど、少し前までは家事をするために週に何度か、あのおうちに通ってくるメイドのような人がいた。その人がゴミの集積場にゴミを出しに行ったり、あるいは近所のスーパーに買い物に行ったりすると、そこには近所のお宅の奥さんがいて、自然に会話が生まれる」

「なるほど」と私は言った。「そうやってジャングル通信が成立する」

「そういうこと。その人の話によれば、メンシキさんのおうちには『開かずの部屋』みたいなのがあるっていうこと。ここに入ってはいけないとご主人から指示されるの。とても厳しく」

「なんだか『青髭公の城』みたいだ」

「そのとおり。どんな家の押し入れにもひとつくらい骸骨が入っている。よくそう言うじゃない」

　そう言われて、私は屋根裏にひっそり隠されていた絵画『騎士団長殺し』のことを思い浮かべた。それもまた、押し入れの中の骸骨のようなものかもしれない。

　彼女は言った。「その謎の部屋の中に何があるのかは、彼女にもとうとうわからなかった。彼女が来るときにはいつもドアに鍵がかけてあったから。でもとにかくそのメイドさんはもう彼の家に通ってきてはいない。たぶん口が軽すぎると思われて、くびになったんでしょう。今では彼が自分ひとりでいろんな家事をこなしているみたい」

「彼自身もそう言っていた。週に一度のプロのクリーニング・サービスを別にすれば、ほとんどの家事は自分でこなしていると」

「プライバシーに関してはなにしろ神経質な人みたいね」

「しかし、それはそれとして、ぼくがこうして君と会っていることが、ジャングル通信でご近所に広まるようなことはないのかな？」

「それはないと思う」と彼女は静かな声で言った。「まず第一に、そうならないように私が気を配っている。第二に、あなたはメンシキさんとは少し違う」

「つまり」と私はそれをわかりやすい日本語に翻訳した。「彼には噂になる要素があって、ぼくにはない」

「私たちはそのことに感謝しなくちゃね」と彼女は明るく言った。

妹が死んだあと、時を同じくするようにいろんなことがうまくいかなくなっていった。父親の経営していた金属加工の会社が慢性的な営業不振に陥り、その対策に追われて、父親はあまり家に帰ってこなくなった。ぎすぎすした雰囲気が家庭内に生まれた。沈黙が重くなり、長く続くようになった。それは妹が生きていたときにはなかったものだった。そんな家庭からできるだけ離れたくて、私は絵を描くことにいっそう深くのめり込むようになった。そしてやがて、美術大学に進んで絵を専門的に勉強したいと考えるようになった。父親はそれに強固に反対した。絵描きなんかになってまともに生活ができるわけがない。うちにはもう芸術家を養ってやるような経済的余裕はないんだからと。そのことで私と父親とは言い争いをした。母親があいだに入ってとりなして、なんとか美術大学に進学することはできたが、父親との関係は最後まで修復しなかった。

もし妹が死んでいなかったら、と考えることがときどきあった。もし妹が何ごともなく生きていたら、私の家族は遥かに幸せな生活を送っていたに違いない。彼女の存在が唐突に消滅したことで、それまで保たれていたバランスが急速に失われ、私の家庭は知らず知らずお互いを傷つけ合う場所になってしまった。そのことを考えるたびに、結局のところ、妹の抜けた穴を埋めることが自分にはできなかったのだ、という深い無力感に襲われた。

そのうちに妹の絵を描くこともうなくなってしまった。美大に進んだあと、私がキャンバスを前にして描きたいと思うのは主に、具体的な意味を持たない事象や物体になった。ひとことでいえば抽象画だ。そこではあらゆるものごとの意味が記号化され、その記号と記号との絡み合いによって新たな意味性が生じた。私はそのような種類の完結性を目指す世界に、好んで足を踏み入れていくことになった。そのような世界において初めて、私は心置きなく自然に呼吸することができたからだ。

でももちろんそんな絵を描いていても、まともな仕事はまわってこない。卒業はしたものの抽象画を描いている限り、収入のあてはどこにもなかった。父親の言ったとおりだ。だから生活していくために（私はもう両親の家を出ていたし、家賃と食費を稼ぎ出す必要があった）肖像画を描く仕事を引き受けざるを得なかった。そのような実用的な絵を型どおりに描くことによって、私は曲がりなりにも画家として生き延びることができた。

そして今私は、免色渉という人物の肖像画を描こうとしている。向かい側の山の上の白い屋敷に住む免色渉。近隣の人々にあれこれ噂される謎の白髪の男。興味深い人間と言って差し支えあるまい。私は本人に名指しで請（こ）われ、多額の報酬と引き替えに彼の肖像画を描くことになった。しかしそこで私が発見したのは、今の私には肖像画さえ描けなくなっているという事実だった。そのような実用的な絵でさえ、もう描くことができない。私はどうやらほんとうに空っぽになっているみたいだった。

僕らは高く繁った緑の草をかき分けて、言葉もなく彼女に会いに行くべきなのだ。私は脈絡もなくそう思った。もし本当にそうできたら、どんなに素敵だろう。

月光がそこにあるすべてをきれいに照らしていた

静寂が私の目を覚ました。時としてそういうことが起こる。突然の物音がそれまで継続してきた静寂を断ち切って、人の目を覚まさせることがあり、突然の静寂がそれまで継続してきた物音を断ち切って、人の目を覚まさせることがある。

私は夜中にはっと目を覚まし、枕元の時計に目をやった。ディジタル式の時計は1：45を示していた。しばらく考えてからそれが土曜日の夜の、つまり日曜日の未明の午前一時四十五分であることを思い出した。その日の午後、私は人妻の恋人と一緒にこのベッドの中にいた。夕方前に彼女は家に帰り、私は一人で簡単な夕食をとり、そのあとしばらく本を読み、十時過ぎに眠りに就いたのだ。私はもともと眠りの深い方だ。いったん眠りに就くと途切れることなく眠り、あたりが明るくなると自然に目が覚める。そんな風に夜中に眠りが中断されるのはあまりないことだった。

いったいなぜこんな時刻に目が覚めてしまったのだろうと、暗闇の中で横になったまま考えてみた。それは当たり前の静かな夜だった。満月に近い月が丸い巨大な鏡となって空に浮かんでいた。地上の風景はまるで石灰で洗われたみたいに白っぽく見えた。しかしそれ以外にとくに変わった気配は見当たらない。私は半ば身を起こしてしばらく耳を澄ませていたが、普段とは何かが違っていることにやがて思い当たった。あまりにも静かなのだ。静寂が深すぎる。秋の夜なのに虫の声が聞こえない。山の中に建てられた家だから、日が暮れるといつもは耳が痛くなるほど盛大に虫の声が聞こえる。その合唱が真夜中まで延々と続く（私はここに住むようになるまで、虫というのは夜の早い時刻にしか鳴かないものだと思っていたので、そのことを知って驚かされた）。そのうるささは世界が虫たちに征服されたのではないかと思えるくらいだ。しかし今夜、目を覚ましたとき、ただの一匹の虫の声も聞こえなかった。不思議だ。

いったん目を覚ますと、私はそのまま寝付くことができなくなった。仕方なくベッドを出て、パジャマの上に薄いカーディガンを羽織った。台所に行ってスコッチ・ウィスキーをグラスに注ぎ、製氷機の氷をいくつか入れて飲んだ。そしてテラスに出て、雑木林を通して見える人家の明かりを眺めた。人々はもうみんな眠りに就いているらしく、家内の照明は消え、常夜灯の小さな明かりがぽつぽつと目につくだけだった。谷を挟んで免色氏の家があるあたりも、もうすっかり暗くなっていた。そして相変わらず虫の音はまったく耳に届かなかった。虫たちにいったい何が起こったのだろう？

そのうちに私の耳は耳慣れない音を捉えた。あるいは捉えたような気がした。とても微かな音だ。もし虫たちがいつもどおり鳴いていたら、そんな音は決して私の耳には届かなかったはずだ。深い静寂の中だからこそ、ここまでかろうじて届くのだ。私は息をひそめ、耳を澄ませた。それは虫の声ではない。自然の立てる音ではない。何かの器具か道具を使って立てられている音だ。

それはちりんちりんと鳴っているように聞こえた。鈴が、あるいは何かそれに似たものが鳴らされているような音だ。

間を置いてそれは鳴らされた。ひとしきり沈黙があり、何度かそれが鳴らされ、またひとしきり沈黙があった。その繰り返しだった。まるで誰かがどこかから辛抱強く信号化されたメッセージを送っているみたいだ。それは規則的な繰り返しではなかった。沈黙はそのときによって長くなったり短くなったりした。また鈴（のようなもの）が鳴らされる回数もまちまちだった。その不規則性が意図的なものなのか、あるいは気まぐれなものなのか、そこまではわからない。いずれにせよそれは、神経を集中して耳を澄まさないと聞き逃してしまうくらいの、本当に微かな音だった。しかしいったんその存在に気づいてしまうと、真夜中の深い静寂と、不自然なまでに明瞭な月光の中で、その正体不明の音は私の神経に抜き差しがたく食い入った。

どうしたものかと迷ったが、やがて心を決め、思い切って外に出てみることにした。その謎の音の出どころを私はつきとめたかった。たぶんどこかで誰かがその何かを鳴らしているのだ。私は決して剛胆な人間ではない。しかしそのときは真夜中の闇の中に一人で出ていくことを、とくに怖いとは思わなかった。恐れよりは好奇心の方が勝(まさ)っていたのだろう。また月の光が異様に明るかったということも、私の背中を後押ししたかもしれない。

大型の懐中電灯を手に玄関の鍵を開け、外に足を踏み出した。入り口の頭上につけられた灯火がひとつ、あたりに黄色い光を投げかけていた。一群の羽虫たちがその光に引き寄せられていた。私はそこに立って耳を澄ませ、音が聞こえてくる方向を見定めようとした。それは確かに鈴の音のように聞こえた。でも普通の鈴の音とは少し違うようだ。それよりはずっと重みがあり、不揃いな鈍い響きがある。特殊な打楽器のようなものかもしれない。しかしそれが何であれ、こんな真夜中にいったい誰が、何のためにそんなものを鳴らしたりするだろう？　そして近辺に建っている住居といえば、私の住んでいるこの家だけだ。もし誰かがその鈴のようなものを近くで鳴らしているとしたら、その人物は他人の敷地に無断で侵入していることになる。

何か武器になりそうなものはないだろうかと、私はあたりを見回した。しかしそんなものはどこにも見当たらなかった。私が手にしているのは長い筒型の懐中電灯だけだ。しかしそれでも何もないよりはましだろう。私は右手に懐中電灯を握りしめ、その音の聞こえてくる方に歩いていった。

玄関を出て左手に進むと小さな石段があり、それを七段ばかり上がると、そこからは雑木林になっている。雑木林を抜けるなだらかな上りの道をしばらく歩いていくと、ほどよく開けた場所に出て、そこに小さな古い祠（ほこら）のようなものが祀（まつ）られている。雨田政彦の話によれば、昔からずっとそこにあったものらしい。由来みたいなものはわからないが、彼の父親である雨田具彦が一九五〇年代の半ばに、知り合いからこの山の上の家と地所を購入したとき、その祠は既に林の中にあったということだ。平らな石の上に簡単な三角形の屋根をつけられた神殿が――というより神殿に見立てられた簡素な木箱が――据えられている。高さ六十センチ、横幅四十センチほどの大きさのものだ。もともとは何かの色に塗られていたのだろうが、今ではその色はおおかたはげ落ちて、元の色はただ想像するしかない。正面に小さな両開きの扉がついている。その中に何が収められているのかはわからない。確かめたことはないが、たぶん何も入っていないのだろう。扉の前には白い陶器の鉢のようなものが置かれていたが、中には何も入っていない。雨水がそこに溜まり、それが蒸発し、その繰り返しによってできた汚れた筋が内側にいくつもついているだけだ。雨田具彦はその祠をあるがままにしておいた。通りがかりに手を合わせるでもなく、掃除ひとつすることもなく、ただ雨に打たれ、風に吹かれるままに放置しておいた。それは彼にとっては神殿なんかではなく、ただの簡素な木箱に過ぎなかったのだろう。

「なにしろ信仰や参拝みたいなものには毛ほども興味を持たない人でね」と息子は言った。「神罰とか祟り(たた)とか、そんなものはこれっぽっちも気にしなかった。くだらない迷信だと言って、頭から馬鹿にしていた。不遜(ふそん)というのでもないんだが、昔から一貫して極端に唯物(ゆいぶつ)的な考え方をする人だった」

最初にこの家を見せてくれたとき、彼はその祠まで私を案内してくれた。「祠付きの家なんて今どきあまりないぜ」と彼は言って笑い、私もそれに同意した。

「でもおれは子供時代、こんなわけのわからないものがうちの敷地の中にあることが薄気味悪くて仕方なかった。だから泊まりに来るときも、このあたりにはなるべく近寄らないようにしていたよ」と彼は言った。「実を言えば、今だってあまり近寄りたくはないんだけどね」

私はとくに唯物的な考え方をする人間ではないが、それでも父親の雨田具彦と同じように、その祠の存在を気にとめたことはほとんどなかった。昔の人はいろんなところによく祠をこしらえたものだ。田舎の道ばたにあるお地蔵さんや道祖神(どうそじん)と同じだ。祠はごく自然にその林の中の風景に溶け込んでいたし、私は家のまわりを散歩するとき、その前をよく通り過ぎたが、とくに気にかけたことはなかった。祠に向かって手を合わせもしなかったし、お供えをしたこともなかった。また自分の住んでいる敷地の中にそんなものが存在することに、特別な意味を感じたりもしなかった。それはどこにでもある風景の一部に過ぎなかった。

鈴らしきものの音は、どうやらその祠の近辺から聞こえてくるらしかった。雑木林の中に足を踏み入れると、頭上に厚く繁った木の枝のせいで月の光が遮られ、あたりは急に暗くなった。懐中電灯で足もとを照らしながら、慎重に歩を運んだ。風が時折思いついたように吹き抜け、足下に薄く積もった落ち葉をざわつかせた。夜の林の中は、昼間そこを散策するときとはまったく様子を異にしていた。その場所は今ではひたすら夜の原理に従って動いていたし、その原理の中には私は含まれていなかった。でもだからといってとくに怖さは感じなかった。好奇心が私を前に向かわせていた。私はなにがあってもその不思議な音の正体を見届けたかった。右手には重い筒型の懐中電灯を強く握りしめていたし、その重みが私を落ち着かせてくれた。

この夜の林のどこかにあのみみずくがいるかもしれない。枝の上で闇に紛れ、獲物を待ち受けているかもしれない。この近くにいてくれるといいのだけれど、と私は思った。あのみみずくはある意味では私の知り合いなのだ。しかしみみずくの声らしきものは聞こえなかった。夜の鳥たちでさえ、虫たちと同じように今は声をひそめているようだった。

歩を進めるにつれて、鈴らしきものの音は次第に大きく鮮明になっていった。それはやはり断続的に、不規則に鳴らされ続けていた。そしてその音はどうやら祠の裏あたりから聞こえてくるようだった。音は前よりもずっと近くなっていたが、それでもまだ鈍くくぐもって聞こえた。まるで狭い洞窟の奥深くから漂い聞こえてくるみたいに。また前に比べると沈黙の時間がより長くなり、鈴の鳴らされる回数がより少なくなったように感じられた。あたかもそれを鳴らしている人物がくたびれ、弱ってきたかのように。

祠のまわりは開けていたから、月光がそこにあるすべてをきれいに照らしていた。私は足音を殺して祠の裏に回った。祠の裏側には背の高いススキの茂みがあり、音に引かれるようにその茂みをかき分けていくと、奥に方形の石が無造作に積み上げられた小さな塚があることがわかった。塚と呼ぶにはあるいは低すぎるかもしれない。いずれにせよそんなものがあったことに、それまで私はまったく気がつかなかった。祠の裏側に回ったことはなかったし、たとえ回ってみたとしても、それはススキの茂みの奥に隠されていた。特定の目的を持ってそこに分け入らないかぎりまず目にはつかない。

私はその塚の石をひとつひとつ、懐中電灯で間近に照らしてみた。石はかなり古いものだったが、それが人の手によって方形に切られたものであることに疑いの余地はなかった。自然のままの石ではない。形も大きさも揃っている。そのような石がわざわざこの山の上まで運ばれてきて、祠の裏に積まれたのだ。石の大きさはまちまちで、多くは緑色に苔むしていた。見たところ字も模様も彫られていない。数は全部で十二個か十三個か、そんなものだった。あるいは昔は塚としてもっと高く整然と積まれていたものが、地震か何かで崩れて低くなってしまったのかもしれない。そして鈴らしきものの音はどうやら、その石と石の隙間から洩れ聞こえてくるようだった。

私は石の上にそっと足をかけて、音の出どころを目で探してみた。しかしいくら月の明かりが鮮やかとはいえ、夜の闇の中でそれを見つけるのは至難の業だった。それにもしその箇所を特定できたとして、いったいどうすればいいのだ？　こんな大きな石を手で持ち上げられるわけはない。

とにかく誰かがその石の塚の下で、鈴のようなものを振って鳴らしているらしい。そのことにどうやら間違いはない。でもいったい誰が？　そのときになってようやく私は、得体の知れない恐怖のようなものを身のうちに感じ始めた。これ以上その音源には近づかない方がいいかもしれない。本能的にそう感じた。

私はその場所を離れ、鈴の音を背後に聞きながら、急ぎ足で雑木林の中の道を戻った。樹木の枝を抜ける月の光が、私の身体に意味ありげな斑（まだら）の模様を描いた。林を出て七段の石の階段を降り、家に戻り着き、中に入って玄関の鍵をかけた。そして台所に行ってウィスキーをグラスに注ぎ、氷も水も足さずにそれを一口飲んだ。そしてようやく一息ついた。それからウィスキーのグラスを手にテラスに出た。

鈴の音はテラスからはほんの微かにしか聞こえない。よく耳を澄ませないと聴き取れないくらいだ。しかしとにかくその音はなおも継続していた。鈴の音と鈴の音のあいだに置かれた沈黙の時間は、間違いなく最初よりずっと長くなっていた。私はその不規則な繰り返しにしばらくのあいだ耳を澄ませていた。

あの石の塚の下にいったい何があるのだろう。そこには空間みたいなものがあり、誰かがそこに閉じ込められていて、鈴のような何かを鳴らし続けているのだろうか？　あるいはそれは助けを求める信号かもしれない。しかしどれだけ考えを巡らせたところで、まともな説明はひとつとして思いつけなかった。

かなり長いあいだ、私はそこで深く考え込んでいたのかもしれない。あるいはそれはほんの僅かな時間だったかもしれない。それはじぶんでもわからない。あまりの不思議さに、時間の感覚はほとんど消えてしまっていた。ウィスキーのグラスを片手にデッキチェアに身を沈め、私は意識の迷路を行きつ戻りつしていた。そして気がついたとき、鈴の音はもう止んでいた。深い沈黙があたりを覆っていた。

私は立ち上がり、寝室に戻ってディジタル時計に目をやった。時刻は午前二時三十一分だった。いつからその鈴が鳴っていたのか、始まりの正確な時刻はわからない。しかし目を覚ましたのは一時四十五分だったから、私が知る限りでは少なくとも四十五分以上にわたって、それは鳴り続けていたことになる。そしてその謎の音が止んでしばらくすると、まるでそこに生じた新たな沈黙に探りを入れるみたいに、そろそろと虫たちが声を上げ始めた。山じゅうの虫たちがその鈴の音が止むのを辛抱強く待っていたみたいだった。おそらく息をひそめ、用心深く様子を窺いながら。

私は台所に行ってウィスキーを飲んだグラスを洗い、それからベッドに潜り込んだ。その頃にはもう秋の虫たちが、いつもどおり盛大な合唱を繰り広げていた。生のウィスキーを飲んだせいかもしれない。気持ちは昂ぶっていたはずなのだが、横になると眠りは間を置かずに訪れた。深く長い眠りだった。夢さえ見なかった。次に目が覚めたとき、寝室の窓は既にすっかり明るくなっていた。

その日、十時前に私はもう一度雑木林の中の祠まで歩を運んだ。もうあの謎めいた音は聞こえなかったけれど、私としては明るい昼間の光の中で、その祠と石の塚の光景をもう一度しっかり見てみたかったのだ。私は堅い樫の木で作られた雨田具彦のステッキを傘立ての中に見つけ、それを手に雑木林の中に入っていった。気持ち良く晴れた朝で、澄んだ秋の陽光が地面に葉影をちらつかせていた。くちばしの鋭い鳥たちが果実を探して、声をあげながら枝から枝へと忙しげに飛び移っていた。その頭上を真っ黒な鴉たちが、どこかを目指してまっすぐ飛びすぎていった。

祠は昨夜目にしたときより、ずっと古びてみすぼらしく見えた。満月に近い月の白く艶やかな光に照らされた祠は、それなりに意味深く、いくらか禍々（まがまが）しくさえ見えたのだが、今ではただの色褪せた貧相な木箱にしか見えなかった。

祠の裏側にまわってみた。そして背の高いススキの茂みをかきわけ、石の塚の前に出た。石の塚も昨夜見たときとはいくらか印象を変えていた。今私の目の前にあるのは、山中に長く放置されたただの四角い苔むした石だった。真夜中の月光の下では、それはまるで由緒ある古代遺跡の一部のように、神話的なぬめりを帯びて見えたのだが。私はその上に立ち、注意深く耳を澄ませてみた。しかし何も聞こえなかった。虫たちの声や、時折聞こえる鳥のさえずりを別にすれば、あたりはただひっそりと静まりかえっていた。

遠くの方から、猟銃を撃つようなぽんという乾いた音が聞こえてきた。山の中で誰かが野鳥を撃っているのかもしれない。あるいはそれは雀（すずめ）や猿やイノシシを脅して遠ざけるために農家が設置した、空砲を鳴らす自動装置かもしれない。いずれにせよその音はいかにも秋らしく響いた。空は高く、空気には適度な湿り気があり、遠くの音がよく聞こえた。私は石の塚の上に腰をおろし、その下にあるかもしれない空間のことを思った。その空間に閉じ込められた誰かが、手にした鈴（みたいなもの）を鳴らして救助を求めていたのだろうか？　私がかつて搬送（はんそう）トラックの荷室に閉じ込められたとき、思い切りパネルを叩いて助けを求めたのと同じように。誰かが狭い真っ暗な空間に閉じ込められているというイメージは、私を落ち着かない気持ちにさせた。

軽い昼食をとったあと、私は仕事用の服に着替え（要するに汚れてもいいような服装というだけのことだが）、スタジオに入って免色渉の肖像を描く仕事にもう一度とりかかった。それがたとえどんな仕事であれ、とにかく手を休みなく動かしていたいという気持ちに私はなっていた。誰かが狭い場所に閉じ込められて救助を求めているというイメージから、それがもたらす慢性的な息苦しさから、少しでも遠ざかりたかった。そのためには絵を描くしかない。しかしもう鉛筆とスケッチブックは使わないことにした。そんなものではたぶん役に立たない。私は絵の具と絵筆を用意して直接キャンバスに向かい、その空白の奥を見つめながら、免色渉という一人の人物に意識を集中した。背骨をまっすぐ伸ばし、集中力を高め、余分な考えを可能な限り意識から削ぎ落とした。

山の上の白い屋敷に住む、若々しい目をした白髪の男。彼はほとんどの時間を家にこもって暮らし、「開かずの間」（らしきもの）を持ち、四台の英国車を所有している。その男がうちにやってきて、私の前でどのように身体を動かし、どのような表情を顔に浮かべ、どのような口調で何を語ったか、どのような目でどんなものを見ていたか、彼の両手がどのように動いたか、私はそれらの記憶をひとつひとつ呼び起こしていった。少し時間はかかったけれど、彼に関する様々な細かい断片が、私の中で少しずつひとつに結びついていった。そうするうちに免色という人間が私の意識の中で立体的に、有機的に再構成されていく感触があった。

そうやって立ち上がった免色のイメージを、私は下描きなしでそのままキャンバスの上に、小ぶりな絵筆を使って移し替えていった。そのとき私の頭に浮かんだ免色は、左斜め前方に顔を向けていた。そしてその目は僅かにこちらに向けられていた。それ以外の顔の角度は私にはなぜか思いつけなかった。私にとってはそれこそがまさに免色渉という人間なのだ。彼は左斜め前方に顔を向けていなくてはならない。そしてその両目は僅かに私の方に向けられていなくてはならない。彼は私の姿を視野に収めている。それ以外に正しく彼を描く構図はあり得ない。

私は少し離れたところから、自分がキャンバスにほとんど一筆書きのように描いたシンプルな構図をしばらく眺めた。それはまだただのかりそめの線画に過ぎなかったけれど、私はその輪郭にひとつの生命体の萌芽のようなものを感じ取ることができた。それを源として自然に膨らんでいくはずのものが、おそらくそこにはある。何かが手を伸ばして——それはいったい何だろう？——私の中にある隠されたスイッチをオンにしたようだった。私の内部、奥深いところで長く眠り込んでいた動物がようやく正しい季節の到来を認め、覚醒に向かいつつあるような、そんな漠然とした感覚があった。

私は洗い場で絵筆から絵の具を落とし、オイルと石鹼で手を洗った。急ぐことはない。今日のところはこれだけで十分だ。これ以上は急いで作業を進めない方がいい。免色氏が次にここに来たとき、実物の彼を前にして、ここにある輪郭に肉付けをしていけばいいのだ。私はそう思った。この絵はおそらく、私がこれまで描いてきた肖像画とはずいぶん違った成り立ちのものになるだろう。そういう予感があった。そしてこの絵は生身の彼を必要としているのだ。

不思議だ、と私は思った。

免色渉はなぜそのことを知っていたのだろう？

その日の真夜中に、私はまた昨夜と同じようにはっと覚醒(かくせい)した。枕元の時計は一時四十六分を示していた。昨夜目が覚めたのとほとんど同じ時刻だ。私はベッドの上に身を起こし、暗闇の中で耳を澄ませた。虫の声は聞こえなかった。あたりは静まりかえっている。まるで深い海の底にいるみたいに。すべては昨夜の繰り返しだった。ただ窓の外は真っ暗だった。そこだけが昨夜とは違っている。厚い雲が空を覆い、満月に近い秋の月をぴったり隠していた。

あたりには完全な静寂が満ちていた。いや、違う。もちろんそうじゃない。その静寂は完全なものではない。息を殺して耳を澄ませていると、その厚い沈黙をかいくぐるように微かな鈴の音が聞こえてきた。誰かが夜の闇の中で、鈴のようなものを鳴らしているのだ。昨夜と同じように、切れ切れに断続的に。そしてその音がどこから聞こえてくるのか、私にはもうわかっていた。雑木林の中の、あの石の塚の下だ。あえて確かめる必要もない。私にわからないのは、誰が何のためにその鈴を鳴らしているかということだった。私はベッドを出てテラスに出た。

風はなかったが、細かい雨が降り始めていた。目には映らず、音もなく地表を濡らす雨だ。免色氏の屋敷の明かりが灯っていた。谷間を隔てたこちらから、家の中の様子まではわからないが、彼は今夜まだ目覚めているようだった。こんな遅い時刻に明かりがついているのは珍しいことだった。私は小糠雨(こぬかあめ)に濡れながらその灯(ひ)を見つめ、微かな鈴の音に耳を澄ませた。

やがて雨が少し強くなってきたので、私は家の中に戻り、うまく眠れないまま居間のソファに腰を下ろし、読みかけていた本のページを繰った。決して読みづらい本ではないのだが、どれだけ集中してもその内容はなかなか頭に入らなかった。ただ単に行から行へと字を追っているだけだ。しかしそれでも、何もしないでただその鈴の音を聞かされているよりはましだった。もちろん大きな音で音楽をかけて、その音が聞こえないようにすることもできたが、そうする気にはなれなかった。私はそれを聴かないわけにはいかないのだ。なぜなら、それは私に向けて鳴らされている音だからだ。私にはそのことがわかっていた。そしてその音は、私がそれについて何か手を打たない限り、おそらくいつまでも鳴り止まないだろう。そして毎晩私を息苦しくさせ、私から安らかな眠りを奪い続けることだろう。

何かをしなくてはならないのだ。何らかの手を打って、私はその音を止めなくてはならない。そしてそのためにはまずその音の——つまり送られてくる信号の——意味と目的を理解しなくてはならない。誰が何のために私に、わけのわからない場所から夜ごとに信号を送ってくるのだろう？　しかし何かを系統立てて考えるには、あまりに息苦しかったし、頭が混乱していた。自分一人だけでは処理しきれない。誰かに相談をする必要があった。そして今、私が相談するべき相手として思いつける人物はただ一人しかいなかった。

私はもう一度テラスに出て免色氏の屋敷の方に目をやった。家の明かりは既に消えていた。その屋敷があるあたりには、小さな庭園灯がいくつかともっているだけだった。

鈴の音が止んだのは午前二時二十九分、昨夜とほとんど同じ時刻だ。鈴の音が止んでしばらくすると、虫たちの声がそろそろと戻ってきた。そして秋の夜はまるで何ごともなかったように、その賑やかな自然の合唱で再び満たされた。すべてが同じ順序でおこなわれた。

私はベッドに入って、虫の声を聞きながら眠りについた。心は乱されていたが、昨夜と同じように眠りはすぐに訪れた。やはり夢のない深い眠りだった。

12 あの名もなき郵便配達夫のように

朝の早い時間に雨が降り、十時前に止んだ。そのあと少しずつ青空が顔を見せ始めた。海からの湿った風が雲をゆっくり北へと運んでいた。そして午後一時ぴったりに、免色が私のところにやってきた。ラジオの時報が時を告げるのと、玄関のドアベルが鳴るのがほぼ同時だった。時刻に正確な人は少なくないが、そこまで精密な人はなかなかいない。それも戸口の前でその時刻が来るのをじっと待ち受け、腕時計の秒針に合わせてベルを鳴らすわけではない。坂道を上ってきて車をいつもの位置に駐め、いつもと同じ歩調と歩幅で玄関までやってきてドアベルを押すと、それと同時にラジオの時報が時を告げるのだ。ただ驚嘆するしかない。

私は彼をスタジオに案内し、前と同じ食堂椅子に座らせた。そしてリヒアルト・シュトラウス『薔薇の騎士』のLPをターンテーブルに載せ、針を落とした。この前聴き終えたところからの続きだ。すべての手順は前と同じ繰り返しだった。ただひとつ異なっていたのは、今回は飲み物を勧めなかったことと、彼にモデルとしてのポーズをとってもらったことだった。椅子に腰掛けたまま左斜め前方を向くこと。そして目だけを僅かに私の方に向けること。それが今回私が彼に要求したことだった。

　彼は私の指示に進んで従ってくれたが、その位置と姿勢がぴたりと決まるまでにかなり時間を要した。微妙な角度や、視線の雰囲気が私の求めているものとなかなかぴったり合致しなかったからだ。光線の当たり具合も私のイメージに沿ったものではなかった。私は普段はモデルを使わないけれど、いったん使い始めると、多くのことを要求する傾向がある。しかし免色は私の出す面倒な注文に辛抱強くつきあってくれた。嫌な顔もせず、文句ひとつ口にしなかった。様々な種類の苦行を与えられ、それに耐えることに精通した人物のように見えた。

　ようやく位置と姿勢が決まると、私は言った。「申し訳ありませんが、できるだけそのまま動かないようにして下さい」

　免色は何も言わず目だけで肯いた。

「なるべく短い時間で終えるようにします。少しつらいかもしれませんが、我慢して下さい」

　免色はもう一度目だけで肯いた。そしてそのまま視線を動かさず、身体も動かさなかった。文字どおり筋肉ひとつ動かさなかった。さすがにときおり瞬きはしたものの、呼吸をしている気配さえ表には見せなかった。まるでリアルな彫刻のように彼はそこにじっとしていた。感心しないわけにはいかなかった。プロの絵のモデルだってなかなかそこまではできない。

　免色が我慢強く椅子の上でそのポーズをとり続けているあいだ、私の方はキャンバスの上での作業をできる限り迅速に手際よく進めた。意識を集中して彼の姿を目で測り、そのイメージが私の直観に命じるままに絵筆を動かした。真っ白なキャンバスの上に黒い絵の具を使って、一本の細い絵筆の線だけで、既にできている顔の輪郭に必要な肉付けを加えていった。絵筆を持ち替えている暇はない。限られた時間のうちに彼の顔かたちの諸要素を、ありのままに画像として取り込んでいかなくてはならない。そしてある時点からその作業は、ほとんどオート・パイロット的なものに変わっていった。意識をバイパスして目の動きと手の動きを直結させる、それが大事なことになる。視野で捉えたものをいちいち意識でプロセスしている余裕はない。

それは、私がそれまでに描いてきた——記憶と写真だけを用いて自分のペースで悠々と「営業品目」として描いてきた——数多くの肖像画とはずいぶん異なった種類の作業を私に要求していた。十五分ほどかけて、私は胸から上の彼の姿をキャンバスの上に描き上げた。まだまだ未完成な粗い下絵ではあるけれど、少なくともそれは生命感を持った形象になっていた。そしてその形象は免色渉という人物の存在感を生み出す、内的な動きのようなものを掬い取り、捉えていた。しかしそれは人体図でいえば、骨格と筋肉だけの状態だ。内部だけが大胆に剝き出しになっている。そこに具体的な肉と皮膚をかぶせていかなくてはならない。

「ありがとう。どうもお疲れ様でした」と私は言った。「もうけっこうです。今日の作業は終わりました。あとは楽にしてください」

免色は微笑んで姿勢を崩した。両手を上に大きく伸ばし、深呼吸をした。それから緊張させていた顔の筋肉を緩めるために、両手の指でゆっくりマッサージした。私はそのましばらく肩で大きく息をしていた。呼吸を整えるのに時間がかかった。まるで短距離走を走り終えたあとのランナーのように私は疲弊していた。妥協の余地のない集中と速度——それは私がずいぶん久方ぶりに要求されたものだった。私は長いあいだ眠っていた筋肉を叩き起こし、フル稼働させなくてはならなかった。疲れはしたが、そこにはある種の物理的な心地よさがあった。

「おっしゃるとおりだ。絵のモデルをつとめるというのは、たしかに予想していたよりも厳しい労働です」と免色は言った。「絵に描かれていると思うと、なんだか自分の中身を少しずつ削り取られているような気がしますね」

「削り取られたのではなく、そのぶんが別の場所に移植されたのだと考えるのが、芸術の世界における公式的な見解です」と私は言った。

「より永続的な場所に移植されたということですか？」

「もちろん、それが芸術作品と呼ばれる資格を持つものであればということですが」

「たとえばファン・ゴッホの絵の中に生き続ける、あの名もなき郵便配達夫のように？」

「そのとおりです」

「彼はきっと思いもしなかったでしょうね。百数十年後に、世界中の数多くの人々が美術館までわざわざ足を運び、あるいは美術書を開いて、そこに描かれた自分の姿を真剣な眼差しで見つめることになるだろうなんて」

「まず間違いなく、思いもしなかったでしょうね」

「みすぼらしい田舎の台所の片隅で、どう見てもあまりまともとは思えない男の手によって描かれた、風変わりな絵に過ぎなかったのに」

私は肯いた。

「なんだか不思議な気がするな」と免色は言った。「それ自体では永続する資格を持たないものが、ある偶然の出会いによって、結果的にそのような資格を身につけていくということが」

「ごく希にしか起こらないことですが」

そして私はふと『騎士団長殺し』の絵のことを思い出した。あの絵の中で刺殺されている「騎士団長」も、雨田具彦の手によって永続する命を身につけることができたのだろうか？　そして騎士団長とはそもそも何ものなのだろう？

私は免色にコーヒーを勧めた。いただきたいと彼は言った。私は台所に行ってコーヒーメーカーで新しいコーヒーを作った。免色はスタジオの椅子に座って、オペラの続きに耳を澄ませていた。レコードのB面が終わる頃にコーヒーができあがって、我々は居間に移ってコーヒーを飲んだ。

「どうですか？　私の肖像画はうまくできあがりそうですか？」と免色はコーヒーを上品にすすりながら尋ねた。

「まだわかりません」と私は正直に言った。「なんとも言えません。うまくいくものかどうか、自分でも見当がつかないんです。これまでぼくが描いてきた肖像画とは、描き方の手順がずいぶん違っていますから」

「それはいつもと違って実際のモデルを使っているから、ということでしょうか？」と免色は尋ねた。

「それもあるとは思いますが、それだけじゃありません。ぼくにはなぜかもう、これまで仕事として描いてきたコンヴェンショナルな形式の、いわゆる『肖像画』がうまく描けなくなってしまったみたいです。だからそれに代わる手法や手順が必要とされています。しかしぼくにはまだその道筋が摑めていません。闇の中を手探りで進んでいるような状態です」

「つまりあなたは今まさに変化しようとしている。そして私がいわば、その変化の触媒のような役目を果たしている――そういうことなのですか?」

「あるいはそういうことになるかもしれません」

免色はしばらく考えていた。それから言った。「前にも申し上げたとおり、結果的にそれがどのようなスタイルの絵になろうが、それはまったくあなたの自由です。私自身、常に変化を求めて移動している人間です。そして私は何もありきたりの肖像画を描いてもらいたいと思っているわけではありません。どんなスタイルでも、どんなコンセプトでもかまいません。私が求めているのは、あなたの目が捉えた私の姿を、そのままかたちにしてもらうことです。手法や手順はそっくりお任せします。私は何もあのアルルの郵便配達夫のように歴史に名を残したいと望んでいるわけではありません。そこまでの野心はありません。ただ私には健全な好奇心があるだけです。あなたが私を描くとき、そこにいったいどのような作品が生まれるのだろうという」

「そう言っていただけるのは嬉しいのですが、ぼくが今ここでお願いしたいことは、ただひとつです」と私は言った。「もし納得のいく作品を描き上げることができなかった場合、申し訳ないのですが、この話はなかったことにしていただきたいのです」

「つまりその絵は私には引き渡されない?」

私は肯いた。「もちろんその場合、着手金はそっくりお返しします」

免色は言った。「いいでしょう。その判断はあなたにお任せします。決してそんなことにはならないだろうという予感が、かなり強く私にはあるのですが」

「その予感が当たることを、ぼくとしても祈っています」

免色は私の目をまっすぐ見ながら言った。「しかしもし仮にその作品が完成しなかったとしても、私が何らかのかたちであなたの変化のお役に立てたのだとしたら、それは私にとって喜ばしいことです。本当に」

「ところで、免色さん、実はあなたに折り入ってご相談したいことがあるんです」と私は少しあとで思い切って切り出した。「絵のこととはまったく関係のない、個人的な話なんですが」

「聞かせて下さい。私にお役に立てることであれば、喜んでお手伝いします」

私はため息をついた。「ずいぶん奇妙な話なんです。一部始終を順序立ててわかりやすく説明することは、ぼくの言葉ではとても間に合わないかもしれません」

「あなたの話しやすい順番でゆっくり話して下さい。そして二人で一緒に考えてみましょう。一人きりで考えるよりは良い智恵が浮かぶかもしれませんよ」

私は最初から順番に話をしていった。夜中の二時前にはっと目が覚め、耳を澄ませると、夜の闇の中から不思議な音が聞こえてきた。遠い小さな音だが、虫が鳴きやんでいたせいで微かに耳に届いた。誰かが鈴を鳴らしているような音だ。その音を辿っていくと、その出どころが家の裏手にある雑木林の中の、石の塚の隙間であるらしいことがわかった。不規則な沈黙をあいだに挟んで断続的に、その謎の音が四十五分ほど続き、やがてぴたりと止む。同じことが一昨日、昨日と二晩続いた。誰かがその石の下で鈴のようなものを鳴らしているのかもしれない。救助信号を送っているのかもしれない。しかしそんなことがあり得るだろうか？　自分が正気なのかどうか、それも今ひとつ自信が持てなくなっている。自分が耳にしているのはただの幻聴なのだろうか？

免色はひとことも口を挟むことなく、私の語る話に耳を澄ませていた。私が話し終えてもそのまま黙り込んでいた。彼が真剣に私の話に耳を傾け、その内容について深く考えを巡らせていることは顔つきでわかった。

「興味深い話です」と彼は少しあとで口を開いた。そして軽く咳払いをした。「たしかにおっしゃるように、普通ではないできごとみたいだ。そうですね……できればその鈴の音を、私自身の耳で聞いてみたいのですが、今夜こちらにおうかがいしてもかまいませんか？」

私は驚いて言った。「真夜中にわざわざここまで見えるのですか？」

「もちろんです。私にもその鈴の音が聞こえれば、それはあなたの幻聴ではないということが証明されます。それが第一歩です。そしてもしそれが実在する音であるのなら、その出どころを二人であらためて探り当てましょう。それからどうすればいいかは、そのときにまた考えればいい」

「もちろんそうですが――」

「お邪魔でなければ、今夜の十二時半にこちらにうかがいます。それでよろしいでしょうか？」

「もちろんぼくはかまいませんが、そこまで免色さんにしていただくのは――」

免色は感じの良い笑みを口もとに浮かべた。「気にすることはありません。あなたのお役に立てることは、私にとって何よりの喜びです。それに加えて私はもともと好奇心の強い人間です。その真夜中の鈴の音がいったい何を意味しているのか、もし誰かがその鈴を鳴らしているのだとしたら、それは誰なのか、私としてもぜひその真相を知りたい。あなたはいかがですか？」

「もちろんそう思いますが――」と私は言った。

「それではそう決めましょう。今夜こちらにうかがいます。そして私にも少しばかり思い当たることがあります」

「思い当たること？」

「それについては、またあらためてお話ししましょう。念のために確かめなくてはなりませんから」

免色はソファから立ち上がり、背筋をまっすぐ伸ばし、右手を私の前に差し出した。私はそれを握った。やはりしっかりとした強い握手だった。そして彼はいつもよりいくぶん幸福そうに見えた。


免色が帰ったあと、その午後ずっと私は台所に立って料理をしていた。私は週に一度、まとめて料理の下ごしらえをする。作ったものを冷蔵したり冷凍したりして、あとの一週間はただそれを食べて暮らす。その日は料理の日だった。夕食にはソーセージとキャベツを茹でたものに、マカロニを入れて食べた。トマトとアボカドと玉葱（たまねぎ）のサラダも食べた。夜がやってくると、私はいつものようにソファに横になり、音楽を聴きながら本を読んだ。それから本を読むのをやめて、免色のことを考えた。

　彼はどうしてあれほど嬉しそうな顔をしたのだろう？　彼は本当に私の役に立てることが嬉しいのだろうか？　どうして？　私にはよくわけがわからなかった。私はただの名もなき貧乏な画家だ。六年間一緒に過ごした妻に去られ、両親とも不仲で、住むところもなく、財産らしきものもなく、友だちの父親の家の留守番をとりあえずさせてもらっている。それに比べて（わざわざ比べるまでもないのだが）彼は若くしてビジネスで大きな成功を収め、この先ずっと不自由なく暮らせるほどの財産を手に入れた。少なくとも本人はそう語っている。顔立ちは端正で、英国車を四台所有し、とくに仕事らしい仕事もせず、山の上の大きな家にこもって優雅に日々を送っている。そんな人間がなぜ私みたいなものに個人的な興味を持つのだろう？　なぜ私のためにわざわざ夜中の時間を割いてくれるのだろう？

　私は首を振って読書に戻った。考えても詮無（せんな）いことだ。どれだけ考えたところで結論が出るわけではない。もともとピースが揃っていないパズルを解こうとしているようなものだ。しかし考えないわけにはいかなかった。私はため息をつき、また本をテーブルの上に置き、目を閉じてレコードの音楽に耳を澄ませた。ウィーン・コンツェルトハウス弦楽四重奏団の演奏するシューベルトの弦楽四重奏曲十五番。

　私はここに住むようになってから、毎日のようにクラシック音楽を聴いている。そして考えてみたら、私が耳を傾けている音楽の大半はドイツ（及びオーストリア）古典音楽だった。雨田具彦のレコード・コレクションはおおむねドイツ系古典音楽で占められていたからだ。チャイコフスキーもラフマニノフもシベリウスも、ヴィヴァルディもドビュッシーもラヴェルも、お義理のようにひととおり置いてあるだけだった。オペラ・ファンだからもちろんヴェルディとプッチーニの作品はいちおう揃っていた。しかしそれもドイツ・オペラの充実した陣容に比べれば、それほど熱意の感じられない揃え方だった。

　おそらく雨田具彦にとっては、ウィーン留学時代の思い出があまりに強烈だったのだろう。そのせいでドイツ音楽に深くのめり込むようになったのかもしれない。あるいは逆かもしれない。

彼はもともとドイツ系の音楽を深く愛していて、そのせいで留学先をフランスではなくウィーンにしたのかもしれない。どちらが先なのか、私にはもちろん知りようがない。

しかしいずれにせよ私は、この家の中でドイツ音楽が偏愛されていることに対して、苦情を言い立てられるような立場にはなかった。私はただのこの家の留守番に過ぎず、そこにあるレコード・コレクションを厚意で聴かせてもらっているだけなのだ。そして私は、バッハやシューベルトやブラームスやシューマンやベートーヴェンの音楽を聴くことを楽しんだ。それからもちろんモーツァルトを忘れてはならない。彼らの音楽は深みのある優れた、美しい音楽だったし、そういう種類の音楽をゆっくり腰を据えて聴く機会を、私はそれまでの人生においてもったことがなかった。日々の仕事に追われていたし、またそれだけの経済的な余裕もなかったからだ。だから私はそういう機会を自分がたまたま手にできているあいだに、ここに揃えられた音楽をできるだけしっかり聴いてしまおうと心を決めていた。

十一時過ぎに私はソファの上でしばらく眠った。音楽を聴いているうちに眠りに落ちたのだ。眠っていたのはたぶん二十分くらいだろう。目覚めたときレコードは既に終わって、トーンアームは元の位置に戻り、ターンテーブルは停止していた。居間には勝手に針が上がるオートマティックのプレーヤーと、マニュアル式の本格的なプレーヤーの二台があったが、私は安全を期して——つまりいつ眠り込んでもいいように——だいたいオートマティックの方を使うようにしていた。私はシューベルトのレコードをジャケットに入れ、それをレコード棚の所定の位置に戻した。開け放した窓の外からは虫たちの声が盛大に聞こえた。虫たちが鳴いているからには、まだあの鈴の音は聞こえてこないのだ。

私は台所でコーヒーを温め、クッキーを少し食べた。そしてあたりの山を覆う夜の虫たちの賑やかな合唱に耳を澄ませた。十二時半少し前にジャガーが坂道をそろそろと上ってくる音が聞こえた。方向転換をするときに一対の黄色いヘッドライトが窓ガラスを大きく横切った。やがてエンジン音が止み、車のドアが閉められるいつものきっぱりとした音が聞こえた。私はソファに座ってコーヒーを飲みながら呼吸を整え、玄関のドアベルが鳴るのを待った。

13 それは今のところただの仮説に過ぎません

我々は居間の椅子に腰を下ろしてコーヒーを飲み、その時刻が近づくのを待ちながら時間つぶしに話をした。最初はあてもない世間話のようなものだったが、沈黙がひとしきり二人のあいだに降りたあと、免色はいくぶん遠慮がちに、しかし妙にきっぱりとした声で私に尋ねた。

「あなたには子供がいますか?」

私はそれを聞いて少しばかり驚いた。彼は人に——まだそれほど親密とは言えない相手に——そういう質問をする人物には見えなかったからだ。どう見ても「君の私生活には首を突っ込まないから、そのかわりこちらの私生活にも首を突っ込まないでくれ」というタイプだ。少なくとも私はそのように理解していた。しかし顔を上げて免色の真剣な目を見ると、それがその場でふと思いつかれた気まぐれな質問でないことがわかった。彼は前からずっと、そのことを私に尋ねたいと思っていたようだった。

私は答えた。「六年ばかり結婚していましたが、子供はいません」

「作りたくなかったのですか?」

「ぼくはどちらでもよかった。でも妻が望まなかったのです」と私は言った。彼女が子供を作りたくなかった理由については、あえて説明しなかった。それが本当に正直な理由だったのかどうか、今となっては私にもよくわからなかったからだ。

免色はどうしようか少し迷っているようだったが、やがて心を決めたように言った。「こんなことをうかがうのは、失礼にあたるかもしれませんが、ひょっとして、奥さん以外の女性がどこかで、密かにあなたの子供をもうけているかもしれないという可能性について考えてみたことはありますか？」

私はもう一度まじまじと免色の顔を見た。不思議な質問だった。私はいちおう記憶の抽斗(ひきだし)をいくつか形式的に探ってみたが、そういうことが起こり得る可能性にはまったく思い当たらなかった。私はこれまでそれほど多くの女性と性的な関係を持ったわけではないし、もし仮にそんなことが起こっていたとしたら、きっと何らかのルートを通じて私の耳に届いているはずだ。

「もちろん理論的にはあり得るかもしれませんが、現実的には、というか常識的に考えて、そういう可能性はまずないと思います」

「なるほど」と免色は言った。そして何かを深く考えながら、コーヒーを静かにすすった。

「しかし、どうしてそんなことをぼくにお訊きになるのですか？」と私は思い切って尋ねてみた。

彼はしばらく口を閉じて窓の外を眺めていた。窓の外には月が出ていた。一昨日の月ほど異様に明るくはないが、じゅうぶんに明るい月だった。切れ切れになった雲が、海から山に向けて空をゆっくりと流れていた。

やがて免色は言った。

「以前にも申し上げたように、私はこれまで一度も結婚したことがありません。この歳まで、ずっと独り身でした。仕事が常に忙しかったということもありますが、それ以上に、誰かと一緒に暮らすということが私の性格や生き方に合わなかったからでもあります。こんなことを言うと、ずいぶん格好をつけているように思われるかもしれないが、良くも悪くも私は一人でしか生きられない人間です。血縁というようなものにもほとんど関心を持っていません。自分の子供を持ちたいと思ったことも一度もありません。それには私なりの個人的な理由もあります。おおむね私自身の子供時代の家庭環境によってもたらされたことなのですが」

彼はそこで言葉を切って、一息ついた。そして続けた。

「しかし数年前から、自分には子供がいるのではないかと考えるようになってきたのです。というか、そう考えざるを得ないような状況に追い込まれた、と言った方がいいかもしれません」

私は黙って話の続きを待った。

「こんな込み入った個人的な話を、ほんのしばらく前に知り合ったばかりのあなたに打ち明けるというのは、我ながらずいぶん奇妙なことに思えますが」と免色はとても淡い微笑を口もとに浮かべながら言った。

「ぼくの方はべつにかまいません。免色さんさえよろしければ」

考えてみれば、私にはまだ小さい頃からなぜか、それほど親しくない人から思いも寄らぬ打ち明け話をされる傾向があった。もしかしたら私には、他人の秘密を引き出す特別な資質みたいなものが生まれつき具わっているのかもしれない。それともただ熟達した聴き手みたいに見えるのかもしれない。いずれにしても、そのことで何か得をしたという覚えは一度もない。なぜなら人々は私に打ち明け話をしてしまったあとで、必ずそのことを後悔するからだ。

「こんなことを誰かに話すのは初めてです」と免色は言った。

私は肯いて話の続きを待った。だいたいみんな同じことを言う。

免色は語り始めた。「今から十五年ほど前のことになりますが、私は一人の女性と親しく交際していました。当時私は三十代の後半で、相手は二十代後半の美しい、とても魅力的な女性でした。聡明な人でもあった。私なりに真剣な交際だったのですが、彼女と結婚する可能性がないということは、前もってきちんと相手に伝えていました。私には誰とも結婚するつもりはないのだと。相手に空しい期待を抱かせるのは、私の望むところではありません。だからもし彼女に他に結婚したいと思う相手ができたなら、私はいっさい何も言わずに身を引くと。彼女も私のそういう気持ちを理解してくれました。でもその交際が続いているあいだ（二年半ほどですが）、我々はとてもうまく、仲良くやっていました。口論ひとつしたことはありません。いろんなところにも一緒に旅行もしたし、私のうちに泊まっていくこともしばしばありました。だから私のところには彼女の衣服がひと揃い置いてありました」

彼は何かを深く考えていた。そして再び口を開いた。

「もし私が普通の人間なら、というか、もう少し普通に近い人間であれば、何の迷いもなく彼女と結婚していたことでしょう。私だって迷いがなかったわけではない。しかし――」、彼はそこで間を置き、小さな吐息をついた。「しかし結局のところ、私は今あるような一人きりの静かな生活を選び、彼女はより健全な人生設計を選びました。つまり私よりはもっと普通に近い男性と結婚することになったのです」

最後の最後まで、彼女は自分が結婚することを免色には打ち明けなかった。免色が最後に彼女に会ったのは、彼女の二十九歳の誕生日の一週間後だった（誕生日に二人は銀座のレストランで一緒に食事をしたのだが、そのとき彼女が珍しく無口であったことを彼はあとになって思い出した）。彼が当時赤坂にあったオフィスで仕事をしていると、彼女から電話がかかってきて、ちょっと会って話をしたいのだけれど、これからそちらに行ってかまわないかと言った。もちろんかまわない、と彼は言った。彼女がそれまで彼の仕事場を訪れたことは一度もなかったが、そのときはさして不思議には思わなかった。それは彼と中年の女性秘書の二人だけしかいない小さなオフィスだったし、誰に気兼ねをすることもなかった。それなりに大きな会社を主宰し、多くの人を使っていた時期もあったが、それは彼が一人で新たなネットワークを企画している時期にあたっていた。企画を立ち上げる時期には一人で寡黙（かもく）に仕事をし、それを展開する時期にはアグレッシブに広く人材を用いるというのが彼の通常のやり方だった。

恋人がやってきたのは夕方の五時前だった。二人は彼のオフィスのソファに並んで座って話をした。五時になったので、彼は隣の部屋にいる秘書を先に帰宅させた。秘書を帰宅させたあと、一人でオフィスに残って仕事を続けるのは、彼にとっては普段どおりのことだった。仕事に没頭してそのまま朝を迎えることもよくあった。彼としては彼女と二人で、近くのレストランに行って夕食をとるつもりだった。しかし彼女はそれを断った。今日はそれほどの時間がないの、これから銀座に出て人に会わなくてはならないから。

「何か話したいことがあるって電話で言ってたけど」と彼は尋ねた。

「いいえ、話なんてとくにないの」と彼女は言った。「ただちょっとあなたに会いたかっただけ」

「会えて良かった」と彼は微笑んで言った。彼女がそういう率直なものの言い方をするのは珍しいことだった。どちらかといえば婉曲な表現を好む女性だった。しかしそれが何を意味するのか、彼にはよくわからなかった。

それから彼女は何も言わずにソファの上で身体をずらせ、免色の膝の上に乗った。そして両腕を彼の身体にまわし、口づけをした。舌をからめあう深い本格的な口づけだった。長い口づけが続いたあと、彼女は手を伸ばして免色のズボンのベルトをゆるめ、彼のペニスを探った。そして硬くなったものを取りだし、それをしばらく手に握っていた。それから身をかがめて、ペニスを口にくわえた。長い舌先をそのまわりにゆっくり這わせた。舌は滑らかで熱かった。

その一連の行為は彼を驚かせた。なぜなら彼女はセックスに関しては、どちらかといえば終始受け身だったし、とくにオーラルセックスに関しては——おこなうことに関してもおこなわれることに関しても——いつも少なからず抵抗感を抱いているように見受けられたからだ。しかし今日はなぜか、彼女は自分から積極的にその行為を求めているようだった。いったい何が起こったのだろう、と彼はいぶかった。

それから彼女は急に立ち上がり、履いていた黒い上品なパンプスを放り出すように脱ぎ捨て、ワンピースの下に手を入れて手早くストッキングを下ろし、下着を下ろした。そしてもう一度彼の膝の上に乗って、片手を使って彼のペニスを自分の中に導き入れた。それは既に十分な湿り気を帯び、まるで生き物のように滑らかに自然に活動した。すべては驚くほど迅速におこなわれた(それもどちらかといえば彼女らしくないことだった。ゆっくりとした穏やかな動作が彼女の特徴だったから)。気がついたときには、彼はもう彼女の内側にいて、その柔らかい襞が彼のペニスをそっくり包み、静かに、しかし躊躇なく締め上げていた。

　それは彼が彼女とのあいだでこれまで経験したどのようなセックスとも、まったく違っていた。そこには温かさと冷ややかさが、堅さと柔らかさが、そして受容と拒絶が同時に存在しているようだった。彼はそのような不思議に背反的な感触を持った。しかしそれが具体的に何を意味するのか、よく理解できなかった。彼女は彼の上にまたがって、小さなボートに乗った人が大波に揺られるみたいに、激しく上下に身体を動かしていた。肩までの黒い髪が、強風に煽られる柳の枝のようにしなやかに宙で揺れていた。抑制が失われ、喘ぎ声も次第に大きくなった。オフィスのドアをロックしたかどうか、免色には自信がなかった。したような気もするし、し忘れたような気もする。しかし今からドアを点検しにいくわけにもいかない。

「避妊しなくてもいいの？」と彼は尋ねた。彼女は避妊に関しては普段からとても神経質だった。

「大丈夫よ、今日は」と彼女は彼の耳元で囁くように言った。「あなたが心配することは何もないの」

　彼女に関する何もかもが、普段とは違っていた。まるで彼女の中に眠っていた別の人格が突然目を覚まし、彼女の精神と身体をそっくり乗っ取ってしまったかのようだった。たぶん今日は彼女にとって何か特別な日なのだろうと彼は想像した。女性の身体に関しては男には理解できないことがたくさんある。

　彼女の動きは時間を追ってますます大胆にダイナミックになっていった。彼女の求めることを妨げないようにする以外に、彼にできることは何ひとつなかった。そしてやがて最終的な段階がやってきた。彼が耐えきれずに射精をすると、それに合わせて彼女は異国の鳥のような声を短く上げ、彼女の子宮はそのときを待ち受けていたかのように、精液を奥に受けとめ、貪欲に吸い取った。暗闇の中で自分がわけのわからない動物に貪り食われているような、そんな混濁したイメージを彼は持った。

それから少しして、彼女は免色の身体をほとんど押しのけるようにして立ち上がり、無言のままワンピースの裾を直し、床に落ちていたストッキングと下着をバッグに突っ込み、それを手に急ぎ足で洗面所に向かった。そして長いあいだそこから出てこなかった。何か異変でもあったのだろうかと不安になって来た頃に、ようやく彼女は洗面所から出てきた。今では着衣にも髪型にも乱れひとつなく、化粧も元通りに施されていた。口もとにはいつもの穏やかな微笑が浮かんでいた。

彼女は免色の唇に軽くキスをし、さあ、急いで行かなくてはと言った。既に遅刻しちゃっているから。そしてそのまま部屋を足早に出ていった。後ろを振り返りもしなかった。その歩き去っていくパンプスの靴音が彼の耳にまだ鮮やかに残っている。

それが彼女に会った最後だった。その後一切の音信は途絶えた。彼がかけた電話にも、送った手紙にも返事はなかった。そしてその二ヶ月後に彼女は結婚式を挙げた。というか、結婚をしたという話を、彼は共通の知人からあとになって聞かされた。彼が結婚式に招待されなかったことを、それればかりか彼女が結婚したということすら知らなかったことを、その知人はずいぶん不思議に思ったようだった。免色と彼女は仲の良い友人だと思われていたからだ（二人はとても注意深く交際していたので、恋愛関係にあることは誰にも知られていなかった）。彼女の結婚相手は免色の知らない男だった。名前を耳にしたこともない。彼女は自分が結婚するつもりでいることを免色には告げなかったし、匂わせもしなかった。彼の前からただ黙って去っていったのだ。

あのとき彼のオフィスのソファの上でもたれた激しい抱擁はたぶん、これが最後と決めた別れの愛の行為だったのだ、と免色は悟った。免色はそのときのことを、あとになって何度も繰り返し思い返した。その記憶は長い歳月が経過したあとでも、驚くほど鮮明であり、克明だった。ソファの軋みや、彼女の髪の揺れ方や、耳元にかかる彼女の熱い息をそのまま再現することができた。

それでは免色は、彼女を失ってしまったことを悔やんでいるだろうか？　もちろん悔やんではいない。あとになって何かを後悔するようなタイプの人ではないのだ。自分は家庭生活に適した人間ではない――そのことは免色にもよくわかっていた。どれほど愛する相手であれ、他人と日常生活を共にできるわけがない。彼は日々孤独な集中力を必要としたし、その集中力が誰かの存在によって乱されることが我慢できなかった。誰かと生活を共にしたら、いつかその相手のことを憎むようになるかもしれない。それが親であれ、妻であれ、子供であれ。彼はそのことを何より恐れた。彼は誰かを愛することを恐れたのではない。むしろ誰かを憎むことを恐れたのだ。

それでも彼が彼女を深く愛していたことに変わりはなかった。これまで彼女以上に愛した女性はいなかったし、たぶんこれから先も出てこないだろう。「私の中には今でも、彼女のためだけの特別な場所があります。とても具体的な場所です。神殿と呼んでもいいかもしれません」と免色は言った。

神殿？　それは私にはいささか奇妙な言葉の選択のように思えた。しかしそれがたぶん免色にとっての正しい言葉なのだろう。

免色はそこで話をやめた。細部までとても詳しく具体的に、彼はその個人的な出来事を私に語ったわけだが、そこにはセクシュアルな響きはほとんど聴き取れなかった。まるで純粋に医学的な報告書を、目の前で朗読されているような印象を私は持った。というか、実際にそのようなものだったのだろう。

「結婚式の七ヶ月後に、彼女は東京の病院で無事に女の子を出産しました」と免色は続けた。「今から十三年前のことです。その出産のことも実を言えば、私はずっと後になって人から聞いて知ったのですが」

免色は空っぽになったコーヒーカップの内側をしばらく見下ろしていた。まるでそこに温かい中身がたっぷり入っていた時代を懐かしんでいるみたいに。

「そしてその子供は、ひょっとしたら私の子供かもしれないのです」と免色は絞り出すように言った。そして個人的意見を求めるように私の顔を見た。

彼が何を言わんとしているのか、それが呑み込めるまでに少し時間がかかった。

「時期的には合っているのですね？」と私は尋ねた。

「そうです。時期的にはぴたりと符合しています。私のオフィスで彼女と会ったその日から、九ヶ月後にその子供が誕生しています。彼女は結婚する直前、おそらく受胎がもっとも可能な日を選んで私のところにやってきて、私の精子を——なんと言えばいいのだろう——意図的に収集していったのです。それが私の抱いている仮説です。私と結婚することは最初から期待していなかったけれど、私の子供を産むことを彼女は決意していた。そういうことではなかったかと」

「でも確証はない」と私は言った。

「ええ、もちろん確証はありません。それは今のところただの仮説に過ぎません。しかし根拠のようなものはあります」

「でもそれは彼女にとって、ずいぶん危険な試みですよ」と私は指摘した。「もし血液型が違っていれば、あとになって父親が違うとわかってしまうかもしれない。そんな危険をあえて冒(おか)すでしょうか？」

「私の血液型はA型です。日本人の多くはA型だし、彼女もたしかA型です。なんらかの理由があって本格的なDNAの検査をしない限り、秘密が露見する可能性はかなり低いはずです。彼女にはそれくらいの計算はできます」

「しかしその一方で、その女の子の生物学的父親があなたであるかどうかということも、正式なDNAの検査をしないかぎり判明しない。そうですね？　あるいは母親に直接尋ねてみるか」

免色は首を振った。「母親に尋ねることはもはや不可能です。彼女は七年前に亡くなりました」

「お気の毒です。まだお若いのに」と私は言った。

「山の中を散歩しているときに、何匹ものスズメバチに刺されて死にました。もともとがアレルギー体質で、蜂の毒素に耐えられなかったのです。病院に運ばれたときには既に息がなかった。誰も彼女にそんなアレルギーがあったことを知りませんでした。たぶん本人も知らなかったはずです。あとにはご主人と、娘が一人残されました。娘は十三歳になります」

妹が死んだのとほぼ同じ歳だ、と私は思った。

私は言った。「その女の子があなたの子供であるかもしれないと推測する根拠のようなものを、あなたはお持ちになっている。ということでしたね？」

「彼女の死後しばらくして、私は突然、死者からの手紙を受け取ったのです」と免色は静かな声で言った。

ある日彼のオフィスに、聞き覚えのない法律事務所から大型の封筒が、内容証明付きで送られてきた。中にはタイプされた二通の書簡（弁護士事務所の名前入り）と、淡いピンク色の封筒がひとつ入っていた。法律事務所からの手紙は弁護士の署名付きのものだった。「＊＊＊＊（かつての恋人の名前だ）様から生前にお預かりした書簡を同封いたします。＊＊＊＊様はもし自分が死亡するようなことがあれば、この書簡を貴殿に郵送するようにという指示を残しておられました。ちなみに、貴殿以外の目には絶対に触れることがないように、という注意書きも添えられておりました」

そういう趣旨の書簡だった。そして彼女の死の経緯が簡単に、ごく事務的に記されていた。免色はしばらく言葉を失っていたが、やがて気を取り直し、鋏を使ってピンク色の封筒の封を切った。手紙は青いインクを使った自筆で、便箋四枚に及んでいた。彼女はとても美しい字を書いた。

免色　渉　様

今が何年の何月なのかはわかりませんが、この手紙を手に取られるときには、私は既にこの世にいないはずです。なぜかはわかりませんが私は昔から、自分が比較的若いうちにこの世を去るような気がしてなりませんでした。だからこそこうして手回し良く、自分の死後の段取りをおこなっているわけです。こんなことがみんな無駄に終わってしまえば、もちろんそれに越したことはないのでしょうが——しかしなんといっても、あなたがこうしてこの手紙を読んでおられるからには、私はもう死んでいるわけですよね。そう思うととても淋しい気持ちになります。

最初にお断りしておきたいのですが（あるいはあえて断るまでもないことなのかもしれませんが）、私の人生なんて、もともとそんな大したものではありません。それはよくわかっております。ですからおおげさなことは避けて、余計なことは言わず、ひっそりこの世界から退場していくのが、私のような人間にはおそらくふさわしいことなのでしょう。しかし免色さん、あなたにだけはひとつのことを言い残していかなくてはならないかもしれません。そうしなければ、あなたに対して人としてフェアになる機会を、私は永遠になくしてしまうような気がするのです。そんなわけで、この手紙を知り合いの信頼できる弁護士に託し、あなたにお送りすることにしました。

私があのように唐突にあなたのもとを去って、他の人の妻になってしまったことについては、またそれについて前もってあなたに一言もお知らせしなかったことについては、心から申し訳なく思っています。おそらくとても驚かれたことと推測します。あるいは不快に思われたかもしれません。それとも冷静なあなたは、その程度のことには驚きもしないし、心もとくに動かされないのかもしれません。しかし何はともあれ、そのときの私にはそうする以外に道がありませんでした。ここであえて細かい説明はしませんが、そのことだけはどうか理解してください。そこでは私にはほとんど選択の余地がなかったのです。

　しかし私にも選択の余地がひとつ残されていました。それはただひとつの出来事に、ただ一度の行為に集約されています。私が最後にあなたにお目にかかったときのことを覚えていますか？　あなたのオフィスを私が急に訪れた初秋の夕方のことです。そうは見えなかったかもしれませんが、あのとき私は本当に切羽詰まっていて、追い詰められていました。自分が自分でなくなってしまっているような気分でした。しかしそのように混乱していながらも、そのときに私がとった行為は、最初から最後までしっかり意図されたものでした。そして私は自分がそのときにとった行動を、今に至るまでこれっぽっちも悔やんではいません。それは私の人生にとって、とても大きな意味を持つことだったのです。おそらくは私自身の存在なんかよりも遥かに。

　あなたはきっと私のそのような意図を理解し、最終的には赦してくださると期待しています。そしてそのことであなた個人に何らかのご迷惑が及んだりしないことを祈っています。あなたがそういう状況をなにより嫌っていることを、私はよく知っていますから。

　免色さん、私はあなたが幸福な長い人生を送られることを願っています。そしてまたあなたという素晴らしい存在が、どこかでより長く豊かに引き継がれていくことを。

＊＊＊＊

免色は文面をそっくり覚え込んでしまうまで、その手紙を何度も何度も読み返した（そして彼は実際その文面を、私に向かって最初から最後まで淀みなく暗唱してくれたのだ）。その手紙には様々な感情と示唆が光となり影となり、陰となり陽となり、複雑な隠し絵となって描き込まれていた。もう誰も話すことのない古代言語を研究する言語学者のように、彼は何年もかけてその文面に潜むあらゆる可能性を検証した。ひとつひとつの単語や言い回しを取り出し、様々に組み合わせ、交錯させ、順序を入れ替えた。そしてひとつの結論に達した。彼女が結婚して七ヶ月後に生んだ女の子はまず間違いなく、あのオフィスの革張りのソファの上で免色とのあいだに宿った子供なのだと。

「私は懇意にしている弁護士事務所に依頼し、彼女の遺した女の子について調査させました」と免色は言った。「彼女の結婚した相手は彼女より十五歳年上で、不動産業を営んでいます。不動産業といっても、夫は地元の地主の息子で、自分が相続し所有している土地や建物の管理が業務の中心になっています。もちろんほかの物件もいくつか取り扱ってはいますが、それほど幅広く積極的に仕事をしているわけではありません。もともと働かなくても生活に不自由はしないくらいの財産はあります。女の子の名前はまりえといいます。平仮名の『まりえ』です。七年前に妻を事故で失った後、ご主人は再婚していません。ご主人には独身の妹がいて、今のところその人が同居して、家事なんかをしてくれているようです。まりえは地元の公立中学校の一年生になっています」

「そのまりえさんにお会いになったことはあるのですか？」

免色はしばらくのあいだ黙して言葉を選んでいた。「離れたところから顔を目にしたことは何度かあります。でも言葉を交わしたわけではありません」

「ご覧になってどうでした？」

「顔が私に似ているか？　そんなことは自分では判断できません。似ているといえばすべてが似ているように思えてきますし、似ていないといえばまったく似ていないようにも思えます」

「彼女の写真はお持ちですか？」

免色は静かに首を振った。「いいえ、持っていません。写真くらいは手に入るはずですが、私はあえてそういうことを望まなかったのです。写真を一枚、財布に入れて持ち歩いたところで何の役に立つでしょう？　私が求めているのは――」

しかしそのあとの言葉は続かなかった。彼が口をつぐむと、そのあとの沈黙を虫たちの賑やかな声が埋めた。

「でも免色さん、あなたは先ほどたしか、自分は血縁というものにまったく興味を持っていないとおっしゃいました」

「そのとおりです。私はこれまで血縁というものに興味を持つことはありませんでした。むしろそういうものからできるだけ遠ざかりたいと思って生きてきました。その気持ちは今も変わりません。しかしその一方で、私はこのまりえという娘から目を離すことができなくなったのです。彼女について考えることを単純にやめられなくなってしまったのです。理屈もなにもなく……」

口にするべき言葉が私にはみつけられなかった。

免色は続けた。「こんなことはまったく初めての経験です。私は常に自分をコントロールしてきましたし、そのことに誇りを持ってもきました。でも今では一人きりでいることを、時としてつらく感じることさえあります」

私は思い切って自分が感じていることを口に出した。「免色さん、これはあくまで直観に過ぎないのですが、そのまりえさんに関して、あなたはぼくに何かをしてほしいと考えておられるように見えます。ぼくの思い過ごしでしょうか？」

免色は少し間を置いてから肯いた。「実際、どう申し上げればいいのか――」

そのときに私は突然気がついたのだが、あれほど賑やかだった虫の声が今ではすっかり消えていた。私は顔を上げ、壁の時計に目をやった。一時四十分過ぎだった。私は人差し指を唇にあてた。免色はすぐに黙った。そして我々は夜の静寂（しじま）の中に耳を澄ませた。

14 しかしここまで奇妙な出来事は初めてだ

私と免色は話を中断し、身体の動きを止めて宙に耳を澄ませた。虫たちの声はもう聞こえなかった。一昨日、また昨日とまったく同じように。そしてその深い沈黙の中に、私はあの微かな鈴の音を再び耳にすることができた。それは何度か鳴らされ、不揃いな中断をはさんでまた鳴らされた。私は向かいのソファに座った免色の顔を見やった。そしてその表情から、彼もまた同じ音を聞き取っていることを知った。彼は眉間に深いしわを寄せていた。そして膝の上に置いていた手を僅かに宙に上げ、その鈴の音に合わせて指を小さく動かしていた。それは私の幻聴ではなかったのだ。

二分か三分、その音に真剣な面持ちで耳を澄ませてから、免色はゆっくりソファから立ち上がった。

「音のするところに行ってみましょう」と彼は乾いた声で言った。

私は懐中電灯を手に取った。彼は玄関から外に出て、ジャガーの中から用意してきた大型の懐中電灯を取りだした。そして我々は七段の階段を上り、雑木林の中に足を踏み入れた。一昨日ほどではないが、秋の月の光がかなり明るく我々の足もとを照らしてくれた。我々は祠の裏側にまわり、ススキをかき分けるようにして石の塚の前に出た。そしてもう一度耳を澄ませた。その謎の音は疑いの余地なく、石の隙間から漏れ聞こえてくるようだった。

免色はその石のまわりをゆっくり歩いてまわり、懐中電灯の明かりで石の隙間を注意深く点検した。しかしとくに変わったところは見当たらなかった。苔の生えた古い石が雑然と積み重なっているだけだ。彼は私の顔を見た。月明かりに照らされた免色の顔は、どことなく古代の仮面のように見えた。あるいは私の顔も同じように見えるのだろうか？

「音が聞こえてくるのは、前もこの場所だったのですか？」と彼は声を殺して私に尋ねた。

「同じ場所です」と私は言った。「まったく同じ場所です」

「この石の下で誰かが、鈴らしきものを鳴らしているみたいに私には聞こえます」と免色は言った。

私は肯いた。自分が狂っていなかったことがわかって安心するのと同時に、そこに可能性として示唆されていた非現実性が、免色の言葉によって現実のものとなり、そのせいで世界の合わせ目に微かなずれが生じてしまったことを、私は認めないわけにはいかなかった。

「いったいどうすればいいのでしょう？」と私は免色に尋ねた。

免色は懐中電灯の光を、その音のするあたりになおもしばらくあてていた。そして唇を堅く結んで考えを巡らせていた。夜の静寂(しじま)の中にあって、彼の頭脳が素速く回転している音が聞こえてきそうだった。

「あるいは誰かが助けを求めているのかもしれない」と免色は自分自身に語りかけるように言っ

た。

「しかしいったい誰が、こんな重い石の下に入り込んだりするんですか?」

免色は首を振った。もちろん彼にもわからないことはある。

「今はとにかく家に戻りましょう」と彼は言った。そして私の肩の後ろにそっと手を触れた。「少なくとも、これで音の出どころははっきりしました。あとのことは家に戻ってゆっくり話しましょう」

我々は雑木林を抜けて、家の前の空き地に出た。免色はジャガーのドアを開けて懐中電灯を中に戻し、そのかわりに座席の上に置いてあった小さな紙袋を手にとった。そして我々は家の中に戻った。

「もしお持ちでしたら、ウィスキーを少しいただけますか?」と免色は言った。

「普通のスコッチ・ウィスキーでいいですか?」

「もちろん。ストレートでください。それから氷を入れない水と」

私は台所に行って戸棚からホワイト・ラベルの瓶を出し、ふたつのグラスに注ぎ、ミネラル・ウォーターと一緒に居間に運んだ。我々は向かい合わせに座って何も言わず、それぞれにウィスキーをストレートで飲んだ。私は台所からホワイト・ラベルの瓶を持ってきて、空になった彼のグラスにお代わりを注いだ。彼はそのグラスを手に取ったが、口はつけなかった。真夜中の沈黙の中で、まだその鈴の音は断続的に続いていた。小さな音だが、そこには聞き逃すことのできない緻密な重みが含まれていた。

「私はいろんな不思議なことを見聞きしてきましたが、こんなに不思議なことは初めてです」と免色は言った。「あなたの話を聞いたときには、失礼ながら半信半疑だったのですが。まったく、こんなことが実際に起こるなんて」

その表現には何かしら私の注意を惹くものがあった。「実際に起こるなんて、というのはどういうことなんですか？」

免色は顔を上げてしばらく私の目を見ていた。

「これと同じような出来事を以前、本で読んだことがあったからです」と彼は言った。

「これと同じような出来事というのは、つまり真夜中にどこかから鈴の音が聞こえてくるということですか？」

「正確に言えば、そこで聞こえてきたのは鉦の音です。鈴ではありません。鉦太鼓で探す、というときの鉦です。昔の小さな仏具で、撞木という槌のようなもので叩いて音を出します。念仏を唱えながら、それを叩くのです。真夜中に土の下からその鉦の音が聞こえてくるという話です」

「それは怪談なのですか？」

「怪異譚と言ったほうが近いでしょう。上田秋成の『春雨物語』という本をお読みになったことはありますか？」と免色は尋ねた。

私は首を振った。「秋成の『雨月物語』はずっと昔に読んだことがあります。しかしその本はまだ読んでいません」

「『春雨物語』は秋成が最も晩年に書いた小説集です。『雨月物語』の完成からおよそ四十年を経て書かれています。『雨月物語』が物語性を重視しているのに比べると、ここでは秋成の文人としての思想性がより重視されています。その中に『二世の縁』という不思議な一篇があります。その話の中で主人公はあなたと同じような経験をします。主人公は豪農の息子です。学問の好きな人で、夜中に一人で書を読んでいると、庭の隅の石の下から、鉦の音のようなものが時折聞こえてきます。不思議に思って明くる日、人を使ってそこを掘らせてみると、中に大きな石があり、その石をどかせてみると、石の蓋をした棺のようなものがあります。それを開けると、中には肉を失い、干し魚のように痩せこけた人がいます。髪は膝まで伸びています。手だけが動いていて、撞木でこんこんと鉦を打っています。どうやらその昔、永遠の悟りを開くために自ら死を選び、生きたまま棺に入れられ、埋葬された僧であるようです。これは禅定と呼ばれる行為です。ミイラになった死体は掘り返され、寺に祀られます。禅定することを『入定する』と言います。おそらくもともとは立派な僧であったのでしょう。その魂は願い通りに涅槃の境地に達し、魂を失った肉体だけがあとに残されて生き続けてきたようです。主人公の家族は十代にわたってこの地に住んできたのですが、どうやらそれよりも前に起こったことのようです。つまり数百年前に」

免色はそこで話すのをやめた。

「つまり、それと同じことがこの家のまわりで起こっているということなのですか?」と私は尋ねた。

免色は首を振った。「まともに考えればまずあり得ないことです。それは江戸時代に書かれたただの怪異譚です。秋成はそういう物語が民間伝承としてあることを知り、それを自分なりに換骨奪胎し『二世の縁』という物語世界に作り替えました。しかしそこに書かれている物語は、我々が今経験していることと不思議なくらい一致しています」

彼は手に持ったウィスキーのグラスをただ軽く揺らせていた。琥珀色の液体が彼の手の中で静かに揺れていた。

「それでその生きたミイラのような僧が掘り出されたあと、話はどのように展開していくのですか？」と私は尋ねた。

「話はそのあとずいぶん不思議な展開を見せます」と免色はなんとなく言いにくそうに言った。「上田秋成が晩年に到達した独自な世界観が、そこには色濃く反映されています。かなりシニカルな世界観と言っていいかもしれない。秋成は生い立ちが複雑で、少なからぬ屈託を抱えて人生を送った人でしたから。でもその話の成り行きは、私の口から手短に説明してしまうより、あなたがご自分で本をお読みになった方がいいように思います」

免色は車の中から持ってきた紙袋から一冊の古い本を取り出し、私に手渡した。それは日本古典文学全集の一冊だった。そこには上田秋成の『雨月物語』と共に『春雨物語』全話が収められていた。

「あなたのお話をうかがったときに、すぐにこの話のことを思い出して、うちの本棚にあったものを念のために読み返してみました。その本はあなたに差し上げます。よかったら読んでみてください。短い話ですからすぐに読めると思います」

私は礼を言ってその本を受け取った。そして言った。「不思議な話です。常識ではとても考えられない。この本はもちろん読ませていただきます。しかしそれはそれとして、ぼくはこれから現実的にいったいどうすればいいのでしょう？　何もせずに事態をこのまま放置しておくことはできそうにありません。もし本当に石の下に人がいるのなら、そして鈴だか鉦だかを鳴らして、助けてほしいというメッセージを夜ごとに送っているのだとしたら、何はともあれそこから助け出さないわけにはいかないでしょう」

免色はむずかしい顔をした。「でもあそこに積まれている石をそっくりどかすのは、我々二人の手にはとても負えそうにありませんよ」

「警察に報告するべきなのでしょうか？」

免色は小さく何度か首を振った。「警察はまず間違いなく役に立たないと思います。真夜中になると、雑木林の石の下から鈴の音が聞こえてくるなんて通報したところで、そんなもの相手にされやしません。頭がおかしいんじゃないかと思われるだけです。かえって話がややこしくなってしまう。やめた方がいいでしょう」

「でもあの音がこれからずっと毎晩続くのだとしたら、ぼくの神経はとても耐えられそうにありません。まともに眠ることもできませんし、この家を出ていくしかないと思います。あの音は間違いなく何かを訴えているんです」

免色はしばらく深く考え込んでいた。それから言った。「あれだけの石をそっくりどかせるには、プロの助けが必要になります。私の知り合いに地元の造園業者がいます。親しくしている業者です。造園業者ですから、重い石も扱い慣れています。もし必要なら、小型のショベルカーなんかの手配もできます。そうすれば重い石もどかせられるし、穴も簡単に掘れるでしょう」

「たしかにおっしゃるとおりですが、そうするには問題が二つばかりあります」と私は指摘した。「まず第一に、この土地の所有者である雨田具彦さんの息子に、そういう作業をおこなっていいかどうか、許可を得なくてはなりません。ぼく一人の判断では勝手なことはできません。それから第二に、ぼくにはそんな業者を雇うような経済的余裕がありません」

免色は微笑んだ。「お金のことは心配いりません。その程度のことは私が負担できます。というか、私はその業者にちょっとした貸しがあるので、彼はたぶん実費だけで作業をしてくれると思います。気になさることはありません。雨田さんの方にはあなたから連絡してみてください。事情を説明すれば、許可は出してくれるのではないでしょうか。もしあの石の下に本当に誰かが閉じ込められていて、その人をそのまま見殺しにしたりするようなことがあれば、地権者としての責任を問われかねませんからね」

「でもぼくとしては、関係のない免色さんにそこまでしていただくことは――」

免色は膝の上で、手のひらを上にして両手を広げた。雨を受けるみたいに。そして静かな声で言った。

「前にも申し上げたと思いますが、私は好奇心が強い人間です。この不思議な話がこれからいったいどのように展開していくのか、私としてはそれが知りたいのです。こんなことはそうしょっちゅう起こるものではありません。お金のことはとりあえず気にしないでください。あなたにはあなたの立場がおありでしょうが、今回に限って余計な心配はせず、どうか私にその手配をさせてください」

私は免色の目を見た。その目にはこれまでに見たことのない鋭い光が宿っていた。何があってもこの出来事の成り行きを確かめずにはおかない、目はそう語っていた。もし何か理解できないことがあれば、理解できるまで追求してみる――それがおそらくは免色という人の生き方の基本になっているのだろう。

「わかりました」と私は言った。「政彦には明日にでも連絡をとってみましょう」

「私の方も明日になったら、造園業者に連絡をとってみます」と免色は言った。そして少し間を置いた。「ところで、ひとつあなたにうかがいたいことがあるのですが」

「どんなことでしょう？」

「あなたはこのような——どういえばいいのだろう——不思議な、超常的な体験をよくなさるのですか？」

「いいえ」と私は言った。「こんな奇妙な体験をするのは生まれて初めてです。ぼくはごく普通の人生を送ってきた、ごく普通の人間です。だからとても混乱しています。免色さんは？」

彼は曖昧な微笑みを口許に浮かべた。「私自身は、何度か奇妙な体験をしたことはあります。常識ではちょっと考えられないことを見聞きしたことはあります。しかしここまで奇妙な出来事は初めてだ」

そのあと私たちは沈黙の中で、その鈴の音にずっと耳を澄ませていた。

いつもと同じようにその音は二時半を少し過ぎてぴたりと止んだ。そして山の中は再び虫たちの声で満たされた。

「今夜はそろそろ失礼しましょう」と免色は言った。「ウィスキーをご馳走さま。また近いうちに連絡させていただきます」

免色は月の明かりの下で、艶やかな銀色のジャガーに乗り込んで帰って行った。開けた窓から私に軽く手を振り、私も手を振った。エンジン音が坂道の下に消えてしまった後で、彼がウィスキーをグラスに一杯飲んでいたことを思い出したが（二杯目は結局口をつけられていなかった）、顔色にもまったく変化はなかったし、しゃべり方や態度も水を飲んだのと変わりなかった。アルコールに強い体質なのだろう。それに長い距離を運転するわけではない。もともと住民しか利用しない道路だし、こんな時刻には対向車も、歩いている人もまずいない。

私は家中に戻り、グラスを台所の流し台に片づけてから、ベッドに入った。人々がやってきて重機をつかって祠の裏の石をどかし、そこに穴を掘る様子を思い浮かべた。それは現実の光景とは思えなかった。そしてその前に私は上田秋成の「二世の縁（にせのえにし）」という話を読まなくてはならない。しかしすべては明日だ。昼の光の下ではものごとはまた違って見えることだろう。私は枕元の明かりを消し、虫の声を聞きながら眠りについた。

朝の十時に雨田政彦の仕事場に電話をかけて、事情を説明した。上田秋成の話までは持ち出さなかったが、念のために知り合いに来てもらって、その夜中の鈴の音が私だけに聞こえる幻聴ではないことを確認したことを話した。

「とても不思議な話だ」と政彦は言った。「しかし本当にその石の下で誰かが鈴を鳴らしていると、おまえは思っているのか？」

「わからない。しかしこのままにはしておけないよ。音は実際に毎晩鳴り続けているんだから」

「もしそこを掘り返して、何か変なものが出てきたりしたらどうする？」

「変なものって、たとえばどんなもの？」

「わからないよ」と彼は言った。「よくわからないけど、とにかくそのままそっとしておいた方がいいような、得体のしれないものだよ」

「一度夜中にここにその音を聞きに来るといい。実際にそれを耳にしたら、このまま放置してはおけないということがきっとわかるから」

政彦は電話口で深いため息をついた。そして言った。「いや、そいつは遠慮しておく。おれは小さな頃から根っからの怖がりでね、怪談みたいなのが大の苦手なんだ。そんなおっかないものには関わり合いたくない。すべておまえに一任するよ。林の中の古い石をどかして穴を掘ったって、そんなこと誰も気にしない。どうとでも好きなようにすればいい。でもくれぐれも、変なものだけは掘り出さないようにしてくれよな」

「どうなるかはわからないけど、結果が判明したらまた連絡するよ」

「おれならただ耳を塞いでいるけどね」と政彦は言った。

電話を切ったあと、私は居間の椅子に座り、上田秋成の「二世の縁」を読んだ。原文を読み、それから現代語訳を読んだ。いくつかの細部の違いはあったが、免色の言ったように、そこに書かれている話は、私がここで経験したことに酷似していた。話の中では、鉦の音が聞こえてきたのは丑の刻（午前二時頃）だった。だいたい同じ時刻だ。しかし私が聞いたのは鉦ではなく、鈴の音だった。話の中では虫は鳴き止んではいなかった。主人公は夜更けに、虫の声に混じってその音を聞き取ったのだ。でもそのような細かい違いを別にすれば、私が体験したのはその話とそっくり同じ出来事だった。あまりに似ているので、呆然としてしまうほどだった。

掘り出されたミイラはからからに干からびているものの、まるで執念のように手だけを動かし鉦を打っている。恐ろしいまでの生命力がその身体を、ほとんど自動的に動かしているのだ。おそらくその僧は念仏を唱え、鉦を叩きながら入定していったのだろう。主人公はそのミイラに服を着せかけ、唇に水をふくませてやる。そうするうちに薄い粥を食べるようになり、次第に肉もついてくる。最後には、普通の人と変わらない見かけにまで回復する。しかしそこには「悟りを開いた僧」の気配はまったく見当たらない。知性も知識もなく、高潔さのかけらも見当たらない。そして生前の記憶はすっかり失われている。どうして自分が地中にそんな長い歳月入っていたのかも思い出せない。今では肉食をし、少なからず性欲もある。妻をめとり、卑しい下働きのようなことをして生計をたてるようになる。そして「入定の定助」という名を与えられる。村の人々はそのあさましい姿を見て、仏法に対する敬意を失ってしまう。これが厳しい修行を積み、生命をかけて仏法をきわめたもののなれの果ての姿なのか、と。そしてその結果、人々は信仰そのものを軽んじるようになり、寺にもだんだん寄りつかなくなる。そういう話だった。免色が言ったように、そこには作者のシニカルな世界観が色濃く反映されている。ただの怪異譚ではない。

さても仏のをしへは、あだあだしき事のみぞかし。かく土の下に入りて鉦打ちならす事、凡百余年なるべし。何のしるしもなくて、骨のみ留まりしは、あさましき有様也。

(それにしても、仏の教えとはむなしいものではないか。この男、土の下に入って鉦を打ち鳴らしながら、おおよそ百年以上は経過しているはずだ。それなのに何の霊験もなく、こうして骨だけ残っているとはあきれ果てた有様である)

「二世の縁」という短い物語を何度か読み返し、私はすっかりわけがわからなくなってしまった。

もし重機を使って石をどかせ、土を掘り返し、本当にそのような「骨のみ留まりし」「あさましき」ミイラが地中から出てきたとしたら、私はいったいそれをどのように扱えばいいのだろう？ 私がそれを蘇らせた責任をとらされることになるのだろうか？ 雨田政彦の言ったように余計な手出しはせず、ただ耳を塞いですべてをそのままに放置しておくのが賢明なのではないか？

しかしもしそうしたくても、ただ耳を塞いでいるというわけにはいかなかった。どんなにしっかり耳を塞いだところで、あの音から逃れることはできそうになかった。あるいはほかのどこに引っ越したところで、あの音はどこまでも私を追いかけてくるかもしれない。そして免色と同じように、私にもまた強い好奇心があった。その石の下に何が潜んでいるのか、それをどうしても知りたいと思うようになっていた。

昼過ぎに免色から電話があった。「雨田さんの許可は得られましたか？」

雨田政彦に電話をかけてだいたいの事情を伝えたことを、私は話した。そしてなんでも私の好きなようにしていいと彼が言ったことを伝えた。

「それはよかった」と免色は言った。「造園業者の方はこちらでいちおう手配しました。業者には謎の音のことは話していません。ただ林の中にある古い石をいくつかどかして、そのあとに穴を掘ってもらいたいと指示しただけです。急な話ですが、ちょうど手があいていたので、もしよければ今日の午後に下見をして、明日の朝からでも作業にかかりたいということです。業者が勝手に土地に入って下見をしても差し支えありませんか？」

自由に入ってもらってかまわない、と私は言った。

「下見をしてから、必要な機器を手配します。作業そのものは数時間あれば済むと思います。私がその場に立ち会います」と免色は言った。

「ぼくももちろん立ち会います。作業を開始する時間がわかったら教えて下さい」と私は言った。それからふと思い出して付け加えた。「ところで、昨夜あの音が聞こえる前に我々が話し合っていたことですが」

免色は私の言っていることがうまく理解できないようだった。「我々が話し合っていたことと言いますと？」

「まりえさんという十三歳の女の子のことです。ひょっとしてあなたの実の子供かもしれないという。その話をしているときに、あの音が聞こえてきて、それで話がそのままになってしまいました」

「ああ、その話ですね」と免色は言った。「そう言えばそんな話をしていた。すっかり忘れていました。ええ、その話もまたいつかしなくてはなりません。でもそちらはそれほど急ぐ話ではありません。今回の一件が無事解決したら、そのときにあらためてお話をします」

私はそのあと、何をしてもうまくそれに意識を集中することができなかった。本を読んでも、音楽を聴いても、食事の支度をしても、そのあいだ常にあの林の中の、古い石の塚の下にあるもののことを考えていた。干し魚のようにからからに乾いた黒いミイラの姿を、私はどうしても頭から追い払うことができなかった。

15

これはただの始まりに過ぎない

免色が夜に電話をかけてきて、作業は明日、水曜日の朝の十時から開始されることになったと教えてくれた。

水曜日は朝から細かい雨が降ったりやんだりしていたが、作業に差し支えるほどの降りではなかった。帽子かフードをかぶり防水のコートを着ていれば、傘をさす必要もない程度の小糠雨だ。免色はオリーブ・グリーンのレインハットをかぶっていた。英国人が鴨撃ちにかぶっていきそうな帽子だ。色づき始めた木の葉が、目にもほとんど見えない雨を受けて次第に鈍い色合いに染まっていった。

人々は運搬専用のトラックを使って、小型のショベルカーのようなものを山の上まで運んできた。とてもコンパクトな機器で、小回りがきき、狭い場所でも作業ができるように作られていた。人数は全部で四人だった。機器の操作を専門とするものが一人、現場監督が一人、そして作業員が二人だ。操作員と監督がトラックを運転してきた。彼らはブルーの揃いの防水コートと、防水パンツを身につけ、泥だらけの厚底の作業靴をはいていた。頭には強化プラスチックのヘルメットをかぶっていた。免色と監督は知り合いらしく、祠の横で二人でにこやかに何かを語り合っていた。しかしたとえ親しげではあっても、監督が免色に対して終始敬意を払っていることが見て取れた。

たしかに短い間に、これだけの機器と人材を手配できるのは、それだけ免色の顔が利くということなのだろう。私はそのような成り行きを半ば感心し、半ば困惑しながら眺めていた。すべてが自分の手から離れていくような軽いあきらめの感覚がそこにはあった。子供の頃、小さい子供たちだけで何かのゲームをしていると、年上の子供たちがあとからやってきてそのゲームを取り上げ、自分たちのものにしてしまうことがあった。そのときの気分が思い出された。

シャベルと適当な石材と板を使って、ショベルカーを作動させるための平らな足場がまず確保され、それから実際に石を撤去する作業が開始された。石塚を囲んでいたススキの茂みは、あっという間にキャタピラに踏みつぶされてしまった。我々は少し離れたところから、そこに積まれた古い石がひとつひとつ持ち上げられ、離れたところに移されるのを見物していた。作業自体には特別なところは見当たらなかった。おそらく世界中いたるところで、ごく当たり前に日常的に行われているであろう種類の作業だ。働いている人々もごく通常の行為として、いつもどおりの手順に従って淡々とそれをおこなっているように見えた。重機を運転する男はときどき作業を中断し、監督と大声で話し合っていたが、何か問題が生じたということでもなさそうだった。会話は短く、エンジンが停められることもなかった。

しかし私は落ち着いた気持ちでその作業を眺めていることができなかった。そこにある方形の石がひとつまたひとつと撤去されていくごとに、私の不安は深まっていった。まるで長いあいだ人目から隠されていた自分自身の暗い秘密が、その機械の力強く執拗な切っ先によって一枚一枚覆いを剥がされていくような、そんな気がした。そして問題は、その暗い秘密がどのような内容のものなのか、私自身にもわかっていないところにあった。この作業を今ここでなんとか止めなくては、と私は途中で何度も思った。少なくともショベルカーみたいな大がかりな機器を持ち込むことは、この問題の正しい解決法ではないはずだ。雨田政彦が電話で私に言ったように、「得体のしれないもの」はすべて埋まったままにしておくべきだったのだ。私は免色の腕を摑み、「もうこの作業は中止にしましょう。石は元通りにしてください」と叫びたい衝動に駆られた。

しかしもちろんそんなことはできない。決断は下され、作業は開始されたのだ。既に多くの人がこのことに関与している。少なからぬ金も動いている（金額は不明だが、おそらく免色がそれを負担している）。今更中止するわけにはいかない。その工程はもう私の意志とは無関係に、着々と前に進んでいるのだ。

まるでそんな私の気持ちを見抜いたように、ある時点で免色が私のそばにやってきて、私の肩を軽く叩いた。

「なにも心配することはありません」と免色は落ち着いた声で言った。「すべては順調に運んでいます。すぐにいろんなことが片付きます」

私は黙って肯いた。

昼前には石はおおかた運び終えられた。崩れた塚のように雑然と集積していた古い石は、少し離れたところに小型のピラミッドのように小綺麗に、しかしどことなく実務的に積み上げられていた。その上に細かい雨が音もなく降っていた。しかし積まれていた石をすっかりどかしても、土の地面は現れなかった。石の下には更に石があった。石は比較的平らに整然と敷かれており、正方形の石床のようになっていた。二メートル四方というところだろう。

「どうしたものでしょうか」と監督が免色のところにやってきて言った。「てっきり、地面の上に石が積まれているだけだと思っていたんですが、そうではありませんでした。この敷石の下には空間があいているようです。細い金属棒を隙間から差し込んでみたんですが、かなり下まで行きます。どれくらい深いかはまだわかりませんが」

私は免色と共に、新しく現れた石床の上に恐る恐る立ってみた。石は黒く湿っており、ところどころぬるぬるしていた。人工的に切り揃えられた石ではあったが、古くなって丸みを帯びており、石と石のあいだには隙間があいていた。夜ごとの鈴の音は、おそらくその隙間から洩れて聞こえてきたのだろう。そこから空気も出入りするはずだ。身を屈めて隙間から中を覗き込んでみたが、真っ暗で何も見えなかった。

「ひょっとしたら古い井戸を敷石で塞いだものかもしれませんね。井戸にしちゃちょっと口径が大きいみたいですが」と監督が言った。

「敷石をはがして取り去ることはできますか？」と免色が尋ねた。

監督は肩をすくめた。「どうでしょうね。想定外のことなので、作業はいくらか面倒になりますが、たぶんやれるでしょう。クレーンがあるといちばんいいんですが、ここまでは運べません。それぞれの石自体はさして重いものではなさそうです。石と石の間には隙間もありますし、工夫すればこのショベルカーではがせるんじゃないかな。今から昼休みに入りますので、そのあいだにうまい案を練って、午後に作業にかかることにします」

私と免色は家に戻り、軽い昼食をとった。私は台所でハムとレタスとピックルスで簡単なサンドイッチを作り、二人でテラスに出て雨を眺めながらそれを食べた。

「こんなことにかまけていると、肝心の肖像画の完成が遅れてしまいそうですね」と私は言った。

免色は首を振った。「肖像画は急ぐものではありません。まずこの奇妙な案件を解決するのが先決です。そのあとでまた制作にとりかかればいい」

この男は自分の肖像画が描かれることを本気で求めているのだろうか？　私はそんな疑問をふと抱かないわけにはいかなかった。それは今思いついたことではなく、最初から心の片隅でくすぶっていた疑問だった。彼は本当に、私に肖像画を描いてもらいたがっているのだろうか？　何かしら別の心づもりを持って私に近づくことを必要とし、その名目として肖像画の作製を依頼しただけではないのか？

しかし別の目的とはたとえばいったいどんなことなのか、どれだけ考えても思い当たる節はなかった。あの石の下を掘り返すのが彼の求めていたことなのか？　まさか。そんなことが最初からわかるわけはない。これは肖像画を描き出したあとで持ち上がった突発事件なのだ。しかしそれにしては、彼はあまりに熱心にその作業に取り組んでいた。少なからぬ金も投入している。彼には何の関係もないことなのに。

そんなことを考えているときに、免色が私に尋ねた。「『二世の縁』はお読みになりましたか？」

読んだ、と私は答えた。

「どう思われました？　ずいぶん不思議な話でしょう」と彼は言った。

「とても不思議な話です。たしかに」と私は言った。

免色は私の顔をしばらく見て、それから言った。「実を言うと、私はなぜか昔からあの話に心を惹かれてきたのです。それもあって、今回の出来事には個人的に興味をそそられます」

私はコーヒーをひとくち飲み、紙ナプキンで口許を拭った。二羽の大きなカラスが互いを呼び合いながら、谷を渉っていった。彼らはほとんど雨を気にしない。雨に濡れると、その羽の色が少し濃くなるだけだ。

私は免色に尋ねた。「仏教の知識があまりないので、細かいところがよく理解できないのですが、僧が入定するというのはつまり、自ら選んで棺に入って死んでいくわけですね？」

「そのとおりです。入定するというのはもともとは『悟りを開く』ということですので、それと区別するために、生入定と言うこともあります。地中に石室をつくり、竹筒を地上に出して通風口を設けます。入定をする僧は地中に入る前に一定期間木食を続け、死後腐敗したりせず、きれいにミイラ化するように身体を調整します」

「木食？」

「草や木の実だけを食べて生活することです。穀物を始め、調理したものはいっさい口にしません。つまり生きているあいだに、脂肪分と水分を極力身体から排出してしまうのです。きれいにミイラになれるように、身体の組成を変えるわけです。そうしてしっかり身体を浄めてから、土の中に入ります。そして僧はその暗闇の中で断食をしながら読経し、それに合わせて鉦を叩き続けます。あるいは鈴を鳴らし続けます。竹筒の空気穴を通して、人々はその鉦や鈴の音を聞くことができます。しかしそのうちに音が聞こえなくなります。それが息を引き取ったしるしになります。それから長い歳月をかけて、その身体は徐々にミイラ化していきます。三年三ヶ月を経て掘り起こすというのがいちおうの決まりになっているようです」

「何のためにそんなことをするのですか？」

「即身仏となるためです。そうすることによって人は悟りを開き、自らを生死を超えた境地へと到達させることができます。それがまた衆生を救済することに繋がっています。いわゆる涅槃です。掘り起こされた即身仏は、つまりミイラは寺に安置され、人々はそれを拝むことによって救済されます」

「現実的には一種の自殺のようなものですね」

免色は肯いた。「だから明治時代になると、入定は法律で禁止されます。そして入定を手伝ったものは自殺幇助罪に問われました。しかし現実にはこっそりと入定する僧はあとを絶たなかったようです。ですから秘密裏に入定し、誰かに掘り出されることもなく、そのまま地中に埋まっているようなケースも少なくないかもしれません」

「あの石の塚はそういう秘密の入定のあとだったのではないかと、免色さんは考えておられるのですか？」

免色は首を振った。「いや、そればかりは実際に石をどかしてみなくてはわかりません。しかしその可能性はなくはないでしょうね。竹筒みたいなものはありませんが、ああいう造りであれば、石の隙間から通風はできますし、音も聞こえます」

「そして石の下ではまだ誰かが生き延びていて、鉦だか鈴だかを夜ごとに鳴らし続けていると？」

免色はもう一度首を振った。「言うまでもなく、それは常識ではとても考えられないことです」

「涅槃に達する――それはつまり、ただ死ぬというのとは違うものですね？」

「違うものです。私も仏教の教義にたいして詳しいわけではありませんが、私が理解する限りでは、涅槃は生死を超えたところにあるものです。肉体は死滅したとしても、魂は生死を超えた場所に移っていると考えることもできるでしょう。この世の肉体というのはあくまでかりそめの宿に過ぎませんから」

「もし僧が生入定によってめでたく涅槃の境地に達したとして、そこから再び肉体に復帰することも可能なのですか？」

免色は何も言わずにしばらく私の顔を見ていた。それからハム・サンドイッチを一口齧り、コーヒーを飲んだ。

「というのは？」

「あの音は少なくとも四、五日前までは聞こえていませんでした」と私は言った。「それは確信をもって言えます。もしその音が鳴っていたら、私はすぐにそれに気づいていたはずです。たとえ小さくはあっても、聞き逃せるような音ではありませんから。あの音が聞こえだしたのは、ほんの数日前のことです。つまりあの石の下に誰かがいるとして、その誰かはずっと前からあの鈴を鳴らし続けていたわけではないのです」

免色はコーヒーカップをソーサーに戻し、その図柄の組み合わせを眺めながらしばらく何かを考えていた。それから言った。「あなたは実際の即身仏をごらんになったことはありますか？」

私は首を振った。

免色は言った。「私は何度か目にしたことがあります。若い頃のことですが、山形県を一人で旅したときに、いくつかのお寺に保存してあるものを見せてもらいました。なぜか即身仏は東北地方に、とくに山形県に多いのです。正直に言ってあまり美しい見かけのものではありません。こちらに信仰心が不足しているせいかもしれませんが、実際に目の前にして、それほど有り難い気持ちにもなれませんでした。茶色くて小さくて、ひからびています。こう言ってはなんですが、色も質感もビーフジャーキーを思わせます。実のところ肉体はかりそめの虚しい住まいに過ぎないのです。少なくとも即身仏は我々にそのことを教えてくれます。我々は究極のベストを尽くしても、せいぜいビーフジャーキーにしかなれません」

彼は食べかけのハム・サンドイッチを手にとり、それをしばらく珍しそうに眺めていた。まるで生まれて初めてハム・サンドイッチを目にするみたいに。

彼は言った。「とにかく昼休みが終わって、それからあの敷石がどかされるのを待ちましょう。そうすればいろんなことがいやでも明らかになるはずです」

我々は午後一時十五分過ぎに林の中の現場に戻った。人々は昼食を終え、既に工事を本格的に再開していた。二人の作業員が金属の楔（くさび）のようなものを石の隙間に差し込み、ショベルカーがロープを使ってそれを引いて石を起こしていた。そのようにして掘り起こされた石に作業員がロープをかけ、それをまたショベルカーが引っ張り上げた。時間はかかったものの、石はひとつひとつ着実に掘り起こされ、脇にどかされていった。

免色は監督と二人でしばらく熱心に話し合っていたが、やがて私の立っているところに戻ってきた。

「敷石は予想したとおり、それほど厚いものではありませんでした。うまく取り除けそうです」と彼は私に説明した。「石の下にはどうやら格子状の蓋がはまっているみたいです。材質まではわかりませんが、その蓋が敷石を支えていたようです。上に敷かれた石をすっかりどかしてから、その格子をはずさなくてはなりません。うまくはずせるかどうか、それはまだわかりません。その格子の蓋の下がどのようになっているかもまったく予測がつきません。石をどかすのにまだ少し時間がかかりますし、ある程度作業が進んだら連絡をするので、家で待っていてほしいということです。もしよろしければそうしましょう。ここにじっと立っていても仕方ない」

我々は歩いて家に戻った。そこで空いた時間を利用して、肖像画制作の続きにとりかかってもよかったのだが、画作に意識を集中することはできそうになかった。雑木林の中で人々がおこなっている作業のせいで、神経が高ぶっていたからだ。崩れた古い石の塚の下から出てきた二メートル四方ほどの石床。その下にある頑丈な格子の蓋。そしてその更に下にあるらしい空間。私はそれらのイメージを頭から消し去ることができなかった。たしかに免色の言ったとおりだ。まずこの案件を片付けてしまわないことには、何ごとによらず先に進められそうにない。

待っているあいだ音楽を聴いてかまわないか、と免色は尋ねた。もちろん、と私は言った。好きなレコードをかけてくれてかまわない。そのあいだ私は台所で料理の仕込みをしているから。

彼はモーツァルトのレコードを選んでかけた。「ピアノとヴァイオリンのためのソナタ」。タンノイのオートグラフは派手なところはないが、深みのある安定した音を出した。クラシック音楽、とくに室内楽曲をレコード盤で聴くには格好のスピーカーだ。古いスピーカーだけに、とくに真空管アンプとの相性が良い。演奏はピアノがジョージ・セル、ヴァイオリンはラファエル・ドゥルイアン。免色はソファに座り、目を閉じて音楽の流れに身を任せていた。私はその音楽を少し離れたところで聴きながら、トマトソースを作った。まとめて買ったトマトが余っていたので、悪くならないうちにソースにしておきたかった。

大きな鍋に湯を沸かし、トマトを湯煎して皮を剝き、包丁で切って種を取り、それを潰して、大きな鉄のフライパンで、ニンニクを入れて炒めたオリーブオイルを使って、時間をかけて煮込む。こまめにアクを取る。結婚していたときも、よくそうやってソースを作ったものだった。手間と時間はかかるが、原理的には単純な作業だ。妻が仕事に出ているあいだに、台所に一人で立って、CDの音楽を聴きながらつくった。よくセロニアス・モンクの音楽を聴いたものだ。私自身は古い時代のジャズを聴きながら料理をするのが好きだった。私のいちばん好きなモンクのアルバムだ。『モンクス・ミュージック』がコールマン・ホーキンズとジョン・コルトレーンが参加して、素敵なソロを聴かせる。でもモーツァルトの室内楽を聴きながらソースをつくるのもなかなか悪くなかった。

セロニアス・モンクのあの独特の不思議なメロディーと和音を聴きながら、昼下がりにトマトソースをつくっていたのは、ほんの少し前のことなのだが（妻との生活を解消してからまだ半年しか経っていない）、なんだかずいぶん昔に起こった出来事のように思えた。一世代前に起こった、一握りの人しかもう記憶していないささやかな歴史的エピソードのように。妻は今ごろいったい何をしているのだろう、と私はふと考えた。ほかの男と生活を共にしているのだろうか？　それともまだあの広尾のマンションで一人で暮らしているのだろうか？　いずれにしてもこの時刻は建築事務所で仕事をしているはずだ。彼女にとって、私の存在したかつての人生と、私の存在しない今の人生とのあいだにはどれほどの違いがあるのだろう？　そして彼女はその違いについてどんな感興（かんきょう）を抱いているのだろう？　私は考えるともなく、そういうことを考えていた。彼女もまた私と暮らしていた日々のことを「なんだかずいぶん昔に起こった出来事」として受けとめているのだろうか？

レコードが終わり、ぷちぷちと音を立てていたので居間に行ってみると、免色はソファの上で腕組みをし、身を僅かに傾けて眠り込んでいた。私は回転し続けているレコード盤から針を上げ、ターンテーブルを止めた。規則的な針音が止んでも、まだ免色は眠り込んでいた。よほど疲れていたのだろう。微かな寝息まで聞こえた。私は彼をそのままにしておいた。台所に戻り、フライパンのガスを止め、冷たい水を大きなグラスに一杯飲んだ。それからまだ時間が余ったので、玉葱炒めにとりかかった。

電話がかかってきたとき、免色は既に目覚めていた。彼は洗面所に行って石鹼で顔を洗い、うがいをしているところだった。現場監督からかかってきた電話だったので、私は受話器を免色にまわした。彼は短く話をし、すぐにそちらに行くと言った。そして私に電話を返した。

「作業がだいたい終わったそうです」と彼は言った。

外に出ると雨はもう止んでいた。空はまだ雲に覆われていたが、あたりは少し明るさを増していた。天候は徐々に回復に向かっているようだった。我々は足早に階段を上り、雑木林を抜けた。祠の裏では四人の男たちが穴を囲むように立って、下を見下ろしていた。ショベルカーのエンジンは切られ、動くものもなく、林の中は奇妙なほどしんと静まり返っていた。

　敷石はそっくり取り除かれ、そのあとに穴が口を開けていた。四角い格子の蓋も取り外され、脇に置かれていた。厚みのある重そうな木製の蓋だ。古びてはいるが、腐ってはいない。そしてそのあとには円形の石室らしきものが見えた。その直径は二メートル足らず、深さは二メートル半ほどだ。まわりを石壁で囲まれていた。底はどうやら土だけのようだ。草一本生えてはいない。石室の中は空っぽだった。助けを求めている人もいなければ、ビーフジャーキーのようなミイラの姿もなかった。ただ鈴のようなものがひとつ、底にぽつんと置かれている。それは鈴というよりは、小さなシンバルをいくつか重ねた古代の楽器のように見えた。長さ十五センチほどの木製の柄がついている。監督はそれを小型の投光器で上から照らした。

「中にあったのはこれだけですか？」と免色は監督に尋ねた。

「ええ、これだけです」と監督は言った。「言われたとおり、石と蓋をどかせたままの状態にしてあります。何ひとついじってはいません」

「不思議だ」、免色は独り言のようにそう言った。「しかし、本当にこれ以外に何もなかったんですね？」

「蓋を持ち上げて、すぐにそちらに電話をしました。中に降りてもいません。これがまったく開けたままの姿です」と監督は答えた。

「もちろん」と免色は乾いた声で言った。

「あるいはもともとは井戸だったのかもしれません」と監督は言った。「それを埋めて、このような穴にしたみたいに見えます。でも井戸にしてはいささか口径が大きすぎますし、まわりの石壁もずいぶん緻密につくられています。こしらえるのはかなり大変だったはずです。まあ、なにか大事な目的があればこそ、こうして手間暇かけて造ったのでしょうが」

「中に降りてみてもかまいませんか」と免色は監督に言った。

監督は少し迷った。それからむずかしい顔をして言った。「そうですね、まず私が降りてみましょう。何かあるとまずいですから。それでもし何もなければ、そのあとで免色さんが降りてみてください。それでよろしいですか?」

「もちろん」と免色は言った。「そうしてください」

作業員がトラックから金属製の折りたたみ式梯子(はしご)を持ってきて、それを広げて下に降ろした。監督はヘルメットをかぶり、その梯子をつたって二メートル半ほど下にある土の床に降りた。そしてしばらくあたりを見回していた。まず上を見上げ、それから懐中電灯を使ってまわりの石壁と足元を細かく確かめた。地面に置かれた鈴のようなものを注意深く観察していた。しかしそれには手を触れなかった。観察しただけだ。それから作業靴の底で地面を何度かこすりつけた。とんとんと踵を打ちつけた。何度か深呼吸をし、匂いを嗅いだ。彼が穴の中にいたのは全部で五分か六分か、そんなものだった。それからゆっくりと梯子を登って地上に出てきた。

「危険はないようです。空気もまともだし、変な虫みたいなのもいません。足場もしっかりしています。降りてかまいませんよ」と彼は言った。

免色は動きやすいように防水コートを脱ぎ、フランネルのシャツとチノパンツというかっこうになり、懐中電灯をストラップで首からつるし、金属の梯子を下りていった。我々はその姿を上から無言で眺めていた。監督は投光器の光で免色の足下を照らしていた。免色は穴の底に立ち、そこで様子をうかがうようにしばらくじっとしていたが、やがて周りの石壁を手で触り、屈み込んで地面の感触を確かめた。そして地面に置かれた鈴のようなものを手に取り、手にした懐中電灯の明かりでそれをしげしげと眺めた。それから小さく何度か振った。彼がそれを振ると、紛れもないあの「鈴の音」がした。間違いない。誰かが真夜中にここでそれを鳴らしていたのだ。しかしその誰かはもうここにはいない。鈴があとに残されているだけだ。免色はその鈴を見ながら何度か首を振った。不思議だ、というように。それから彼はもう一度、まわりの壁を綿密に調べた。どこかに秘密の出入り口があるのではないかと。しかしそれらしきものは何も見つからなかった。そして上を向いて地上にいる我々を見た。彼は途方に暮れているように見えた。

彼は梯子に足をかけ、手を伸ばしてその鈴のようなものを私に向けて差し出した。私は身を屈めてそれを受け取った。古びた木製の柄には冷たい湿気がじっとり染みこんでいた。私はそれを、免色がそうしたのと同じように軽く振ってみた。思いのほか大きな鮮やかな音がした。何でできているのかはしらないが、その金属部分はまったく損なわれていなかった。汚れてはいるが錆びてはいない。長い歳月にわたって湿った土中に置かれていたにもかかわらず、どうして錆びなかったのか、そのわけがわからなかった。

「それは何ですか、いったい？」と監督が私に尋ねた。彼は四十代半ば、がっしりとした体格の小男だった。日焼けして、うっすらと無精髭をはやしていた。

「さあ、なんでしょう。昔の仏具のようにも見えます」と私は言った。「いずれにせよ、かなり古い時代のもののようです」

「それがお探しのものだったんですか？」と彼は尋ねた。

私は首を振った。「いや、我々が予期していたのはちょっと違うものです」

「それにしてもなんだか不思議な場所だ」と監督は言った。「うまく口では言えないが、この穴にはどことなく謎めいた雰囲気があります。いったい誰が何のために、こんなものをつくったんでしょうね。昔のことだろうし、これだけの石を山の上まで運んできて積み上げるには、相当な労力を要したはずです」

私は何も言わなかった。

やがて免色が穴から上がってきた。そして監督を脇に呼んで、二人で長いあいだ何ごとかを話しあっていた。そのあいだ私は鈴を手に穴の脇に立っていた。その石室に降りてみようかとも思ったが、思い直してやめた。雨田政彦ではないが、余計なことはできるだけしない方がいいかもしれない。そっとしておけるものは、そっとしておくのが賢明かもしれない。私は手にしていたその鈴をとりあえず祠の前に置いた。そしてズボンで手のひらを何度か拭った。

免色がやってきて、私に言った。

「あの石室全体を詳しく調べてもらいます。一見したところただの穴のようにしか見えませんが、念には念を入れて隅々まで点検してもらいます。何か発見があるかもしれない。たぶん何もないとは思いますが」と免色は言って、私が祠の前に置いた鈴を見た。「しかしこの鈴しかあとに残されていないというのは奇妙ですね。誰かがあの中にいて、真夜中に鈴を鳴らしていたはずなのに」

「鈴がひとりで勝手に鳴っていたのかもしれませんよ」と私は言ってみた。

免色は微笑んだ。「なかなか面白い仮説だが、私はそうは思いません。誰かがあの穴の底から、なんらかの意志をもってメッセージを送っていたのです。あなたに向かって。あるいは我々に向かって。あるいは不特定多数の人に向かって。でもその誰かはまるで煙のように消えてしまった。あるいはあそこから抜け出してしまった」

「抜け出した？」

「するりと、我々の目をかいくぐって」

彼の言っていることは私にはよく理解できなかった。

「魂というのは、目には見えないものですから」と免色は言った。

「あなたはそういう魂の存在を信じるのですか？」

「あなたは信じますか？」

私はうまく答えられなかった。

免色は言った。「魂の実在をあえて信じる必要はないという説を私は信じています。でも逆に言えばそれは、魂の実在を信じない必要もないという説を信じることにもなります。いささか持って回った物言いになりますが、言わんとすることはおわかりいただけますか」

「漠然と」と私は言った。

免色は祠の前に私が置いた鈴を手に取った。そして何度かそれを宙で振って鳴らした。「これを鳴らし、念仏を唱えながら、あの地中でおそらく一人の僧が息を引き取っていったのでしょう。埋められた井戸の底で、重い蓋をされた真っ暗な空間の中でとても孤独に。そしてまたおそらくは秘密裏に。どんな僧だったか、私にはわかりません。偉いお坊さんだったのか、あるいはただの狂信者だったのか。いずれにせよ誰かがその上に石の塚を築いた。そのあとにどのような経過があったのかはわかりませんが、彼がここで入定を遂げたことはなぜか人々にすっかり忘れられてしまったようです。そしてあるとき大きな地震があり、塚は崩れてただの石の山になってしまった。小田原近辺は場所によっては、一九二三年の関東大震災でかなりひどくやられましたから、あるいはそのときのことかもしれません。そしてすべては忘却の中に呑み込まれてしまった」

「もしそうだとしたら、その即身仏は——つまりミイラは——いったいどこに消えたのでしょう？」

免色は首を振った。「わかりません。ひょっとして、どこかの段階で誰かが穴を掘り返し、持ち出したのかもしれない」

「そのためにはこれだけの石をすべてどかせて、それをまた積み上げる必要があります」と私は言った。「そしていったい誰が、昨日の真夜中にこの鈴を振っていたのですか？」

免色はまた首を振った。それから小さく微笑んだ。「やれやれ、これだけの機器を持ち出して重い石の山をどかし、石室を開いて、その結果判明したのは、我々には結局何ひとつわからなかったという事実だけのようです。辛うじて手に入ったのはこの古い鈴ひとつだけだ」

どれだけ細かく調べても、その石室には何の仕掛けもないことが判明した。それは古い石壁でまわりを囲まれた、深さ二メートル八十センチ、直径一メートル八十センチほどのただの円形の穴だった（彼らはその寸法を正式に計測した）。ショベルカーはトラックの荷台に積まれ、作業員たちは様々な道具や工具をまとめて引き上げていった。あとには開かれた穴と金属製の梯子だけが残った。現場監督がその梯子を厚意で残していってくれたのだ。人が誤って穴に落ちないように、厚板が何枚か穴の上にわたされた。強い風で飛んだりしないように、板の上には重しとしていくつかの石が置かれた。元あった木製の格子の蓋は重すぎて持ち上げられず、近くの地面に置きっぱなしにされ、その上にビニールシートがかけられていた。

免色は最後に監督に向かって、この作業については誰にも口外しないでもらいたいと頼んだ。考古学的に意味があるものなので、しかるべき発表の時期が来るまでしばらく世間には秘密にしておきたいのだと彼は言った。

「承知しました。これはここだけのことにしておきます。みんなにも余計なことは言わないように、しっかり釘を刺しておきます」と監督は真剣な顔で言った。

人々と重機が去って、いつもの山の沈黙がそのあとを埋めると、掘り返された場所はまるで大きな外科手術を受けたあとの皮膚のように、うらぶれて痛々しく見えた。隆盛を誇ったススキの茂みは完膚無きまでに踏みつぶされ、暗く湿った地面にはキャタピラの轍（わだち）が縫い跡となって残っていた。雨はもう完全に上がっていたが、空は相変わらず切れ目のない単調な灰色の雲に覆われていた。

新たに別の地面に積み上げられた石の山を見ながら、こんなことをしなければよかったんだという思いを私は持たないわけにはいかなかった。あのままの形にしておくべきだったんだ、と。しかしその一方で、そうしなければならなかったというのも、また間違いのない事実だった。私はあの夜中のわけのわからない音を、いつまでも聞き続けるわけにはいかなかっただろうから。とはいえ、もし免色という人物に出会わなかったなら、あの穴を掘り起こす手だては私にはなかったはずだ。彼が業者を手配したからこそ、そして彼がその費用——どれほどの額になるのか見当もつかないが——を負担したからこそ、これだけの作業が可能になったのだ。

しかし私がこうして免色という人物と知り合いになり、その結果こんな大がかりな「発掘」を行うことになったのは、本当にたまたまのことだったのだろうか？ ただの偶然の成り行きによるものなのだろうか？ あまりにも話がうま過ぎはしないか？ そこには筋書きみたいなものが前もって用意されていたのではあるまいか？ 私はそんな落ち着き先のないいくつかの疑問を胸に抱えながら、免色と共に家に戻った。免色は掘り出した鈴を手にしていた。彼は歩いているあいだずっとそれを手から離さなかった。その感触から何らかのメッセージを読み取ろうとしているみたいに。

家に戻ると免色はまず私に尋ねた。「この鈴はどこに置きましょうか？」

鈴を家の中のどこに置けばいいのか、私には見当がつかなかった。だからとりあえずスタジオに置いておくことにした。そんなわけのわからないものをひとつ屋根の下に置いておくことは、私としてはもうひとつ気が進まなかったけれど、だからといって外に放り出しておくこともできない。おそらくは魂のこもった大事な仏具なのだ。粗末には扱えない。だから一種の中間地帯ともいうべきスタジオ——その部屋には独立した離れのような趣があった——に持ち込むことにした。画材を並べた細長い棚の上にスペースを空け、そこに並べた。絵筆を突っ込んだ大きなマグカップの隣に置くと、それは画作のための特殊な道具のようにも見えた。

「不思議な一日でしたね」と免色は声をかけた。

「一日をすっかり潰させてしまいました。申し訳ありません」と私は言った。

「いや、そんなことはありません。私にとってずいぶん興味深い一日だった」と免色は言った。

「それに、これですべてが終わったというわけでもないでしょう」

免色の顔にはずっと遠くを見ているような不思議な表情が浮かんでいた。

「というと、まだ何かが起こるのですか？」と私は尋ねた。

免色は言葉を慎重に選んだ。「うまく説明はできないのですが、これはただの始まりに過ぎないのではないか、という気がします」

「ただの始まり？」

免色は手のひらをまっすぐ上に向けた。「もちろん確信があるわけじゃありません。このまま何ごともなく、あれはずいぶん不思議な一日でしたね、ということで話が終わってしまうかもしれません。そうなるのがたぶんいちばんいいのでしょうが。でも考えてみたら、物ごとは何ひとつ解決しちゃいません。いくつもの疑問が残ったままになっています。それもいくつかの大きな疑問が。ですから、これからまだ何かが持ち上がりそうだという予感が私の中にはあるのです」

「あの石室に関してということですか？」

免色はしばらく窓の外に目をやっていた。それから言った。「どんなことが持ち上がるのか、それは私にもわかりません。なんといっても、ただの予感に過ぎませんから」

でももちろん免色の予感した――あるいは予言した――とおりだった。彼が言うように、その一日はただの始まりに過ぎなかったのだ。

16 比較的良い一日

その夜、私はなかなか寝付けなかった。スタジオの棚に置いた鈴が夜中に鳴り出すのではないかと不安だったからだ。もし鈴が鳴り出したら、いったいどうすればいいのだろう？　頭から布団をかぶって、そのまま朝まで何も聞こえないふりをすればいいのか？　それとも懐中電灯を手に、スタジオまで様子を見に行くべきなのか？　私はいったいそこで何を見出すことになるのだろう？

どうするべきか心を決めかねたまま、私はベッドの中で本を読んでいた。しかし時刻が二時を過ぎても鈴は鳴り出さなかった。耳に届くのは夜の虫の声だけだった。本を読みながら五分ごとに枕元の時計に目をやった。ディジタル時計の数字が2：30になって、私はそこでようやく安堵（あんど）の息をついた。今夜はもう鈴は鳴らないだろう。私は本を閉じ、枕元の灯りを消して眠った。

翌朝七時前に目が覚めたとき、最初にとった行動はスタジオに鈴を見に行くことだった。鈴は昨日私がそこに置いたまま、棚の上にあった。太陽の光が山を明るく照らし、カラスたちがいつもの賑やかな朝の活動にかかっていた。朝の光の中で見ると、その鈴は決して禍々しいものには見えなかった。過去の時代からやってきた、よく使い込まれたただの素朴な仏具に過ぎなかった。私は台所に戻り、コーヒーメーカーでコーヒーをつくって飲んだ。固くなりかけたスコーンをトースターで温めて食べた。それからテラスに出て朝の空気を吸い、手すりにもたれて、谷の向かい側の免色の家を眺めた。色づけをした大きな窓ガラスが朝日を受けて眩しく光っていた。たぶん週に一度のクリーニング・サービスの中にはすべてのガラスの清掃も含まれているのだろう。そのガラスは常に美しく、眩しく保たれていた。しばらく眺めていたが、テラスに免色の姿は現れなかった。我々が「谷間越しに手を振り合う」という状況はまだ生まれていない。

十時半に車に乗ってスーパーマーケットに食品の買い物に行った。戻ってきて食品を整理し、簡単な昼食をつくって食べた。豆腐とトマトのサラダと握り飯がひとつ。食後に濃い緑茶を飲んだ。そしてソファに横になってシューベルトの弦楽四重奏曲を聴いた。美しい曲だった。レコード・ジャケットに書かれている説明を読むと、この曲が初演されたとき、「新しすぎる」ということで聴衆のあいだには少なからず反撥（はんぱつ）があったということだった。どこが「新しすぎる」のか私にはよくわからなかったが、たぶんどこかしら当時の古風な人々の気に障るところがあったのだろう。

レコードの片面が終了したところで急に眠くなり、毛布を身体の上に掛け、ソファの上でしばらく眠った。短いけれど深い眠りだった。眠ったのはおそらく二十分くらいのものだろう。いくつか夢を見たような気がする。しかし目覚めたときに、どんな夢だったか忘れてしまった。そういう種類の夢がある。繋がりのないいくつかの断片が交錯するように現れる夢だ。断片のひとつひとつにはそれなりの質量があるのだが、それらは絡み合うことでお互いを打ち消しあってしまう。

私は台所に行って、冷蔵庫で冷やしたミネラル・ウォーターをボトルからそのまま飲み、身体の隅の方に雲の切れ端のように居残っている眠りの残滓（ざんし）を追い払った。そして自分は今、一人きりで山の中にいるのだという事実をあらためて確認した。私はここで一人で暮らしている。何かしらの運命が、私をこのような特別な場所に運び込んできたのだ。それからまた鈴のことを思い出した。雑木林の奥のあの不思議な石室の中で、いったい誰がその鈴を振っていたのだろう。そしてその誰かは今、いったいどこにいるのだろう？

絵を描くための服に着替え、スタジオに入って、免色の肖像画の前に立ったときには、時刻は午後二時を過ぎていた。私はだいたいいつも午前中に仕事をすることにしている。午前八時から十二時というのが、私が画作にいちばん集中できる時間だった。結婚していたときにはそれは、妻を仕事に送り出して一人になったあとの時間を意味していた。私はそこにある「家庭内の静けさ」のようなものが好きだった。山の上に越してきてからは、豊かな自然が惜しみなく提供してくれる、朝の鮮やかな光と混じりけのない空気を好むようになった。そのように毎日同じ時間帯に同じ場所で仕事をすることは、私にとって昔から大事な意味を持っていた。反復がリズムを生み出してくれる。しかしその日は、前夜にうまく眠れなかったせいもあって、午前中をとりとめもなく過ごしてしまった。だから午後になってスタジオに入ることになった。

私は作業用の丸いスツールに腰掛けて両腕を組み、二メートルほど離れたところから、その描きかけの絵を眺めた。私はまず免色の顔の輪郭だけを細い絵筆で描き、そのあと彼がモデルとして私の前にいた十五分ほどのあいだに、そこにやはり黒色の絵の具を使って肉付けをおこなっていた。それはまだただの粗っぽい「骨格」に過ぎなかったが、そこにはうまくひとつの流れが生まれていた。免色渉という存在を源とする流れだ。それが私のいちばん必要としているものだった。

その白と黒だけの「骨格」を集中して睨んでいるうちに、そこに加えるべき色のイメージが頭に浮かんできた。アイデアは唐突に、しかし自然にやってきた。それは雨に鈍く染まった緑の木の葉に似た色だ。私はいくつかの絵の具を組み合わせて、その色をパレットの上に作り出した。何度かの試行錯誤の末に、色がイメージ通りに出来上がると、何も考えずに描きかけの線画の上にその色を加えていった。それがどのような絵に進展していくのか、自分でも予想がつかなかったけれど、その色が作品にとっての大事な地色になるであろうことはわかっていた。そしてその絵は、いわゆる肖像画という形式からはどんどん遠ざかっていくようだった。しかし肖像画にならなくても仕方あるまい、と私は自分に言い聞かせた。もしそこにひとつの流れがあるのなら、流れと共に進んでいくしかない。今はとにかく自分の描きたいものを描きたいように描いてみよう（免色もそうすることを求めている）。そのあとのことはそのあとで考えればいい。

私はプランもなく目的もなく、自分の中に自然に浮かび上がってくるアイデアをただそのまま追いかけていった。まるで野原を飛んでいく珍しい蝶々を、足下も見ずに追いかける子供のように。ひととおりその色を塗りおえると、私はパレットと筆を置いて、また二メートルほど離れたところにあるスツールに腰掛け、その絵を正面から眺めた。これが正しい色だ、と私は思った。

雨に濡れた雑木林のもたらす緑色。自分自身に向かって、何度か小さく肯きさえした。それは絵に関して、私がずいぶん久しぶりに感じることのできた確信（のようなもの）だった。そう、これでいい。この色が私のほしかった色だ。あるいはその「骨格」自体が求めていた色だ。それから私はその色を基にして、いくつかの周辺的な変化色をこしらえ、それらを適度に加えて全体に変化をつけ、厚みを作っていった。

　そうしてできあがった画面を眺めているうちに、次の色が自然に頭に浮かんできた。オレンジ。ただのオレンジではない。燃えたつようなオレンジ、強い生命力を感じさせる色だが、同時にそこには退廃の予感が含まれている。それは果実を緩慢に死に至らせる退廃かもしれない。その色作りは、緑のときより更にむずかしかった。それはただの色ではないからだ。それはひとつの情念に根本で繋がっていなくてはならない。運命に絡め取られた、しかしそれなりに揺らぎのない情念だ。そんな色を作り出すのは簡単なことではない、もちろん。しかし最終的には私はそれを作りあげた。私は新しい絵筆を手に取り、キャンバスの上にそれを走らせた。部分的にはナイフも使った。考えないことが何より大事だった。私は思考の回路をできるだけ遮断し、その色を構図の中に思い切りよく加えていった。その絵を描いている間、現実のあれこれは私の頭の中からほぼ完全に消え去っていた。鈴の音のことも、開かれた石室のことも、別れた妻のことも、彼女が他の男と寝ていることも、新しい人妻のガールフレンドのことも、絵画教室のことも、将来のことも、何ひとつ考えなかった。免色のことすら考えなかった。私が今描いているのは言うまでもなく、そもそも免色の肖像画として始められたものだったが、私の頭にはもう免色の顔さえ思い浮かばなかった。免色はただの出発点に過ぎなかった。そこで私がおこなっているのは、ただ自分のための絵を描くことだった。

　どれくらいの時間が経過したのか、よく覚えていない。ふと気がついたときには室内はずいぶん薄暗くなっていた。秋の太陽は既に西の山の端に姿を消していたが、それでも私は灯りをつけるのも忘れて仕事に没頭していたのだ。キャンバスに目をやると、そこには既に五種類の色が加えられていた。色の上に色が重ねられ、その上にまた色が重ねられていた。ある部分では色と色が微妙に混じり合い、ある部分では色が色を圧倒し、凌駕(りょうが)していた。

　私は天井の灯りをつけ、再びスツールに腰を下ろし、絵を正面からあらためて眺めた。その絵がまだ完成に至っていないことが私にはわかった。そこには荒々しいほとばしりのようなものがあり、そのある種の暴力性が何より私の心を刺激した。それは私が長いあいだ見失っていた荒々しさだった。しかしそれだけではまだ足りない。その荒々しいものの群れを統御し鎮め導く、何かしらの中心的要素がそこには必要とされていた。情念を統合するイデアのようなものが。しかしそれをみつけるためには、あとしばらく時間を置かなくてはならない。ほとばしる色をひとまず寝かさなくてはならない。それはまた明日以降の、新しい明るい光の下での仕事になるだろう。しかるべき時間の経過がおそらく私に、それが何であるかを教えてくれるはずだ。それを待たなくてはならない。電話のベルが鳴るのを辛抱強く待つように。そして辛抱強く待つためには、私は時間というものを信用しなくてはならない。時間が私の側についていてくれることを信じなくてはならない。

　私はスツールに腰掛けたまま目を閉じ、深く胸に息を吸い込んだ。秋の夕暮れの中で、自分の中で何かが変わりつつあるという確かな気配があった。身体の組織がいったんばらばらにほどかれて、それがまた新しく組み立て直されていくときの感触だ。しかしどうしてそんなことが今ここで、私の身に起こったのだろう？　免色という謎の人物とたまたまめぐり逢い、彼に肖像画の制作を依頼されたことが、結果的に私の中にこのような変化を生み出したのだろうか？　あるいは夜中の鈴の音に導かれるように、石の塚をどかせてあの不思議な石室を開いたことが、私の精神にとって何かの刺激になったのだろうか？　あるいはそんなこととは無関係に、私はただ変化の時期を迎えていたということなのだろうか？　どの説をとるにせよ、そこには論拠と言えるようなものはなかった。

「これはただの始まりに過ぎないのではないか、という気がします」と免色は別れ際に私に言った。とすれば、私は彼の言う何かの始まりに足を踏み入れたということなのだろうか？　しかし何はともあれ私は、絵を描くという行為に久しぶりに激しく心を昂ぶらされたし、文字どおり時が経つのを忘れて絵の制作に没頭することができた。私は使用した画材を片づけながら、心地良い発熱のようなものを皮膚に感じ続けていた。

　画材を片づけているときに、棚の上に置かれた鈴が目についた。私はそれを手に取り、二、三度試しに鳴らしてみた。あの例の音がスタジオの中に鮮やかに響いた。夜中に私を不穏な気持ちにさせた音だ。しかし今ではなぜかそれは私を怯えさせなかった。こんな古びた鈴がどうしてこれほど鮮やかな音を出せるのか、意外の念に打たれただけだった。私は鈴を元あった場所に戻し、スタジオの灯りを消しドアを閉めた。そして台所に行って白ワインをグラスに注ぎ、それを飲みながら夕食の支度をした。

夜の九時前に免色から電話がかかってきた。

「昨夜はいかがでした？」と彼は尋ねた。「鈴の音は聞こえましたか？」

二時半まで起きていたが、鈴の音はまったく聞こえなかった。とても静かな夜だったと私は答えた。

「それはよかった。あれ以来、あなたのまわりで不思議なことは何も起こらなかったのですね？」

「とくに不思議なことは何も起こっていないようです」と私は言った。

「それはなによりです。このまま何ごとも起こらないと良いのですが」と免色は言った。そして一息置いて付け加えた。「ところで、明日の午前中にそちらにうかがってもかまいませんか？できれば、もう一度あの石室をじっくりと見てみたいのです。とても興味深い場所だし」

かまわない、と私は言った。明日の午前中には何の予定も入っていない。

「それでは十一時頃にうかがいます」

「お待ちしています」と私は言った。

「ところで、今日はあなたにとって良い一日でしたか？」、免色はそう尋ねた。

今日は私にとって良い一日だったか？　まるで外国語の構文をコンピュータ・ソフトで機械的に翻訳したような響きがそこにはあった。

「比較的良い一日だったと思います」と私は少し戸惑いながら答えた。「少なくとも悪いことは何も起こらなかった。お天気も良かったし、なかなか気持ちの良い一日でした。免色さんはいかがでした？　あなたにとっては今日は良い一日でしたか？」

「良いことと、あまり良いとは言えないことがひとつずつ起こった一日でした」と免色は言った。

「その良いことと悪いことと、どちらの方がより重みを持っているか、まだ秤が決めかねて左右に揺れているような状態です」

それについてどう言えばいいのかわからなかったので、私はただ黙っていた。

免色は続けた。「残念ながら私はあなたのような芸術家ではありません。私はビジネスの世界に生きているものです。とりわけ情報ビジネスの世界に。そこではほとんどの場合、数値化できるものごとだけが、情報としてやりとりされる価値を持っています。ですから良いことも悪いことも、つい数値化する癖がついてしまっています。良いことの方の重みが少しでもまされば、たとえ一方で悪いことが起こっていても、それは結果的に良い一日になります。というか、数値的にはそうなるはずです」

彼が何を言おうとしているのか、私にはまだわからなかった。だからそのまま口を閉ざしていた。

「昨日のことですが」と免色は続けた。「ああして地下の石室を開いたことで、私たちは何かを失い、何かを得たはずです。いったい何を失い、何を得ることができたのでしょう。そのことが私には気にかかってならないのです」

彼は私の返事を待っているようだった。

「数値化できるようなものは何も得ていないと思います」と私は少し考えてから言った。「もちろん今のところは、ということですが。ただひとつ、あの古い鈴のような仏具は手に入りました。でもそんなものは実質的には、たぶん何の値打ちも持たないでしょう。由緒ある品でもないし、珍しい骨董品でもありませんから。その一方で、失ったものはわりにはっきり数値化できるはずです。そのうちに造園業者からあなたのところに請求書が届くでしょうから」

免色は軽く笑った。「大した金額じゃありません。そんなことは気にしないでください。私の気にかかるのは、私たちがそこから受け取るはずのものをまだ受け取っていないのではないか、ということなのです」

「受け取るはずのもの？　それはいったいどのようなものですか？」

免色は咳払いをした。「さっきも申し上げたとおり、私は芸術家ではありません。それなりの直観のようなものは具えていますが、残念ながらそれを具象化する手だてを持ち合わせていない。その直観がどのように鋭いものであれ、それを芸術という普遍的な形態に移し替えることができないのです。私にはそのような能力が欠けています」

私は黙って彼の話の続きを待っていた。

「だからこそ私は芸術的、普遍的具象化の代用として、数値化というプロセスをこれまで一貫して追究してきました。何によらず、人がまっとうに生きていくためには、依って立つべき中心軸が必要とされますから。そうですね？　私の場合は直観を、あるいは直観に似たものを、独自のシステムに従って数値化することによって、それなりの世俗的な成功を収めてきました。そしてその私の直観に従えば――」と彼は言って、しばらく沈黙した。しっかりした密度を持つ沈黙だった。「――そしてその私の直観に従えば、私たちはあの掘り起こした地下の石室から、何かしらを手にすることができるはずなのです」

「たとえばどんなものを？」

彼は首を振った。というか、電話口で首を振るような気配が微かにあった。「それはまだわかりません。しかし私たちはそれを知らなくてはならない、というのが私の意見です。お互いの直観を持ち寄り、それぞれの具象化あるいは数値化というプロセスを通過させることによって」

私は彼の言いたいことがまだうまく理解できなかった。この男はいったい何の話をしているのだろう？

「それでは明日の十一時にお目にかかりましょう」と免色は言った。そして静かに電話を切った。

免色が電話を切ったすぐあとに、人妻のガールフレンドから電話がかかってきた。私は少し驚いた。夜のこんな時刻に彼女から連絡があるのは珍しいことだったからだ。

「明日のお昼頃に会えないかな？」と彼女は言った。

「悪いけど、明日は約束があるんだ。ついさっき予定を入れてしまった」

「他の女の人じゃないわよね？」

「違う。例の免色さんだよ。ぼくは彼の肖像画を描いている」

「あなたは彼の肖像画を描いている」と彼女は繰り返した。「じゃあ、明後日は？」

「明後日はきれいそっくり空いている」

「よかった。午後の早くでかまわない？」

「もちろんかまわないけど、でも土曜日だよ」

「それはなんとかなると思う」

「何かあったの？」と私は尋ねた。

彼女は言った。「どうしてそんなことを訊くの？」

「君がこんな時刻にうちに電話をしてくるのは、あまりないことだから」

彼女は喉の奥の方で小さな声を出した。呼吸の微調整をしているみたいに。「今はひとりで車の中にいるの。携帯でかけている」

「車の中でひとりで何をしているの？」

「車の中でひとりになりたかったから、ただ車の中でひとりになっているだけよ。主婦にはね、そういう時期がたまにあるの。いけない？」

「いけなくはない。まったく」

彼女はため息をついた。あちこちのため息をひとつにまとめ、圧縮したようなため息だった。そして言った。「あなたが今ここにいるといいと思う。そして後ろから入れてくれるといいなと思う。前戯とかそういうのはとくにいらない。しっかり湿ってるからぜんぜん大丈夫よ。そして思い切り大胆にかき回してほしい」

「楽しそうだ。でもそうやって思い切り大胆にかき回すには、ミニの車内は少し狭すぎるかもしれない」

「贅沢はいえない」と彼女は言った。

「工夫してみよう」

「そして左手で乳房をもみながら、右手でクリトリスを触っていてほしい」

「右足は何をすればいいのかな？　カーステレオの調整くらいはできそうだけど。音楽はトニー・ベネットでかまわないかな？」

「冗談で言ってるんじゃないのよ。私はしっかり真剣なんだから」

「わかった。悪かった。真剣にやろう」と私は言った。「ところで今、君はどんな服を着ている？」

「私が今、どんな服を着ているか知りたいわけ？」と誘いかけるように彼女は言った。

「知りたいな。それによってこちらの手順も変わってくるから」

彼女は着ている服についてとても克明に電話で説明してくれた。成熟した女性たちがどれくらい変化に富んだ衣服を身につけているか、そのことは常に私を驚かせる。彼女は口頭でそれを一枚一枚、順番に脱いでいった。

「どう、十分硬くなったかしら？」と彼女は尋ねた。

「金槌（かなづち）みたいに」と私は言った。

「釘だって打てる？」

「もちろん」

世の中には釘を打つべき金槌があり、金槌に打たれるべき釘がある、と言ったのは誰だったろう？　ニーチェだったか、ショーペンハウエルだったか。あるいはそんなこと誰も言っていないかもしれない。

私たちは電話回線を通して、リアルに真剣に身体を絡め合った。彼女を相手に――あるいは他の誰とも――そんなことをするのは初めてだった。しかし彼女の言葉による描写はずいぶん細密で刺激的だったし、想像の世界で行われる性行為はある部分、実際の肉体による行為以上に官能的だった。言葉はあるときにはきわめて直接的になり、あるときにはエロティックに示唆的になった。そんな言葉のやりとりをひとしきり続けた末に、私は思いもよらず射精に至った。彼女もオーガズムを迎えたようだった。

私たちはしばらくそのまま、何も言わずに電話口で息を整えていた。

「じゃあ、土曜日の午後に」と彼女はやがて気を取り直したように言った。「例のメンシキさんについても、少しばかり話したいことがあるの」

「何か新しい情報が入ったのかな?」

「例のジャングル通信をとおして、いくつかの新しい情報が。でも直接会って話すことにする。たぶんいやらしいことをしながら」

「これから家に帰るの?」

「もちろん」と彼女は言った。「そろそろ家に戻らなくちゃならない」

「運転に気をつけて」

「そうね。気をつけなくちゃ。まだあそこがひくひくしているから」

私はシャワーに入って、射精したばかりのペニスを石鹸で洗った。そしてパジャマに着替え、その上にカーディガンを羽織り、安物の白ワインのグラスを手に持ってテラスに出て、免色の家のある方を眺めた。谷間の向こうの、彼の真っ白な大きな家の明かりはまだついていた。家中の明かりがしっかりついているみたいだった。彼がそこで(おそらくは)一人で何をしているのか、私にはもちろんわからない。コンピュータの画面に向かって、直観の数値化を探求し続けているのかもしれない。

「比較的良い一日だった」、私は自分に向かってそう言った。

そしてそれは奇妙な一日でもあった。そして明日がどんな一日になるのか、私には見当もつかなかった。それからふと屋根裏のみみずくのことを思い出した。みみずくにとっても今日は良い一日だったろうか？　それから私は、みみずくの一日はちょうど今頃から始まるのだということに気づいた。彼らは昼間は暗いところで眠っている。そして暗くなると森に獲物をとりに出かける。みみずくにはたぶん朝の早い時刻に尋ねなくてはならないのだ。「今日は良い一日だったかい？」と。

私はベッドに入ってしばらく本を読み、十時半には明かりを消して眠りに就いた。朝の六時前までそのまま一度も目が覚めなかったところを見ると、たぶん真夜中に鈴は鳴らされなかったのだろう。

17 どうしてそんな大事なことを見逃していたのか

私が家を出ていくとき、妻が最後に口にした言葉を忘れることができなかった。彼女はこう言った。「もしこのまま別れても、友だちのままでいてくれる？　もし可能であれば」と。私にはそのとき（そしてその後も長いあいだ）、彼女が何を言おうとしていたのか、何を求めていたのか、うまく理解できなかった。何の味もしない食物を口にしたときのように、途方に暮れてしまっただけだった。だからそう言われたとき、「さあ、どうだろう」としか答えられなかった。そしてそれが私が彼女に面と向かって口にした最後の言葉になった。最後の言葉としてはずいぶん情けないひとことだ。

別れたあとも、私と彼女とは今でもなお一本の生きた管で繋がっている——私はそのように感じていた。その管は目には見えないけれど、今でも小さく脈打っていたし、温かい血液らしきものが二人の魂のあいだを僅かに行き来していた。そういう生体的感覚が、少なくとも私の側にはまだ残っていた。でもその管もいつかそう遠くない日に断ち切られてしまうことだろう。そしてもしいずれ切断されなくてはならないのなら、私としては二人のあいだを結ぶそのささやかなライフラインを、なるべく早く生命を欠いたものに変えてしまう必要があった。その管から生命が失われ、ミイラのように干からびたものになってしまえば、鋭い刃物で切断される痛みもそれだけ耐えやすいものになるからだ。そしてそのためにはユズのことをできるだけ早く、できるだけ多く忘れてしまう必要があった。だからこそ私は彼女に連絡をとらないように努めていた。旅行から帰ってきて、荷物を引き取りにいくときに一度だけ電話をかけた。私はあとに残してきた画材一式を必要としていたから。それが今のところ、別れたあとにユズと交わした唯一の会話であり、その会話はとても短いものだった。

　我々が夫婦関係を正式に解消し、それからあとも友だちの関係でいられるとは、私にはとても考えられなかった。我々は結婚していた六年の歳月を通して、ずいぶん多くのものごとを共有してきた。多くの時間、多くの感情、多くの言葉と多くの沈黙、多くの迷いと多くの判断、多くの約束と多くの諦め、多くの悦楽と多くの退屈。もちろんお互いに口には出さず、自分の内部に秘密として抱えていることもいくつかあったはずだ。しかしそのような隠しごとがあるという感覚さえ、我々はなんとか工夫して共有してきたのだ。そこには時間だけが培（つちか）うことのできる「場の重み」が存在した。我々はそのような重力にうまく身体を適合させ、微妙なバランスを取りながら生きてきた。そこにはまた我々独自の「ローカル・ルール」のようなものがいくつも存在した。それらを全部なしにして、そこにあった重力のバランスやローカル・ルールを抜きにして、ただ単純に「良き友だち」なんかになれるわけはない。

　そのことは私にもよくわかっていた。というか、長い旅行のあいだ一人でずっと考え抜いた末に、そういう結論に私は達していた。どれだけ考えても、出てくる結論はいつも同じだった。ユズとはできるだけ距離を置き、接触を断っていた方がいい。それが筋の通ったまともな考え方だった。そして私はそれを実行した。

またその一方で、ユズの方からも連絡はまったくこなかった。一本の電話もかかってこなかったし、一通の手紙も届けられなかった。「友だちでいたい」と口にしたのは彼女の方であるにもかかわらずだ。そしてそのことは思いのほか、予想を遥かに超えて私を傷つけた。いや、正確に言えば、私を傷つけたのは実際には私自身だった。私の感情はそのいつまでも続く沈黙の中で、刃物でできた重い振り子のように、ひとつの極端からもうひとつの極端へと大きな弧を描いて行き来した。その感情の弧は、私の肌にいくつもの生々しい傷跡を残していった。そして私がその痛みを忘れるための方法は、実質的にはひとつしかなかった。もちろん絵を描くことだ。

陽光が窓から静かにスタジオに差し込んでいた。緩やかな風が白いカーテンをときおり揺らせた。部屋には秋の朝の匂いがした。私は山の上に住むようになってから、季節の匂いの変化にとても敏感になっていた。都会の真ん中に住んでいるときには、そんな匂いがあることにほとんど気づきもしなかったのだけれど。

私はスツールに腰掛け、イーゼルに載せた描きかけの免色のポートレイトを、長いあいだ正面から睨んでいた。それがいつもの仕事の始め方だった。自分が昨日おこなった仕事を、今日の新たな目で評価し直すこと。手を動かすのはそのあとでいい。

悪くない、としばらくあとで私は思った。悪くない。私が創りだしたいくつかの色彩が免色の骨格をしっかりと包んでいた。黒い絵の具で立ち上げた彼の骨格は、今ではその色彩の裏側に隠されていた。しかしその骨格が奥に潜んでいることは、私の目にははっきり見えていた。これから私はもう一度その骨格を表面に浮かび上がらせていかなくてはならない。暗示をステートメントに変えていかなくてはならない。

もちろんその絵は完成を約束してはいない。それはまだひとつの可能性の域に留まっている。そこにはまだ何かが不足している。そこに存在するべき何かが、不在の非正当性を訴えている。そこに不在するものが、存在と不在を隔てるガラス窓の向こう側を叩いている。私はその無言の叫びを聞き取ることができる。

集中して絵を見ているうちに喉が渇いてきたので、途中で台所に行って、大きなグラスでオレンジ・ジュースを飲んだ。そして肩の力を抜き、両腕を宙に思い切り伸ばした。大きく息を吸い込み、そして吐いた。それからスタジオに戻り、もう一度スツールに座って絵を眺めた。気持ちを新たにし、イーゼルの上の自分の絵に再び意識を集中した。しかし何かが前とは違っていることにすぐに私は気がついた。絵を見ている角度がさっきとは明らかに異なっているのだ。

私はスツールから降りて、その位置をあらためて点検してみた。そしてさっき私がこのスタジオを離れたときとは、位置が少しずれていることに気がついた。スツールは明らかに移動させられていた。どうしてだろう？　私はスツールから降りたとき、その椅子はまったく動かさなかったはずだ。そのことに間違いはない。椅子をずらさないように静かにそこから降り、戻ってきたときも椅子をずらすことなく、静かにそこに腰掛けた。なぜそんなことをいちいち細かく覚えているかというと、私は絵を見る位置と角度に関してはとても神経質だからだ。私が絵を見る位置と角度はいつも決まっているし、野球のバッターがバッターボックスの中の立ち位置に細かくこだわるのと同じで、それが少しでもずれると気になって仕方ない。

しかしスツールの位置は、さっきまで私が座っていたところから五十センチほどずれていたし、角度もそのぶん違っていた。私が台所でオレンジ・ジュースを飲んで、深呼吸をしている間に、誰かがスツールを動かしたとしか考えられない。私のいない間に誰かがこっそりスタジオに入ってきて、スツールに腰掛けて私の絵を眺め、そして私が戻ってくる前にスツールから降りて、足音を忍ばせて部屋を出ていったのだ。そのときに椅子を——故意にかあるいは結果的にか——動かした。しかし私がスタジオを離れていたのはせいぜい五分か六分のことだ。だいたいどこの誰が何のために、わざわざそんな面倒なことをしなくてはならないのだ？　それともスツールが自分の意思で勝手に移動をおこなったのだろうか？

たぶん私の記憶が混乱しているのだろう。自分でスツールを動かしておいて、それを忘れてしまったのだ。そう考えるよりほかはなかった。一人きりで過ごす時間が長すぎるのかもしれない。そのせいで記憶の順序に乱れが生じてきているのかもしれない。

私はスツールをその位置に——つまり最初にあったところから五十センチ離れ、いくらか角度を変えた位置に——留めておいた。そして試しにそこに腰掛け、そのポジションから免色のポートレイトを眺めてみた。するとそこにはさっきまでとは少し違う絵があった。もちろん同じひとつの絵なのだが、見え方が微妙に違う。光の当たり方が違うし、絵の具の質感も違って見える。その絵にはやはり生き生きしたものが含まれている。しかしまたそれと同時に何かしら不足したものがある。しかしその不足の方向性が、さっきまでとは少しばかり違って見える。

いったい何が違うのだろう？　私は絵を見ることに意識を集中した。その違いが私にきっと何かしらを訴えかけているはずなのだ。その違いの中に示唆されているはずのものを、私はうまく見出さなくてはならない。私はそう感じた。私は白いチョークを持ってきて、そのスツールの三本脚の位置を床にマークした（位置A）。それからスツールを最初にあった位置（五十センチばかり横）に戻し、そこ（位置B）にもチョークでしるしをつけた。そしてその二つのポジションの間を行ったり来たりして、その二つの異なった角度から交互にひとつの絵を眺めた。

そのどちらの絵の中にも変わることなく免色がいたが、二つの角度では彼の見え方が不思議に違っていることに私は気がついた。まるで二つの異なった人格が彼の中に共存しているみたいにも見える。しかしどちらの免色にも、やはり共通して欠如しているものがあった。その欠如の共通性が、AとBの二つの免色を不在のままに統合していた。私はそこにある「不在する共通性」を見つけ出さなくてはならない。位置Aと位置Bと私自身とのあいだで三角測量をおこなうみたいに。その「不在する共通性」はいったいいかなるものなのだろう？　それ自体が形象を持つものなのだろうか、それとも形象を持たないものなのだろうか？　もし後者であるとすれば、私はどうやってそれを形象化すればいいのだろう？

かんたんなことじゃないかね、と誰かが言った。

私はその声をはっきりと耳にした。大きな声ではないが、よく通る声だった。曖昧なところがない。高くも低くもない。そしてそれはすぐ耳元で聞こえたようだった。

私は思わず息を呑み、スツールに腰掛けたままゆっくりあたりを見回した。しかしもちろんどこにも人の姿は見えなかった。朝の鮮やかな光が、床に水たまりのように溢れていた。窓は開け放たれて、遠くの方からゴミ収集車の流すメロディーが風に乗って微かに聞こえてきた。「アニー・ローリー」（なぜ小田原市のゴミ収集車がスコットランド民謡を流さなくてはならないのか、私には謎だった）。それ以外には何ひとつ音は聞こえない。

おそらく空耳なのだろうと私は思った。自分の声が聞こえたのかもしれない。それは私の心が意識下で発した声だったのかもしれない。しかし私が耳にしたのはいかにも奇妙なしゃべり方だった。かんたんなことじゃないかね、私はたとえ意識下であろうがそんな変なしゃべり方はしない。

私はひとつ大きく深呼吸をして、スツールの上から再び絵を見つめた。そして絵に意識を集中した。それは空耳であったに違いない。

わかりきったことじゃないか、とまた誰かが言った。その声はやはり私のすぐ耳元で聞こえた。

わかりきったこと？　と私は自分に向かって問いただした。いったい何がわかりきったことなんだ？

メンシキさんにあって、ここにないものをみつければいいんじゃないのかい、と誰かが言った。相変わらずとてもはっきりとした声だった。まるで無響室で録音された声のように残響がない。一音一音が明瞭に聞こえる。そして具象化された観念のように、自然な抑揚を欠いている。

私はもう一度あたりを見回した。今度はスツールから降りて、居間まで調べに行った。すべての部屋をいちおう点検してみた。でも家の中には誰もいなかった。もしいるとしても、屋根裏のみみずくくらいのものだ。しかしもちろんみみずくは口をきかない。そして玄関のドアには鍵がかかっていた。

スタジオのスツールが勝手に移動したあとは、このわけのわからない奇妙な声だ。天の声なのか、私自身の声なのか、それとも匿名の第三者の声なのか。いずれにせよ、私の頭は変調をきたし始めているのかもしれない、そう思わないわけにはいかなかった。あの真夜中の鈴の音以来、私は自分の意識の正当性にそれほど自信が持てなくなっていた。しかし鈴の音に関して言えば、免色もそこに同席し、私と同じようにその音をはっきり耳にしていた。だからそれが私の幻聴ではないことは客観的に証明された。私の聴覚はちゃんと正常に機能していたのだ。だとしたらこの不思議な声はいったい何なのだろう？

私はもう一度スツールに腰掛け、もう一度絵を眺めてみた。

メンシキさんにあって、ここにないものをみつければいい。まるで謎かけのようだ。深い森の中で迷った子供に、賢い鳥が教えてくれる道筋のようだ。免色にあってここにはないもの、それはいったい何だろう？

長い時間がかかった。時計が静かに規則正しく時を刻み、東向きの小さな窓から射し込んだ床の日だまりが音もなく移動した。鮮やかな色をした身軽な小鳥たちがやってきて柳の枝にとまり、しなやかに何かを探し、そして鳴きながら飛び去っていった。円い石盤のようなかたちをした白い雲が、列をなしていくつも空を流れていった。銀色の飛行機が一機、光った海に向かって飛んでいった。対潜哨戒をする自衛隊の四発プロペラ機だ。耳を澄ませ、目を凝らし、潜在を顕在化するのが彼らに与えられた日常の職務だ。私はそのエンジン音が近づいてきて去っていくのを聞いていた。

それから私はようやく、ひとつの事実に思い当たった。それは文字通り明白な事実だった。どうしてそんなことを忘れてしまっていたのだろう。免色にあって、私のこの免色のポートレイトにないもの。それはとてもはっきりしている。彼の白髪だ。降りたての雪のように純白の、あの見事な白髪だ。それを抜きにして免色を語ることはできない。どうしてそんな大事なことを私は見逃していたのだろう。

　私はスツールから起ち上がり、絵の具箱の中から急いで白い絵の具をかき集め、適当な絵筆を手にとって、何も考えずに分厚く、勢いよく、大胆に自由にそれを画面に塗り込んでいった。ナイフも使い、指先も使った。十五分ばかりその作業を続け、それからキャンバスの前を離れ、スツールに腰掛け、出来上がった絵を点検した。

　そこには免色という人間があった。免色は間違いなくその絵の中にいた。彼の人格は――それがどのような内容のものであれ――私の絵の中でひとつに統合され、顕在化されていた。私はもちろん免色という人間のありようを、正確に理解できてはいない。というか、何ひとつ知らないも同然だ。しかし画家としての私は彼を、総合的なひとつの形象として、腑分けできないひとつのパッケージとして、キャンバスの上に再現することができる。彼はその絵の中で呼吸をしている。彼の抱える謎さえもが、そのままそこにあった。

　しかしそれと同時に、その絵はどのような見地から見ても、いわゆる「肖像画」ではなかった。それは免色渉という存在を絵画的に、画面に浮かび上がらせることに成功している（と私は感じる）。しかし免色という人間の外見を描くことをその目的とはしていない（まったくしていない）。そこには大きな違いがある。それは基本的には、私が自分のために描いた絵だった。

　依頼主である免色が、そのような絵を自身の「肖像画」として認めてくれるかどうか、私には予測がつかなかった。その絵は彼が当初期待したものからは、何光年も離れたものになってしまっているかもしれない。私の好きなように自由に描いてくれればいい、スタイルについて何も注文はつけない、と免色は最初に言った。しかしそこにはひょっとして、免色自身がその存在を認めたくない何かしらネガティブな要素が、たまたま描き込まれてしまっているかもしれない。しかし彼がその絵を気に入ったとしても気に入らなかったとしても、私にはもう手の打ちようがなくなっていた。その絵はどう考えても既に私の手から、また私の意思から遠く離れたものになっていたからだ。

私はそれからなおも半時間近く、スツールに座ってそのポートレイトをじっと見つめていた。それは私自身が描いたものでありながら、同時に私の論理や理解の範囲を超えたものになっていた。どうやって自分にそんなものが描けたのか、私にはもう思い出せなくなっていた。それは、じっと見ているうちに自分にひどく近いものになり、また自分からひどく遠いものになった。しかしそこに描かれているのは疑いの余地なく、正しい色と正しい形をもったものだった。

出口を見つけつつあるのかもしれない、と私は思った。私は目の前に立ちはだかっていた厚い壁をようやく抜けつつあるのかもしれない。とはいえ、ものごとはまだ始まったばかりだ。手がかりらしきものを手にしたばかりなのだ。私はここでよほど注意深くならなくてはならない。自分に向かってそう言い聞かせながら、使用した何本かの絵筆とペインティング・ナイフから、時間をかけて絵の具を洗い落とした。オイルと石鹼を使って丁寧に手も洗った。それから台所に行って水をグラスに何杯か飲んだ。ずいぶん喉が渇いていた。

しかしそれにしても、いったい誰があのスタジオのスツールを移動させたのだろう（それは明らかに移動させられていた)。誰が私の耳元で奇妙な声で語りかけてきたのだろう(私は明らかにその声を耳にした)。誰が私に、あの絵に何が欠けているかを示唆したのだろう(その示唆は明らかに有効なものだった)。

おそらく私自身だ。私が無意識に椅子を動かし、私自身に示唆を与えたのだ。持って回った不思議なやり方で、表層意識と深層意識とを自在に交錯させて……。それ以外に私に思いつけるうまい説明はなかった。もちろんそれは真実ではなかったのだが。


午前十一時、食堂の椅子に座って、熱い紅茶を飲みながらあてもなく考えごとをしているときに、免色の運転する銀色のジャガーがやってきた。私はそのときまで、免色と前夜交わした約束をすっかり忘れてしまっていた。絵を描くことに夢中になっていたせいだ。それからあの幻聴だか空耳のこともあった。

免色？　どうして免色が今ここに来るのだろう？

「できれば、もう一度あの石室をじっくりと見てみたいのです」、免色は電話でそう言っていた。私は家の前でV8エンジンがいつもの唸りを止めるのを耳にしながら、そのことをようやく思い出した。

18

好奇心が殺すのは猫だけじゃない

私は自分から家の外に出て免色を迎えた。そんなことをするのは初めてだったが、とくに何か理由があって、その日に限ってそうしたわけではない。外に出て身体を伸ばし、新鮮な空気が吸いたくなっただけだ。

空にはまだ円い石盤のような形の雲が浮かんでいた。海の遥か沖の方でそんな雲がいくつもつくられ、それが南西からの風に乗って、ひとつひとつゆっくりと山の方に運ばれてくるのだ。いったいどのようにして、そんなに美しい完璧な円形が、おそらくはこれという実際的意図もなく次々に自然につくり出されていくのか、それは謎だ。あるいは気象学者にとっては謎でもなんでもないのかもしれないが、少なくとも私にとっては謎だ。この山の上に一人で住むようになってから、私は様々な種類の自然の驚異に心を惹かれるようになっていた。

免色は襟のついた、濃い臙脂(えんじ)色のセーターを着ていた。上品な薄手のセーターだ。そして青がかすれて今にも消えそうなほど淡い色合いのブルージーンズをはいていた。ブルージーンズはストレートで、柔らかな生地でできていた。私が見るところ（あるいは私の考えすぎなのかもしれないが）、彼はいつも白髪がきれいに際だつ色合いの服を意識して身につけているようだった。その臙脂色のセーターも白髪にとてもよく似合っていた。その白い髪は、いつものようにぴったり適度の長さに保たれていた。どのように処理しているのかはわからないが、彼の髪はそれ以上長くなることもなければ、それ以上短くなることもないようだった。

「まずあの穴に行って、中をのぞいて見てみたいのですが、かまいませんか？」と免色は私に尋ねた。「変わりはないか、ちょっと気になるもので」

もちろんかまわない、と私は言った。私もあれ以来、あの林の中の穴に近寄ったことはなかった。どうなっているのか見てみたい。

「申し訳ないのですが、あの鈴を持ってきてくれませんか」と免色は言った。

私は家に入り、スタジオの棚の上から古い鈴を持って戻ってきた。

免色はジャガーのトランクから、大型の懐中電灯を取りだし、それをストラップで首からかけた。そして雑木林に向かって歩き出した。私もそのあとについていった。雑木林はこの前に見たときより、いっそう濃く色づいているようだった。この季節には山は、一日ごとにその色を変化させていく。赤みを増す木があり、黄色に染まっていく木があり、いつまでも緑を保つ木がある。その取り合わせが美しかった。しかし免色はそんなことにはまったく関心を持たないようだった。

「この土地のことを少し調べてみました」と免色は歩きながら言った。「これまでにこの土地を誰が所有していたか、何に使われていたか、そういうことです」

「何かわかりました？」

免色は首を振った。「いいえ、ほとんど何もわかりませんでした。以前、何か宗教的なものに関連した場所ではないかと予想していたのですが、私の調べた限りではどうやらそういうこともなさそうです。どうしてここに祠やら石塚やらがつくられていたのか、その経緯はわかりません。もともとは何もないただの山地であったようです。そこが切りひらかれ、家が建てられた。雨田具彦さんがこの地所を家付きで購入したのは、一九五五年のことです。それまではある政治家が山荘として所有していました。たぶん名前はご存じないでしょうが、戦前には大臣までつとめた人です。戦後は引退同然の暮らしを送っていました。その人の前に誰がここを所有していたか、そこまでは辿れませんでした」

「こんな辺鄙(へんぴ)な山の中に政治家がわざわざ別荘を持つなんて、少し不思議な気がしますが」

「以前このあたりにはけっこう多くの政治家が山荘を持っていたんです。近衛文麿(このえふみまろ)の別荘も、たしか山をいくつか隔てたところにあったはずです。箱根や熱海に向かう道筋にあたるし、きっと何人かで集まって密談をおこなうにはうってつけの場所だったのでしょう。東京都内で要人が顔をあわせると、どうしても人目につきますから」

我々は蓋として穴に被せてあった何枚かの厚板をどかせた。

「ちょっと底に降りてみます」と免色は言った。「ここで待っていてくれますか?」

待っていると私は言った。

免色は業者が置いていってくれた金属製の梯子をつたって下に降りた。一段足を下ろすごとに梯子が軽い軋みを立てた。私はその姿を上から見下ろしていた。彼は穴の底に降りると、懐中電灯を首からはずしてスイッチを入れ、時間をかけてまわりを子細に点検した。石壁を撫でたり、拳で叩いたりした。

「この壁はずいぶんしっかり、緻密に造ってありますね」と免色は私の方を見上げて言った。「ただ井戸を途中まで埋めたというものではないように思えます。井戸ならおそらくもっと簡単な石積みで済ませるはずです。これほど丁寧に手をかけてこしらえたりしない」

「じゃあ、何か他の目的のために造られたということなのでしょうか？」

免色は何も言わずに首を振った。わからない、ということだ。「いずれにせよ、この壁は簡単には登れないようにできています。足をかけるような隙間がまったくありませんから。穴の深さは三メートルもありませんが、上までよじ登るのはむずかしそうだ」

「簡単に登れないようにこしらえてあるということですか？」

免色はまた首を振った。わからない。見当もつかない。

「ひとつお願いがあるのですが」と免色が言った。

「どんなことでしょう？」

「手間をとらせて申し訳ないのですが、この梯子を引き上げて、それからできるだけ光が入らないようにぴたりと蓋を閉めてくれませんか？」

私はしばらく言葉が出てこなかった。

「大丈夫です。何も心配することはありません」と免色は言った。「ここに、この真っ暗な穴の底に、一人で閉じ込められているというのがどういうことなのか、自分で体験してみたいだけです。ミイラになるつもりはまだありませんから」

「どれくらい長くそうしているつもりなんですか？」

「出してほしくなったら、そのときは鈴を振ります。鈴の音が聞こえたら、蓋を外して梯子を下ろしてください。もし一時間たっても鈴の音が聞こえないときには、そちらから蓋を外してください。一時間以上ここにいるつもりはありませんから。私がここにいることを、くれぐれも忘れないように。もしあなたが何かの加減で忘れてしまったら、私はそのままミイラになってしまいますから」

「ミイラとりがミイラになる」

免色は笑った。「まさにそのとおりです」

「まさか忘れたりはしませんが、でも本当に大丈夫ですか、そんなことをして？」

「ただの好奇心です。しばらく真っ暗な穴の底に座っていたいんです。懐中電灯はそちらに渡します。そのかわりに鈴を持たせてください」

彼は梯子を途中まで登って私に懐中電灯を差し出した。私はそれを受け取り、鈴を差し出した。彼は鈴を受け取って、軽く振った。くっきりとした鈴の音が聞こえた。

私は穴の底にいる免色に向かって言った。「でももし、ぼくが途中で凶暴なスズメバチの群れに刺され意識を失ってしまったら、あるいは死んでしまったら、あなたはこのままここから出られなくなってしまうかもしれませんよ。この世界では、何が起こるかわかったものじゃありませんから」

「好奇心というのは常にリスクを含んでいるものです。リスクをまったく引き受けずに好奇心を満たすことはできません。好奇心が殺すのは何も猫だけじゃありません」

「一時間経ったらここに戻ります」と私は言った。

「スズメバチにはくれぐれも気をつけて下さい」と免色は言った。

「免色さんも暗闇には気をつけて下さい」

免色はそれには返事をせず、私の顔をひとしきり見上げていた。下を向いている私の表情の中に何かの意味を読み取ろうとしているみたいに。しかしその視線にはどことなく漠然としたところがあった。まるで私の顔に焦点を合わせようとして、うまく合わせられないような。それはあまり免色らしくない、どこかあやふやな視線だった。彼はそれから思い直したように地面に腰を下ろし、湾曲した石壁に背中をもたせかけた。そして私に向かって小さく手を上げた。準備はできている、ということだ。私は梯子を引き上げて、厚板をできるだけぴたりと穴の上に被せ、その上にいくつか重しの石を置いた。木材と木材のあいだの細い隙間から少しくらいは光が入ってくるだろうが、それで穴の中はじゅうぶん暗くなったはずだった。私は蓋の上から中にいる免色に何か声をかけようかと思ったが、思い直してやめた。彼は孤独と沈黙を自ら求めているのだ。

私は家に帰って湯を沸かし、紅茶をいれて飲んだ。そしてソファに座って読みかけの本を読んだ。しかし鈴の音が聞こえないかとずっと耳を澄ませていたので、なかなか読書に意識を集中することができなかった。ほとんど五分ごとに腕時計に目をやった。そして真っ暗な穴の底に一人で座っている免色の姿を想像した。不思議な人物だ、と私は思った。自分で費用を持ってわざわざ造園業者を呼び、重機を使って石の山をどかせ、わけのわからない穴の口を開いた。そして今はその中に一人で閉じこもっている。というか、自ら志願してそこに閉じ込められている。

まあいいさ、と私は思った。そこにどんな必然性があるにせよ、意図があるにせよ（もし何らかの必然性や意図があるとすればだが）、それは免色の問題であって、すべて彼の判断に任せておけばいいのだ。私は他人が描いた図の中で、何も考えずに動いているだけだ。私は本を読むのをあきらめてソファに横になり、目を閉じた。でももちろん眠りはしなかった。今ここで眠ってしまうわけにはいかない。

結局鈴は鳴らないまま、一時間が経過した。あるいは私は何かの加減で、その音を聞き逃したのかもしれない。いずれにせよ蓋を開ける時刻だった。私はソファから立ち上がり、靴を履いて外に出て、雑木林の中に入った。スズメバチだかイノシシが現れるのではないかとふと不安になったが、スズメバチもイノシシも現れなかった。メジロのような小さな鳥が目の前を素速く横切っただけだった。私は林の中を進み、祠の裏にまわった。そして重しの石を取って、板を一枚だけどかせた。

「免色さん」と私はその隙間から声をかけた。しかし返事はなかった。隙間から見える穴の中は真っ暗で、そこに免色の姿を認めることはできなかった。

「免色さん」と私はもう一度呼びかけてみた。しかしやはり返事はない。私はだんだん心配になってきた。ひょっとして免色は姿を消してしまったのかもしれない。そこにあるはずのミイラがどこかに姿を消してしまったのと同じように。常識ではあり得ないことだったが、そのときの私は真剣にそう考えた。

私は板をもう一枚、手早くどかせた。そしてまた一枚。それで地上の光がようやく穴の底まで届いた。そしてそこに座り込んでいる免色の輪郭を、私は目にすることができた。

「免色さん。大丈夫ですか？」と私は少しほっとして声をかけた。

免色はその声でようやく意識が戻ったように顔を上げ、小さく頭を振った。そしていかにも眩しそうに両手で顔を覆った。

「大丈夫です」と彼は小さな声で答えた。「ただ、もう少しだけこのままにしておいてくれませんか。目が光に慣れるのに少し時間がかかります」

「ちょうど一時間経ちました。もっと長くそこに留まりたいというのであれば、また蓋をしますが」

免色は首を振った。「いや、もうこれで十分です。今はもういい。これ以上ここに居ることはできません。それは危険すぎるかもしれない」

「危険すぎる?」

「あとで説明します」と免色は言った。そして皮膚から何かをこすり落とすみたいに、両手でごしごしと顔をさすった。


五分ほどあとに彼はそろそろと立ち上がり、私が下ろした金属製の梯子を登ってきた。そして再び地上に立ち、ズボンについた埃を手で払い、それから目を細めて空を仰いだ。樹木の枝の間から青い秋の空が見えた。彼は長いあいだその空を愛おしそうに眺めていた。それから我々はまた板を並べて、穴を元通りに塞いだ。人が誤ってそこに落ちたりしないように。そしてその上に重しの石を並べた。私はその石の配置を頭に刻んでおいた。誰かがそれを動かしたときにわかるように。梯子は穴の中にそのまま残しておいた。

「鈴の音は聞こえませんでした」と私は歩きながら言った。

免色は首を振った。「ええ、鈴は鳴らしませんでした」

彼はそれ以上何も言わなかったので、私も何も尋ねなかった。

我々は歩いて雑木林を抜け、家に戻った。免色が先に立って歩き、私はそのあとに従った。免色は無言のまま、懐中電灯をジャガーのトランクにしまった。それから我々は居間に腰を下ろし、熱いコーヒーを飲んだ。免色はまだ口を開かなかった。何かについて真剣に考え込んでいるようだった。とくに深刻な顔をしたりするわけではないのだが、彼の意識がここから遠く離れた別の領域に移ってしまっていることは明らかだった。そしてそこはおそらく、彼一人の存在しか許されない領域なのだ。私はその邪魔をせず、彼を思考の世界にひたらせておいた。ちょうどシャーロック・ホームズに対してドクター・ワトソンがそうしていたように。

私はそのあいだとりあえずの自分の予定について考えていた。今日の夕方には車を運転して地上に降り、小田原駅の近くにある絵画教室に行かなくてはならない。そこで人々の描く絵を見てまわり、講師としてそれにアドバイスを与える。子供向けの教室と成人教室が続けてある日だ。それは私が日常の中で生身の人々と顔をあわせ、会話を交わすほとんど唯一の機会だった。もしその教室がなかったら、私はこの山の上で隠者同然の生活を送ることになっていただろうし、そんな一人きりの生活を続けていたら、政彦が言うように、精神のバランスが変調をきたしていたかもしれない(あるいはもう既にきたし始めているのかもしれないが)。

だから私としてはそのような現実の、言うなれば世俗の空気に触れる機会を与えられたことを感謝しなくてはならなかったはずだ。しかし実際には、なかなかそういう気持ちになれなかった。教室で顔を合わせる人々は私にとって、生身の存在というよりは、ただ目の前を通り過ぎていく影みたいなものに過ぎなかった。私は一人ひとりににこやかに応対し、相手の名前を呼び、作品を批評する。いや、批評とは呼べない。私はただ褒めるだけだ。ひとつひとつの作品にどこかしら良き部分を見つけて——もしなければ適当にこしらえて——褒める。

そんなわけで講師としての私の、教室内での評判は悪くないらしい。経営者の話によれば、多くの生徒が私に好感を持ってくれているようだ。それは私にとっては予想外のことだった。自分が他人にものを教えるのに向いていると思ったことは一度もなかったから。しかしそれも私にとってはどうでもいいことだ。人々に好かれても好かれなくても、どちらでもかまわない。私としてはできるだけ円滑に、支障なくその教室の仕事がこなせればいい。そうすることで雨田政彦に対する義理は果たされる。

いや、もちろんすべての人々が影であるわけではない。私はその中から二人の女性を選んで、個人的な交際をするようになったのだから。私と性的な関係を持つようになってから、彼女たちは絵画教室に通うことをやめた。たぶんなんとなくやりにくかったからだろう。そのことで私は責任のようなものを感じないでもなかった。

二人目のガールフレンド（年上の人妻）は明日の午後にここに来る。そして我々はしばしの時間ベッドの中で抱き合い、交わり合うだろう。だから彼女はただの通り過ぎていく影ではない。立体的な肉体を具えた現実の存在だ。あるいは立体的な肉体を具えた通り過ぎていく影だ。どちらなのか、私にも決められない。

免色が私の名前を呼んだ。私はそれではっと我に返った。知らないうちに私も、一人で深く考え込んでしまっていたようだった。

「肖像画のことです」と免色は言った。

私は彼の顔を見た。彼はいつもどおりの涼しげな顔に戻っていた。ハンサムで、常に冷静で思慮深く、相手を落ち着かせ安心させる顔だ。

「もしモデルとしてポーズをとることが必要なら、これからでもかまいませんよ」と彼は言った。「前の続きというか、私の方の用意はいつでもできています」

私はしばらく彼の顔を見ていた。ポーズ？　そう、彼は肖像画の話をしているのだ。私はうつむいて少し冷めたコーヒーを一口飲み、頭の中をひととおり整理してから、カップをソーサーに戻した。かたんという小さな乾いた音が私の耳に届いた。それから私は顔を上げ、免色に向かって言った。

「申し訳ないのですが、今日はこのあと絵画教室に教えにいかなくちゃならないんです」

「ああ、そうでしたね」と免色は言った。そして腕時計に目をやった。「そのことをすっかり忘れていました。あなたは小田原駅前の絵画教室で絵を教えておられるんだ。もうそろそろお出かけになりますか？」

「まだ大丈夫、時間はあります」と私は言った。「それからひとつ、あなたにお話ししておかなくちゃならないことがあるのです」

「どんなことでしょう？」

「実を言うと、作品は既に完成しているのです。ある意味においては」

免色は顔を僅かにしかめた。そして私の目をまっすぐ見た。私の目の奥にある何かを見定めるみたいに。

「それは私の肖像画のことですか？」

「そうです」と私は言った。

「それは素晴らしい」と免色は言った。顔には微かな笑みが浮かんでいた。「実に素晴らしい。しかしそのある意味というのはどういうことなのでしょう？」

「それを説明するのは簡単じゃありません。何かを言葉で説明するのが、もともと得意じゃないんです」

免色は言った。「ゆっくり時間をかけて、好きなように話して下さい。私はここで聞いていますから」

私は膝の上で両手の指を組んだ。そして言葉を選んだ。

私が言葉を選んでいるあいだ、まわりに沈黙が降りた。時間の流れる音が聴き取れそうなほどの沈黙だった。山の上では時間はとてもゆっくりと流れていた。

私は言った。「ぼくは依頼を受け、あなたをモデルにして一枚の絵を描きました。しかし正直に申し上げて、それはどう見ても〈肖像画〉と呼べるようなものではありません。ただ〈あなたをモデルとして描いた作品〉であるとしか言えないのです。そしてそれが作品として、商品としてどれほどの価値を持つものかも判断がつきません。ただ、それがぼくが描かなくてはならなかった絵であるということだけは確かです。しかしそれ以上のことは皆目わからない。正直なところ、ぼくはとても戸惑っています。いろんな状況がもっとクリアになるまで、その絵はあなたにお渡しせず、こちらに置いておいた方がいいのかもしれません。そういう気がします。ですから、受け取った着手金はそのままお返ししたいと思います。それからあなたの貴重な時間を潰させてしまったことについては心からお詫びします」

「肖像画ではないとあなたは言う」と免色は慎重に言葉を選ぶように質問した。「それはどのような意味合いにおいてなのですか？」

私は言った。「これまでずっとプロの肖像画家として生活してきました。肖像画というのは基本的に、相手が描いてもらいたいという姿に相手を描くことです。相手は依頼主であり、できあがった作品が気に入らなければ、『こんなものに金を払いたくない』と言われることだってあり得るわけですから。ですからその人物のネガティブな側面はできるだけ描かないようにします。良い部分だけを選んで強調し、できるだけ見栄え良く描くことを心がけます。そういう意味においてきわめて多くの場合、もちろんレンブラントみたいな人は別ですが、肖像画を芸術作品と呼ぶことはむずかしくなります。しかし今回の場合、この免色さんを描いた絵の場合、あなたのことなんて何も考えず、ただ自分のことだけを考えてこの絵を描いていました。言い換えるなら、モデルであるあなたのエゴよりは、作者である自分のエゴを率直に優先した絵になっています」

「そのことは私にとってはまったく問題にはなりません」と免色は微笑みを顔に浮かべたまま言った。「むしろ喜ばしいことです。あなたの好きなように描いてくれ、何も注文はつけない、最初にはっきりそう申し上げたはずです」

「そのとおりです。そうおっしゃいました。よく覚えています。心配しているのは、作品の出来よりはむしろ、ぼくがそこで何を描いてしまったのかということなのです。ぼくは自分を優先するあまり、何か自分が描くべきではないことを描いてしまったのかもしれない。ぼくとしてはそのことを案じているのです」

免色は私の顔をしばらく観察していた。それから口を開いた。「私の中にある、描くべきではなかったものごとをあなたは描いてしまったかもしれない。そのことをあなたは心配している。そういうことですか？」

「そういうことです」と私は言った。「自分のことしか考えなかったせいで、ぼくはそこにあるべきたがのようなものを外してしまったかもしれない」

そして何か不適切なものをあなたの中から引きずり出してしまったかもしれない、と私は言いかけて、思い直してやめた。その言葉は自分の中にしまい込んでおいた。

私の言ったことについて免色は長いあいだ考え込んでいた。

「面白い」と免色は言った。いかにも面白そうに。「ずいぶん興味深い意見です」

私は黙っていた。

免色は言った。「私は自分でも思うのですが、とてもたがが強い人間です。言い換えれば、自分をコントロールする力が強い人間です」

「知っています」と私は言った。

免色はこめかみを指で軽く押さえ、微笑んだ。「それで、その作品はもう完成しているのですね？　その私の〈肖像画〉は？」

私は肯いた。「完成しているとぼくは感じています」

「素晴らしい」と免色は言った。「とにかくその絵を見せていただけませんか？　実際にその絵を拝見してから、どうすればいいか二人で考えましょう。それでかまいませんか？」

「もちろん」と私は言った。

私は免色をスタジオに案内した。彼はイーゼルの正面に二メートルほど離れて立ち、腕組みをしてじっと絵を見つめた。そこにあるのは免色をモデルにしたポートレイトだった。いや、ポートレイトというよりは、絵の具の塊をそのまま画面にぶっつけたひとつの「形象」としか呼びようのないものだ。豊かな白髪は、吹き飛ばされた雪のような純白の激しいほとばしりになっている。それは一見して顔には見えない。顔としてあるべきものは色の塊の奥にそっくり隠されている。しかしそこには疑いの余地なく免色という人間が実在している——と（少なくとも）私には思える。

ずいぶん長いあいだ、彼はそのままの姿勢で、身動きひとつせずその絵を睨んでいた。文字どおり筋肉ひとつ動かさなかった。呼吸しているのかどうかすら定かではなかった。私は少し離れた窓際に立って、横手からその様子を観察していた。どれほどの時間が経過しただろう。私にはそれはほとんど永遠のように感じられた。絵を凝視している彼の顔からは、表情というものがそっくり消え失せていた。そして両方の目はどんよりと奥行きがなく、白く濁って見えた。まるで静かな水たまりが曇った空を反映させているみたいに。それは他者の近接をどこまでも拒む目だった。彼がその心の底で何を思っているのか、私には推測がつかなかった。

それから免色は、術者にぽんと手を叩かれて催眠状態を解かれた人のように、背筋をまっすぐ伸ばし、小さく身震いをした。そしてすぐに表情を回復し、目にいつもどおりの光を戻した。そして私の方にゆっくりと歩いてやってきて、右手を前に伸ばして私の肩に置いた。

「素晴らしい」と彼は言った。「実に見事だ。なんと言えばいいのだろう、これこそまさに私の求めていた絵です」

私は彼の顔を見た。その目を見て、彼が本当の気持ちをそのまま語っていることがわかった。彼は心から私の絵に感心し、心を動かされているのだ。

「この絵には私がそのまま表現されています」と免色は言った。「これこそが本来の意味での肖像画というものです。あなたは間違っていない。実に正しいことをした」

彼の手はまだ私の肩の上に置かれていた。ただそこに置かれているだけだったが、それでもその手のひらからは特別な力が伝わってくるようだった。

「しかしどのようにして、あなたはこの絵を発見することができたのですか？」と免色は私に尋ねた。

「発見した？」

「もちろんこの絵を描いたのはあなたです。言うまでもなく、あなたが自分の力で創造したものだ。しかしそれと同時に、ある意味ではあなたはこの絵を発見したのです。つまりあなた自身の内部に埋もれていたこのイメージを、あなたは見つけ出し、引きずり出したのです。発掘したと言っていいかもしれない。そうは思いませんか？」

そう言われればそうかもしれない、と私は思った。もちろん私は自分の手を動かし、自分の意志に従ってこの絵を描いた。絵の具を選んだのも私なら、絵筆やナイフや指を使ってその色をキャンバスに塗ったのも私だ。しかし見方を変えれば、私は免色というモデルを触媒にして、自分の中にもともと埋もれていたものを探り当て、掘り起こしただけなのかもしれない。ちょうど祠の裏手にあった石の塚を重機でどかせ、格子の重い蓋を持ち上げ、あの奇妙な石室の口を開いたのと同じように。そして私の周辺でそのような二つの相似した作業が並行して進行していたことに、私は因縁のようなものを見ないわけにはいかなかった。ここにあるものごとの展開はすべて、免色という人物の登場と、あの真夜中の鈴の音と共に開始されたようにも思えた。

免色は言った。「それは言うなれば深い海底で生じる地震のようなものです。目には見えない世界で、日の光の届かない世界で、つまり内なる無意識の領域で大きな変動が起こります。それが地上に伝わって連鎖反応を起こし、結果的に我々の目に見える形をとります。私は芸術家ではありませんが、そのようなプロセスの原理はおおよそ理解できます。ビジネス上の優れたアイデアもだいたいそれと似たような段階を経て生まれてくるからです。卓越したアイデアとは多くの場合、暗闇の中から根拠もなく現れてくる思念のことです」

免色はもう一度絵の前に立ち、すぐ近くに寄ってその画面を眺めた。そしてまるで細かい地図を読み取る人のように、細部を隅々まで注意深く点検した。それから今度は三メートルほど後ろに下がり、眼を細めて全体を見渡した。彼の顔には恍惚に似た表情が浮かんでいた。それは獲物を手中に収めようとしている有能な肉食鳥の姿を思わせた。でもその獲物とは何なのだろう？私の描いた絵なのか、私自身なのか、それともほかの何かなのか、それがわからなかった。しかしその恍惚に似た不思議な表情は、明け方の川面に漂う靄(もや)のように、ほどなく薄らいで消えていった。そしてそのあとをいつもの人当たりの良い、思慮深げな表情が埋めた。

彼は言った。「私は日頃から、自らを褒めるようなことはできるだけ口にしないように心がけているのですが、それでも自分の目に間違いがなかったことがわかって、正直なところいささかの誇らしさを感じています。私自身には芸術的な才能はありませんし、創作のようなことには無縁の人間ですが、優れた作品を認める目はそれなりに持っています。少なくとも自分ではそのように自負しています」

　それでも私にはまだ、免色の言葉をそのまま素直に受けとめて喜ぶことができなかった。絵を凝視しているときの、あの肉食鳥のような鋭い目つきが心にひっかかっていたせいかもしれない。

「じゃあ、この絵は免色さんの気に入っていただけたのですね？」と私は事実を確認するためにあらためて尋ねた。

「言うまでもないことです。これは本当に価値のある作品だ。私をモデルとしてモチーフとして、このような優れた力強い作品を描いていただけたことは、まさに望外の喜びです。そして言うまでもなく、依頼主としてこの絵は引き取らせていただきます。それでもちろんよろしいですね？」

「ええ。ただぼくとしては――」

　免色は素速く手を上げて私の言葉を遮った。「それで、もしよろしければ、この素晴らしい絵が完成したことを祝して、近々あなたを拙宅にご招待したいのですが、いかがでしょう？　昔風に言えば、一献振る舞いたいということです。もしそういうことがご迷惑でなければ」

「もちろん迷惑なんかじゃありませんが、しかしわざわざそんなことをしていただかなくても、もう十分――」

「いや、私がそうしたいんです。この絵の完成を二人で祝いたいのです。一度私のうちに夕食を食べにきてくれませんか。たいしたことはできませんが、ささやかな祝宴を張りましょう。あなたと私と二人だけで、他の人はいません。もちろんコックとバーテンダーは別ですが」

「コックとバーテンダー？」

「早川漁港の近くに、昔から親しくしているフレンチ・レストランがあります。その店の定休日に、コックとバーテンダーをこちらに呼びましょう。腕の確かな料理人です。新鮮な魚を使ってなかなか面白い料理を作ってくれます。実を言えば、この絵の一件とは関係なく、一度あなたをうちにご招待しようと思って、その準備を進めてはいたのです。でもちょうど良いタイミングでした」

驚きを顔に出さないようにするにはいささかの努力が必要だった。それだけの手配をするのにいったいどれほどの費用がかかるのか見当もつかないが、たぶん免色にとっては通常の範囲なのだろう。あるいは少なくとも、それほど常軌（じょうき）を逸（いっ）した行いではないのだろう。

免色は言った。「たとえば四日後はいかがですか？　火曜日の夜です。もしご都合がよろしければその段取りをします」

「火曜日の夜にはとくに予定はありません」と私は言った。

「じゃあ、火曜日で決まりです」と彼は言った。「それで今、この絵を持ち帰ってもかまわないでしょうか？　できればあなたがうちに見えるまでにきちんと額装をして、壁に飾りたいので」

「免色さん、あなたにはこの絵の中に本当にご自分の顔が見えるのですか？」と私はあらためて尋ねた。

「もちろんです」と免色は不思議そうな目で私を見て言った。「もちろんこの絵の中には私の顔が見えます。とてもくっきりと。それ以外にここに何が描かれているというのですか？」

「わかりました」と私は言った。それ以外に私に言えることはなかった。「もともと免色さんの依頼を受けて描いたものです。もし気に入られたのなら、作品は既にあなたのものです。ご自由になさって下さい。ただし絵の具はまだ乾いていません。だから十分注意して運んでください。それから額装をするのも、もう少し待たれた方がいいと思います。二週間ほど乾かしたあとの方が良いでしょう」

「わかりました。気をつけて扱います。額装も後日にまわします」

帰り際に玄関で彼は手を差し出し、我々は久しぶりに握手をした。彼の顔には満ち足りた笑みが浮かんでいた。

「それでは火曜日にお目にかかりましょう。夕方の六時頃に迎えの車をこちらに寄越します」

「ところで夕食にミイラは招かないのですか？」と私は免色に尋ねてみた。どうしてそんなことを口にしたのか、その理由は自分でもよくわからない。でも突然ふとミイラのことが頭に浮かんだのだ。そしてそう言わずにはいられなかった。

免色は探るように私の顔を見た。「ミイラ？　いったい何のことでしょう？」

「あの石室の中にいたはずのミイラのことです。毎夜鈴を鳴らしていたはずなのに、鈴だけを残してどこかに消えてしまった。即身仏というべきなのかな。ひょっとして彼もおたくに招待されたがっているのではないでしょうか。『ドン・ジョバンニ』の騎士団長の彫像と同じように」

少し考えて、免色はようやく腑に落ちたというように明るい笑みを浮かべた。「なるほど。ドン・ジョバンニが騎士団長の彫像を招待したのと同じように、私がミイラを夕食の席に招待すればどうかということですね」

「そのとおりです。これも何かの縁かもしれません」

「いいですよ。私はちっともかまいません。お祝いの席です。もしミイラが夕食に加わりたいのであれば、喜んで招待しましょう。なかなか興味深い夕べになることでしょう。でもデザートにはどんなものを出せばいいのだろう？」、彼はそう言って楽しそうに笑った。「ただ問題は、本人の姿が見当たらないことです。本人がいないことには、こちらとしても招待のしようもありません」

「もちろん」と私は言った。「でも目に見えることだけが現実だとは限らない。そうじゃありませんか？」

　免色はその絵を大事そうに両手で抱えて運び、まずトランクから古い毛布を出して助手席のシートに敷いた。そしてその上に、絵の具がついたりしないように絵を寝かせて置いた。そして細いロープと二つの段ボール箱を使って、動かないように注意深くしっかりと固定した。とても要領がいい。とにかく車のトランクには様々な道具が常備されているようだった。

「そうですね、たしかにあなたのおっしゃるとおりかもしれません」と帰り際に免色はふと呟くように言った。彼は両手を革のハンドルの上に置いて、私の顔をまっすぐ見上げていた。

「ぼくの言うとおり？」

「つまり我々の人生においては、現実と非現実との境目がうまくつかめなくなってしまうことが往々にしてある、ということです。その境目はどうやら常に行ったり来たりしているように見えます。その日の気分次第で勝手に移動する国境線のように。その動きによほど注意していなくてはいけない。そうしないと自分が今どちら側にいるのかがわからなくなってしまいます。私がさきほど、これ以上この穴の中に留まっているのは危険かもしれないと言ったのは、そういう意味です」

私にはそれに対してうまく言葉を返すことができなかった。そして免色もそれ以上は話を進めなかった。彼は開けた窓から私に手を振り、Ｖ８エンジンを心地よく響かせながら、まだ絵の具の乾ききっていない肖像画と共に私の視界から消えていった。

19

私の後ろに何か見える？

　土曜日の午後の一時に、ガールフレンドが赤いミニに乗ってやってきた。私は外に出て彼女を迎えた。彼女は緑色のサングラスを掛け、ベージュのシンプルなワンピースの上に軽いグレーのジャケットを羽織っていた。

「車の中がいい？　それともベッドの方がいい？」と私は尋ねた。

「馬鹿ねえ」と彼女は笑って言った。

「車の中もなかなか悪くなかった。狭い中でいろいろと工夫するところが」

「またそのうちにね」

　我々は居間に座って紅茶を飲んだ。少し前から取り組んでいた免色の肖像画（らしきもの）を無事に完成させたことを、私は彼女に話した。そしてその絵は、私がこれまで業務として描いていたいわゆる「肖像画」とはずいぶん違う性質のものになってしまったことを。話を聞いて、彼女はその絵に興味を持ったようだった。

「私がそれを見ることはできる？」

私は首を振った。「一日遅かったね。君の意見も聞いてみたかったんだけど、免色さんがもう家に持ち帰ってしまった。まだ絵の具も十分に乾いていないんだけど、一刻も早く自分のものにしたいみたいだった。まるで他の誰かに持って行かれるんじゃないかと心配しているみたいに」

「じゃあ、気に入ったのね」

「気に入っていると本人は言ったし、それを疑う理由もとくに見当たらなかった」

「絵は無事に完成して、依頼主にも気に入ってもらえた。つまりすべてはうまくいったということね？」

「たぶん」と私は言った。「そしてぼく自身も絵の出来に手応えを感じている。それはこれまでにぼくが描いたことのない種類の絵だったし、そこには新しい可能性みたいなものが含まれていると思うから」

「新しいスタイルの肖像画ということかしら」

「さあ、どうだろう。今回は免色さんをモデルにして描くことを通して、その方法にたどり着くことができた。つまり肖像画というフレームをとりあえず入り口にすることで、たまたまそれが可能になったということかもしれない。もう一度同じ方法が通用するのかどうか、それはぼくにもわからない。今回は特別だったのかもしれない。免色さんというモデルがたまたま特殊な力を発揮したのかもしれない。でも何より大事なことは、ぼくの中にまた真剣に絵を描きたいという気持ちが生まれたことだと思う」

「とにかく、絵が完成しておめでとう」

「ありがとう」と私は言った。「少しまとまった額の収入が得られることにもなる」

「とても気前の良いメンシキさん」と彼女は言った。

「そして免色さんは、絵が完成したことを祝って、自宅にぼくを招待してくれている。火曜日の夜、夕食を一緒にするんだ」

私はその夕食会のことを彼女に話した。もちろんミイラを招待したことは抜きにして。プロのコックとバーテンダー、二人きりの夕食会。

「あなたはようやく、あの白亜の邸宅に足を踏み入れることになるのね」と彼女は感心したように言った。「謎の人の住む謎のお屋敷に。興味津々。どんなところだかよく見てきてね」

「目の届く限り」

「出てくる料理の内容も忘れないように」

「できるだけ覚えておくようにする」と私は言った。「ところでこのあいだたしか、免色さんについて何か新しい情報が手に入ったと言っていたよね」

「そう、いわゆる『ジャングル通信』で」

「どんな情報なんだろう？」

彼女は少し迷ったような顔をした。そしてカップを持ち上げ、紅茶を一口飲んだ。

「その話はもっとあとにしない」と彼女は言った。「それより前に少しばかりやりたいことがあるから」

「やりたいこと？」

「口にするのがはばかられるようなこと」

そして我々は居間から寝室のベッドに移動した。いつものように。

私は六年間、ユズと共に最初の結婚生活を送っていたわけだが（前期結婚生活、と呼んでいいだろう）、そのあいだ他の女性と性的な関係を持ったことは一度もなかった。そういう機会がまったくなかったわけではないのだが、私はその時期、よその場所に行って別の可能性を追求するよりは、妻と一緒に穏やかに生活を送ることの方により強い興味を持っていた。また性的な観点から見ても、ユズと日常的にセックスをすることで私の性欲は十分満たされていた。

しかしあるとき妻が何の前触れもなく（と私には思える）「とても悪いと思うけど、あなたと一緒に暮らすことはこれ以上できそうにない」と打ち明ける。それは揺らぎのない結論であって、交渉や妥協の余地はどこにも見当たらない。私は混乱し、どう反応すればいいのかわからない。言葉が出てこない。でもとにかくもうここにいられないということだけは理解できる。

だから身の回りの荷物を簡単にまとめて古いプジョー２０５に積み込み、放浪の旅に出る。春の初めの一ヶ月半ばかり、まだ寒さの残る東北と北海道を私は移動し続ける。とうとう車が壊れて動かなくなるまで。そして旅をしているあいだずっと、夜になると私はユズの身体を思い出した。その肉体のひとつひとつの細かい部分まで。そこに手を触れたときに彼女がどんな反応を見せ、どんな声をあげるか。思い出したくはなかったのだが、思い出さないわけにはいかなかった。そしてときおり、私はそのような記憶を辿りながら一人で射精した。そんなこともしたくはなかったのだけれど。

でもその長い旅行のあいだ、ただ一度だけ生身の女性と性交したことがある。わけのわからない不思議な成り行きで、私はその見知らぬ若い女と一夜のベッドを共にすることになった。私の方から求めてそういうことになったわけではなかったのだが。

それは宮城県の海岸沿いの小さな町での出来事だった。岩手県との県境に近いあたりだったと記憶しているが、その時期私は日々細かく移動を続け、似たような町をいくつも通過してきた。町の名前をいちいち覚えている余裕もなかった。大きな漁港があったことを覚えている。しかしそのへんの町にはたいてい大きな漁港があった。そしてどこにもディーゼル油と魚の匂いが漂っていた。

町外れの国道沿いにファミリー・レストランがあり、そこで私は一人で夕食をとっていた。午後の八時頃のことだ。海老カレーとハウスサラダ。店の中に客は数えるほどしかいなかった。私が窓際のテーブルで、一人で文庫本を読みながら食事をしていると、私の向かいの席に出し抜けに一人の若い女が座った。彼女はまったく躊躇することもなく、私にひとこと断るでもなく、無言でそのビニール張りのシートに素速く腰を下ろした。まるで世界中にこれ以上当たり前のことはないという様子で。

私は驚いて顔を上げた。もちろんその女の顔に見覚えはなかった。まったくの初対面だ。突然のことなので、事情がよく理解できなかった。テーブルは他にいくらでも空いている。わざわざ私と相席するような理由はない。あるいはこの町では、こんなことはむしろありふれた出来事なのだろうか？　私はフォークを置いて、紙ナプキンで口許を拭い、彼女の顔をぼんやり眺めていた。

「知り合いのような顔をして」と彼女は手短に言った。「ここで待ち合わせをしていたみたいな」。ハスキーな声と言っていいかもしれない。あるいは緊張が彼女の声を一時的にしゃがれさせているだけかもしれない。声には微かな東北訛りが聞き取れた。

私は読んでいた本にしおりをはさんで閉じた。女はたぶん二十代半ばだろう。襟の丸い白いブラウスに、紺色のカーディガンを羽織っていた。どちらもあまり上等なものとは言えない。とくに洒落てもいない。人が近所のスーパーマーケットに買い物に行くときに着ていくような、ごく普通の服だ。髪は黒く短く、前髪が額に落ちていた。化粧気はあまりない。そして黒い布製のショルダーバッグを膝に載せていた。

これという特徴のない顔立ちだった。顔立ちそのものは悪くないのだが、それが与える印象が希薄なのだ。通りですれ違ってもほとんど印象に残らない顔だ。そのまま通り過ぎて忘れてしまう。彼女は薄くて長い唇をまっすぐ結び、鼻で呼吸していた。呼吸がいくらか荒くなっているようだった。鼻孔が小さく膨らみしぼんだ。鼻は小さく、口の大きさに比べてバランスを欠いていた。まるで塑像（そぞう）を造っている人が途中で粘土が足りなくなって、鼻のところを少し削ったみたいに。

「わかった？　知り合いのような顔をしていて」と彼女は繰り返した。「そんなびっくりした顔をしていないで」

「いいよ」とわけがわからないまま私は返事をした。

「そのまま普通に食事を続けて」と彼女は言った。「そして私と親しく話をしているふりをしてくれる？」

「どんな話を？」

「東京の人なの？」

私は肯いた。フォークを取り上げ、プチトマトをひとつ食べた。そしてグラスの水をひとくち飲んだ。

「しゃべり方でわかる」と彼女は言った。「でもどうしてこんなところにいるの？」

「たまたま通りかかったんだ」と私は言った。

生姜(しょうが)色の制服を着たウェイトレスが、分厚いメニューを抱えてやってきた。驚くほど胸の大きなウェイトレスで、制服のボタンが今にもはじけ飛びそうに見えた。私の向かいに座った女はメニューを受け取らなかった。ウェイトレスの顔さえ見上げなかった。私の顔をまっすぐ見ながら「コーヒーとチーズケーキ」と言っただけだった。まるで私に注文するみたいに。ウェイトレスは黙って肯き、持ってきたメニューをそのまま抱えて歩き去った。

「何か面倒なことに巻き込まれているの？」と私は尋ねた。

彼女はそれには答えなかった。まるで私の顔を値踏みするみたいにじっと見ているだけだった。

「私の後ろに何か見える？　誰かいる？」と彼女は尋ねた。

私は彼女の背後に目をやった。普通の人々が普通に食事をしているだけだ。新しい客も入ってきていない。

「何もない。誰もいない」と私は言った。

「もう少しそのまま様子を見ていて」と彼女は言った。「何かあったら教えて。さりげなく会話を続けて」

我々の座ったテーブルから店の駐車場が見えた。私の埃だらけの小さな古いプジョーが駐まっているのが見えた。他には二台の車が駐まっていた。銀色の軽自動車が一台と、背の高い黒のワンボックス・カーだ。ワンボックス・カーは新車のように見える。どちらもしばらく前から駐まっている。新しくやってきた車は見えない。女はたぶん歩いてこの店まで来たのだろう。それとも誰かに車でここまで送ってもらったか。

「たまたまここを通りかかった？」と女が言った。

「そうだよ」

「旅行をしているの？」

「まあね」と私は言った。

「どんな本を読んでいたの？」

私は読んでいた本を彼女に見せた。それは森鷗外の『阿部一族』だった。

「『阿部一族』」と彼女は言った。そして本を私に返した。「どうしてこんな古い本を読んでいるの？」

「少し前に泊まった青森のユースホステルのラウンジに置いてあったんだ。ぱらぱら読んでみたら面白そうだったので、そのまま持ってきた。かわりに読み終えた本を何冊か置いてきた」

「『阿部一族』って読んだことないわ。面白い？」

私はその本を読み終え、もう一度読み返していた。話がなかなか面白かったこともあるが、森鷗外がいったい何のために、どのような観点からそんな小説を書いたのか、書かなくてはならなかったのか、うまく理解できなかったということもある。でもそんな説明を始めると話が長くなる。ここは読書クラブではない。それにこの女は二人で自然に会話をするために（少なくともそのように周りの目には映ることを目的として）、目についた適当な話題を持ち出しているだけなのだ。

「読む価値はあると思う」と私は言った。

「何をしている人？」と彼女は尋ねた。

「森鷗外のこと？」

彼女は顔をしかめた。「まさか。森鷗外なんてどうでもいい。あなたのことよ。何をしている人なの？」

「絵を描いている」と私は言った。

「画家」と彼女は言った。

「そう言ってもいいと思う」

「どんな絵を描いているの？」

「肖像画」と私は言った。

「肖像画って、あの、よく会社の社長室の壁に掛かっているような絵のこと？　偉い人が偉そうな顔をしているやつ」

「そうだよ」

「それを専門に描いているわけ？」

私は肯いた。

彼女はもうそれ以上絵の話はしなかった。たぶん興味を失ったのだろう。世の中の大抵の人間は、描かれる人間は別にして、肖像画になんてこれっぽちも興味を持ってはいない。

そのとき入り口の自動ドアが開いて、中年の長身の男が一人入ってきた。黒い革のジャンパーを着て、ゴルフメーカーのロゴが入った黒いキャップをかぶっていた。彼は入り口に立って店の中をぐるりと見回してから、我々のテーブルから二つ離れた席を選び、こちら向きに座った。帽子を脱ぎ、手のひらで何度か髪を撫で、胸の大きなウェイトレスが持ってきたメニューを子細に眺めた。髪は短く刈り込まれ、白髪が混じっていた。痩せて、まんべんなく日焼けしていた。額には波打つような深い皺が寄っていた。

「男が一人入ってきた」と私は彼女に言った。

「どんな男？」

私はその男の外見的特徴を簡単に説明した。

「絵に描ける？」と彼女は尋ねた。

「似顔絵のようなもの？」

「そう。だって画家なんでしょう？」

私はポケットからメモ帳を取りだし、シャープペンシルを使ってその男の顔を素早く描いた。陰翳(いんえい)までつけた。その絵を描きながら、男の方をちらちらと見る必要もなかった。私には人の顔の特徴を一目で素速く捉え、脳裏に焼き付ける能力が具わっている。そしてその似顔絵をテーブル越しに彼女に差し出した。彼女はそれを手に取り、目を細め、まるで銀行員が疑わしい小切手の筆跡を鑑定するときのように、長い時間じっと睨んでいた。それからそのメモ用紙をテーブルの上に置いた。

「ずいぶん絵が上手なのね」と彼女は私の顔を見て言った。少なからず感心しているようにも見えた。

「それがぼくの仕事だから」と私は言った。「で、この男は君の知り合いなの？」

彼女は何も言わず、ただ首を横に振った。唇をぎゅっと結んだきり、表情を変えなかった。そして私の描いた絵を四つに折り畳んで、ショルダーバッグにしまった。なぜ彼女がそんなものをとっておくのか、私には理由がよく理解できなかった。丸めて捨ててしまえばいいだけなのに。

「知り合いではない」と彼女は言った。

「でも君はこの男にあとを追われているとか、そういうこと？」

彼女はそれには返事をしなかった。

さっきと同じウェイトレスがチーズケーキとコーヒーを持ってやってきた。女はウェイトレスがいなくなるまでそのまま口を閉ざしていた。それからフォークでチーズケーキを一口分切り取り、皿の上で何度か左右に動かした。アイスホッケーの選手が氷上で試合前の練習をしているみたいに。やがてそのかけらを口に入れ、ゆっくり無表情に咀嚼（そしゃく）した。食べ終えると、コーヒーに少しだけクリームを入れて飲んだ。そしてチーズケーキの皿を脇に押しやった。もうこれ以上は存在の必要がないというみたいに。

駐車場には白いSUVが新たに加わっていた。ずんぐりとした背の高い車だ。頑丈そうなタイヤがついている。さっき入ってきた男が運転してきた車らしかった。頭から前向きに駐車している。荷室ドアにつけられた予備のタイヤ・ケースには「SUBARU FORESTER」というロゴが入っていた。私は海老カレーを食べ終えた。ウェイトレスがやってきて皿を下げ、私はコーヒーを注文した。

「長く旅行しているの？」と女が尋ねた。

「けっこう長くなる」と私は言った。

「旅行は面白い？」

面白いから旅行をしているわけではない、というのが私にとっての正しい答えだった。しかしそんなことを言い出すと話が長く、ややこしくなってしまう。

「まずまず」と私は答えた。

彼女は珍しい動物でも見るような目で私を正面から見ていた。「すごく短くしか話さない人なのね」

話す相手による、というのが私にとっての正しい答えだった。しかしそんなことを言い出すとまた話が長く、ややこしくなってしまう。

コーヒーが運ばれてきて、私はそれを飲んだ。コーヒーらしい味はしたが、それほどうまいものではなかった。でも少なくともそれはコーヒーだったし、しっかり温かかった。そのあと客は誰も入ってこなかった。革ジャンパーを着た白髪混じりの男は、よく通る声でハンバーグステーキとライスを注文した。

スピーカーからはストリングスの演奏する「フール・オン・ザ・ヒル」が流れていた。その曲を実際に作曲したのがジョン・レノンだったかポール・マッカートニーだったか、どちらか思い出せなかった。たぶんレノンだろう。私はそんなどうでもいいことを考えていた。他に何を考えればいいか、わからなかったからだ。

「車に乗ってきたの？」

「うん」

「どの車?」

「赤いプジョー」

「どこのナンバー?」

「品川」と私は言った。

彼女はそれを聞いて顔をしかめた。まるで品川ナンバーの赤いプジョーに、何かひどく嫌な思い出でもあるみたいに。それからカーディガンの袖をひっぱって直し、白いブラウスのボタンがきちんと上までかかっていることを確かめた。そして紙ナプキンで唇を軽く拭った。

「行きましょう」と彼女は唐突に言った。

そしてグラスの水を半分飲み、席から起ち上がった。彼女のコーヒーは一口飲まれたまま、チーズケーキは一口囓られたまま、テーブルの上に残されていた。まるで何か大きな惨事の現場のように。

どこに行くのかはわからなかったが、私も彼女のあとから起ち上がった。そしてテーブルの上の勘定書を手に取り、レジで代金を払った。女の注文したぶんも一緒になっていたが、彼女はそれに対してとくにありがとうも言わなかった。自分のぶんを払おうという気配もまったく見せなかった。

我々が店を出て行くとき、新しく入ってきた白髪混じりの中年の男は、とくに面白くもなさそうにハンバーグステーキを食べていた。顔を上げて我々の方をちらりと見たが、それだけだった。またすぐ皿に目を戻し、ナイフとフォークを使って、無表情に料理を食べ続けた。女はその男にはまったく目をくれなかった。

白いスバル・フォレスターの前を通り過ぎるとき、リアバンパーに魚の絵を描いたステッカーが貼ってあることに目を止めた。たぶんカジキマグロだろう。どうしてカジキマグロのステッカーを車に貼らなくてはならないのか、その理由はもちろんわからない。漁業関係者なのか、それとも釣り師なのか。

彼女は行く先を言わなかった。助手席に座り、進む道を簡潔に指示するだけだった。彼女はこのあたりの道筋を熟知しているようだった。この町の出身か、あるいはここに長く住んでいるか、どちらかだ。私は指示されるままにプジョーを運転した。街から遠ざかるようにしばらく国道を進むと、派手なネオン・サインのついたラブホテルがあった。私は言われるままにその駐車場に入り、エンジンを切った。

「今日はここに泊まることにする」と彼女は宣言するように言った。「うちに帰ることはできないから。一緒に来て」

「でも今夜はべつのところに泊まることになっているんだ」と私は言った。「チェックインもしたし、荷物も部屋に置いてある」

「どこに？」

私は鉄道駅の近くにある小さなビジネス・ホテルの名前をあげた。

「そんな安ホテルより、こっちの方がずっといいよ」と彼女は言った。「どうせ押し入れくらいの広さしかないしけた部屋でしょ？」

たしかにそのとおりだった。押し入れくらいの広さしかないしけた部屋だ。

「それにこういうところはね、女が一人で来てもなかなか受け付けてくれないの。商売女だと思われて警戒されるから。いいからとにかく一緒に来て」

少なくとも彼女は娼婦ではないのだ、と私は思った。

私は受付で一泊ぶんの部屋代を前払いし（彼女はそれに対してもやはり感謝の素振りは見せなかった）、鍵を受け取った。部屋に入ると彼女はまず風呂に湯を入れ、テレビのスイッチを入れ、照明を細かく調節した。広々とした浴槽だった。たしかにビジネス・ホテルよりはずっと居心地が良い。女は以前にもここに——あるいはここによく似たところに——何度か来たことがあるように見えた。それからベッドに腰掛けてカーディガンを脱いだ。白いブラウスを脱ぎ、巻きスカートを脱いだ。ストッキングもとった。とても簡素な白い下着を彼女は身につけていた。とくに新しいものでもない。普通の主婦が近所のスーパーマーケットに買い物に行くときに身につけるような下着だ。そして背中に器用に手を回してブラジャーをとり、畳んで枕元に置いた。乳房はとくに大きくもなく、とくに小さくもなかった。

「いらっしゃいよ」と彼女は私に言った。「せっかくこういうところに来たんだから、セックスをしよう」

それが私がその長い旅行（あるいは放浪）のあいだに持った、唯一の性的な体験だった。思いのほか激しいセックスだった。彼女は全部で四度オーガズムを迎えた。信じてもらえないかもしれないが、どれも間違いなく本物だった。私も二度射精した。でも不思議なことに、私の側にはそれほどの快感はなかった。彼女と交わっているあいだ、私の頭は何か別のことを考えているみたいだった。

「ねえ、あなたひょっとして、ここのところけっこう長くセックスしてなかったんじゃない？」と彼女は私に尋ねた。

「何ヶ月も」と私は正直に答えた。

「わかるよ」と彼女は言った。「でも、どうしてかな？　あなたって、そんなに女の人にモテないようにも見えないんだけど」

「いろいろと事情があるんだ」

「かわいそうに」と女は言って、私の首を優しく撫でた。「かわいそうに」

かわいそうに、と私は頭の中で彼女の言葉を繰り返した。そう言われると、本当に自分がかわいそうな人間であるように思えた。知らない町の、わけのわからない場所で、事情も理解できないまま、名前も知らない女と肌を重ねている。

セックスとセックスの合間に、冷蔵庫のビールを二人で何本か飲んだ。眠ったのはたぶん午前一時頃だろう。翌朝目が覚めたとき、彼女の姿はどこにも見当たらなかった。書き置きのようなものもなかった。私は一人でやけに広いベッドに寝ていた。時計の針は七時半を指して、窓の外はすっかり明るくなっていた。カーテンを開けると海岸線と並行して走る国道が見えた。鮮魚を輸送する大型の冷凍トラックが、大きな音を立ててそこを行き来していた。世の中には空しいことはたくさんあるが、ラブホテルの部屋で朝に一人で目を覚ますくらい空しいことはそれほど多くないはずだ。

私はふと気になって、ズボンのポケットに入れた財布の中身を点検してみた。中身はそのままそっくり残っていた。現金もクレジット・カードもATMのカードも免許証も。私はほっとした。もし財布をとられたりしたら、途方に暮れてしまうところだった。そしてそういうことが起こる可能性だって、まったくなかったわけではないのだ。用心しなくてはならない。

彼女はたぶん明け方に、私がぐっすり眠っているあいだに、一人で部屋を出て行ったのだろう。しかしどうやって町まで（あるいは彼女の住んでいるところまで）帰ったのだろう？　歩いて帰ったのか、それともタクシーを呼んだのか？　でも私にとってそれはもうどうでもいいことだった。考えてどうなることではない。

受付で部屋の鍵を返し、飲んだビールの代金を支払い、プジョーを運転して町に帰った。駅前のビジネス・ホテルの部屋に置きっぱなしにしたバッグを引き取り、一泊分の勘定を精算しなくてはならない。町に向かう道筋、昨夜入ったファミリー・レストランの前を通りかかった。私はそこで朝食をとることにした。ひどく腹が減っていたし、熱いブラック・コーヒーも飲みたかった。車を駐車スペースに停めようとしたとき、少し先に白いスバル・フォレスターを見かけた。前向きに駐車され、リアバンパーにはやはりカジキマグロのステッカーが貼られている。間違いなく昨夜見かけたのと同じスバル・フォレスターだ。ただ車が停まっているスペースは昨夜とは違っている。当たり前の話だ。こんなところで人がひと晩過ごすわけはない。

私は店の中に入った。店はやはりがらがらだった。予想したとおり、昨夜と同じ男がテーブル席で朝食を食べていた。昨夜とおそらく同じテーブルで、昨夜と同じ黒い革のジャンパーを着ていた。昨夜と同じYONEXのロゴのついた黒いゴルフ・キャップが、テーブルの上に同じように置かれていた。昨夜と違っているのは、テーブルの上に朝刊が畳まれて置かれていることだけだった。彼の前にはトーストとスクランブル・エッグのセットがあった。少し前に運ばれてきたものらしく、コーヒーがまだ湯気を立てていた。私がそばを通りかかったとき、男は顔を上げて私の顔を見た。その目は昨夜見たときよりずっと鋭く、冷たかった。そこには非難の色さえうかがえた。少なくとも私にはそう感じられた。

おまえがどこで何をしていたかおれにはちゃんとわかっているぞ、と彼は告げているようだった。

それが宮城県の海岸沿いの小さな町で私が経験したことの一部始終だ。その鼻の小さな、歯並びのひどくきれいな女が、その夜私に何を求めていたのか、今でもまるで理解できない。そして白いスバル・フォレスターに乗っていた中年男が、果たして彼女のあとを追っていたのか、彼女がその男から逃れようとしていたのか、それもはっきりとしない。しかしとにかく私はたまたまそこに居合わせ、不思議な成り行きによってその初対面の女と派手なラブホテルに入り、一夜かぎりの性的関係を持った。そしてそれは私がこれまでの人生で経験した中で、おそらく最も激しいセックスだった。それなのに私はその町の名前さえ記憶していない。

「ねえ、水を一杯もらえないかな」、人妻のガールフレンドがそう言った。彼女はセックスのあとの短い午睡からついさっき覚めたばかりだった。

我々は昼下がりのベッドの中にいた。彼女が眠っているあいだ、私は天井を見上げながら、その漁港の町で起こった不思議な出来事を思い返していた。まだ半年しか経っていないのに、それはずいぶん遠い昔に起こったことのように私には思えた。

私は台所に行ってミネラル・ウォーターを大きなグラスに入れ、ベッドに戻ってきた。彼女はそれを一口で半分飲んだ。

「で、メンシキさんのことだけど」と彼女はグラスをテーブルの上に置いて言った。

「免色さんのこと？」

「メンシキさんについての新しい情報」と彼女は言った。「あとで話すってさっき言ったでしょう」

「ジャングル通信」

「そう」と彼女は言った。そしてもう一口水を飲んだ。「お友だちのメンシキさんは、話によればけっこう長いあいだ東京拘置所に入れられていたみたいよ」

私は身を起こして彼女の顔を見た。「東京拘置所？」

「そう、小菅（こすげ）にあるやつ」

「しかし、いったいどんな罪状で？」

「うん、詳しいことはよくわからないんだけれど、たぶんお金がらみのことだと思う。脱税か、マネー・ロンダリングか、インサイダー取り引きみたいなことか、あるいはそのすべてか。彼が勾留されたのは、六年か七年くらい前のことらしい。メンシキさんはどんな仕事をしているって、自分では言っていた？」

「情報に関連した仕事をしていたと言っていた」と私は言った。「自分で会社を立ち上げ、何年か前にその会社の株を高値で売却した。今はキャピタル・ゲインで暮らしているということだった」

「情報に関連した仕事というのはすごく漠然とした言い方よね。考えてみれば、今の世の中で情報に関連していない仕事なんてほとんど存在しないも同然だもの」

「誰からその拘置所の話を聞いたの？」

「金融関係の仕事をしている夫を持つお友だちから。でもその情報がどこまで本当か、それはわからない。誰かが誰かから聞いた話を、誰かに伝えた。その程度のことかもしれない。でも話の様子からすると、根も葉もない話ではないという気がする」

「東京拘置所に入っていたというと、つまり東京地検に引っ張られたということだ」

「結局は無罪になったみたいだけど」と彼女は言った。「それでもずいぶん長く勾留され、相当に厳しい取り調べを受けたという話よ。勾留期間が何度も延長され、保釈も認められなかった」

「でも裁判では勝った」

「そう、起訴はされたけれど、無事に塀の内側には落ちなかった。取り調べでは完全黙秘を貫いたらしい」

「ぼくの知るかぎり、東京地検は検察のエリートだ。プライドも高い。いったん誰かに目星をつけたら、がちがちに証拠を固めてからしょっぴいて、起訴まで持っていく。裁判に持ち込んでの有罪率もきわめて高い。だから拘置所での取り調べも生半可じゃない。大抵の人間は取り調べのあいだに精神的にへし折られ、相手のいいように調書を書かされ、署名してしまう。その追及をかわして黙秘を貫くというのは、普通の人にはまずできないことだよ」

「でもとにかく、メンシキさんにはそれができたのよ。意志が堅く、頭も切れる」

たしかに免色は普通の人間ではない。意志が堅く、頭も切れる。

「でももうひとつ納得できないな。脱税だろうがマネー・ロンダリングだろうが、東京地検がいったん逮捕に踏み切れば、新聞記事にはなるはずだ。そして免色みたいな珍しい名前であれば、ぼくの頭に残っているはずなんだ。ぼくは少し前までは、わりに熱心に新聞を読んできたから」

「さあ、そこまでは私にもわからない。それからもうひとつ、これはこの前も言ったと思うけど、彼はあの山の上のお屋敷を三年前に買い取った。それもかなり強引にね。それまであの家には別の人が住んでいたんだけど、そしてその人たちには、建てたばかりの家を売るつもりなんてさらさらなかったのだけど、メンシキさんが金を積んで――あるいはもっと違う方法を使って――その家族をしっかり追い出し、そのあとに移り住んだ。たちの悪いヤドカリみたいに」

「ヤドカリは貝の中身を追い出したりはしない。死んだ貝の残した貝殻を穏やかに利用するだけだよ」

「でも、たちの悪いヤドカリだって中にはいないと限らないでしょう?」

「しかしよくわからないな」と私はヤドカリの生態についての論議は避けて言った。「もしそうだとして、どうして免色さんはあの家にそこまで固執(こしつ)しなくてはならなかったんだろう? 前に住んでいた人を強引に追い出して自分のものにしてしまうくらいに? そうするにはずいぶん費用もかかるし、手間もかかったはずだ。それにぼくの目から見ると、あの屋敷は彼にはいささか派手すぎるし、目立ちすぎる。あの家はたしかに立派ではあるけれど、彼の好みに添った家とは言えないような気がする」

「そして家としても大きすぎる。メイドも雇わず、一人きりで暮らしていて、お客もほとんど来ないということだし、あんなに広い家に住む必要はないはずよね」

　彼女はグラスに残っていた水を飲み干した。そして言った。「メンシキさんには、あの家でなくてはならない何かの理由があったのかもしれないわね。どんな理由かはわからないけれど」

「いずれにせよ、ぼくは火曜日に彼の家に招待されている。実際にあの家に行ってみれば、もう少しいろんなことがわかるかもしれない」

「青髭公の城みたいな、秘密の開かずの部屋をチェックすることも忘れないでね」

「覚えておくよ」と私は言った。

「でも、とりあえずよかったわね」と彼女は言った。

「何が？」

「絵が無事に完成して、メンシキさんがそれを気に入ってくれて、まとまったお金が入ってきたこと」

「そうだね」と私は言った。「そのことはとにかくよかったと思う。ほっとしたよ」

「おめでとう、画伯」と彼女は言った。

　ほっとしたというのは嘘ではない。絵が完成したことは確かだ。免色がそれを気に入ってくれたことも確かだ。私がその絵に手応えを感じていることも確かだ。その結果、まとまった額の報酬が入ってくることもまた確かだった。にもかかわらず私はなぜか、手放しでことの成り行きを祝賀する気にはなれなかった。あまりにも多くの私を取り巻くものごとが中途半端なまま、手がかりも与えられないまま放置されていたからだ。私が人生を単純化しようとすればするほど、ものごとはますますあるべき脈絡を失っていくように思えた。

私は手がかりを求めるように、ほとんど無意識に手を伸ばしてガールフレンドの身体を抱いた。彼女の身体は柔らかく、温かかった。そして汗で湿っていた。

おまえがどこで何をしていたかおれにはちゃんとわかっているぞ、と白いスバル・フォレスターの男が言った。

20
存在と非存在が混じり合っていく瞬間

翌朝の五時半に自然に目が覚めた。日曜日の朝だ。あたりはまだ真っ暗だった。台所で簡単な朝食をとったあと、作業用の服に着替えてスタジオに入った。東の空が白んでくると明かりを消し、窓を大きく開け、ひやりとした新鮮な朝の空気を部屋に入れた。そして新しいキャンバスを取り出し、イーゼルの上に据えた。窓の外からは朝の鳥たちの声が聞こえた。夜のあいだ降り続いた雨がまわりの樹木をたっぷりと濡らせていた。雨はしばらく前に上がり、雲があちこちで輝かしい切れ目を見せ始めていた。私はスツールに腰を下ろし、マグカップの熱いブラック・コーヒーを飲みながら、目の前の何も描かれていないキャンバスをしばらく眺めた。

朝の早い時刻に、まだ何も描かれていない真っ白なキャンバスをただじっと眺めるのが昔から好きだった。私はそれを個人的に「キャンバス禅」と名付けていた。まだ何も描かれていないけれど、そこにあるのは決して空白ではない。その真っ白な画面には、来たるべきものがひっそり姿を隠している。目を凝らすといくつもの可能性がそこにあり、それらがやがてひとつの有効な手がかりへと集約されていく。そのような瞬間が好きだった。存在と非存在が混じり合っていく瞬間だ。

でも今日、自分がこれから何を描くことになるのか、私には最初からわかっていた。このキャンバスの上に私が今から描こうとしているのは、白いスバル・フォレスターに乗っていた中年男の肖像だった。その男は私の中で、私に描かれることを今まで我慢強く待ち受けてきたのだ。そんな気がした。そして私は誰のためでもなく（依頼されたからでもなく、生活のためでもなく）、自分自身のために彼のポートレイトを描かなくてはならない。免色のポートレイトを描いたときと同じように、私はその男の存在の意味を——少なくとも私にとっての意味を——浮かび上がらせるために、彼の姿を私なりに描かなくてはならないのだ。なぜかはわからない。しかしそれが私に求められていることだった。

目を閉じ、頭の中に白いスバル・フォレスターの男の姿を呼び起こした。私は彼の顔立ちを細かいところまで鮮明に記憶していた。次の日の朝早く、ファミリー・レストランの座席から彼はまっすぐ私を見上げていた。テーブルの上の朝刊は折り畳まれ、コーヒーは白い湯気を上げていた。大きなガラス窓から差し込む朝の光は眩しく、安物の食器が触れあうかたかたという音が店内に響いていた。そのような光景が私の前にありありと再現されていった。そしてその光景の中で男の顔が表情をもって動き始めた。

おまえがどこで何をしていたかおれにはちゃんとわかっているぞ、と彼の目は語っていた。

今回、私は下描きから始めることにした。私は起ち上がって木炭を手に取り、キャンバスの前に立った。そしてキャンバスの空白の上に男の顔の居場所をつくっていった。いっさいのプランを持たず、何も考えずに、まず一本の縦の線を引いた。そこからすべてが始まっていくはずの、中心をなす一本の線だ。そこにこれから描かれるのは、痩せて日焼けをした一人の男の顔だ。額には深い皺が何本も刻まれている。目は細く、鋭い。遠くの水平線を凝視することに慣れている目だ。空や海の色がそこに染み込んでいる。髪は短く刈り込まれ、まばらに白髪が混じっている。おそらくは寡黙で我慢強い男だ。

私はその基本線のまわりに、木炭を使って何本かの補助的な線を加えていった。そこに男の顔の輪郭が起ち上がってくるように。自分の描いた線を数歩下がったところから眺め、訂正を加え、新たな線を描き加えた。大事なのは自分を信じることだ。線の力を信じ、線によって区切られたスペースの力を信じることだ。私が語るのではなく、線とスペースに語らせるのだ。線とスペースが会話を始めれば、やがては色が語り始める。そして平面が立体へと徐々に姿を変えていく。私がやらなくてはならないのは、彼らを励ますことであり、手を貸すことだ。そして何より彼らの邪魔をしないことだ。

その作業が十時半まで続いた。太陽が中空にじわじわと這い上がり、灰色の雲は細かくちぎれて、次々に山の向こうに追い払われていった。樹木の枝はもうその先端から水滴を垂らすのをやめていた。その時点までに仕上がった下絵を、私は少し離れた場所から、あちこちの角度から眺めてみた。そこには私の記憶している男の顔があった。というか、その顔が宿るべき骨格ができあがっていた。しかし少しばかり線が多すぎるような気がした。うまく刈り込む必要がある。そこには明らかに引き算が必要とされていた。でもそれは明日の話だ。今日の作業はここらで止めておいた方がいい。

私は短くなった木炭を置き、流し台で黒くなった手を洗った。タオルで手を拭いているときに、目の前の棚に置かれた古い鈴が目に止まったので、手に取ってみた。試しに鳴らしてみると、その音はいやに軽く乾いて、古くさく聞こえた。長い歳月にわたって土の下に置かれていた、謎めいた仏具とは思えなかった。真夜中に響いていた音とはずいぶん違って聞こえる。おそらくは漆黒の闇と深い静寂が、その音をより潤い深く響かせ、より遠くへと運ぶのだろう。

いったい誰が真夜中にこの鈴を地中で鳴らしていたのか、それはいまだに謎のままに留まっている。穴の底で誰かが鈴を夜ごと鳴らしていたはずなのに（そしてそれは何かのメッセージであったはずなのに）、その誰かは姿を消してしまった。穴を開いたとき、そこにあったのはこの鈴ひとつだけだった。わけがわからない。私はその鈴をまた棚に戻した。

昼食のあと、私は外に出て裏手の雑木林に入った。厚手の灰色のヨットパーカを着て、あちこちに絵の具のついた作業用のスエットパンツをはいていた。濡れた小径を古い祠のあるところまで歩き、その裏手にまわった。穴に被せた厚板の蓋の上には様々な色合いの、様々なかたちの落ち葉が重なり積もっていた。昨夜の雨にぐっしょりと濡れた落ち葉だ。免色と私が二日前に訪れたあと、その蓋に手を触れたものは誰もいないようだ。私はそのことを確かめておきたかったのだ。湿った石の上に腰を下ろし、鳥たちの声を頭上に聞きながら、私はその穴のある風景をしばらく眺めていた。

林の静寂の中では、時間が流れ、人生が移ろいゆく音までが聴き取れそうだった。一人の人が去って、別の一人がやってくる。ひとつの思いが去り、別の思いがやってくる。ひとつの形象が去り、別の形象がやってくる。この私自身でさえ、日々の重なりの中で少しずつ崩れては再生されていく。何ひとつ同じ場所には留まらない。そして時間は失われていく。時間は私の背後で、次から次へ死んだ砂となって崩れ、消えていく。私はその穴の前に座って、時間の死んでいく音にただ耳を澄ませていた。

あの穴の底に一人きりで座っているのは、いったいどんな気持ちのするものなのだろう。私はふとそう思った。真っ暗な狭い空間に、一人きりで長い時間閉じこめられること。おまけに免色は懐中電灯と梯子を自ら放棄した。梯子がなければ、誰かの——具体的に言えば私の——手を借りなければ、一人でそこから抜け出すことはほぼ不可能になる。なぜわざわざ自分をそんな苦境に追い込まなくてはならなかったのだろう？　彼は東京拘置所の中で送った孤独な監禁生活と、あの暗い穴の中をひとつに重ねていたのだろうか？　もちろんそんなことは私にはわかりっこない。免色は免色のやり方で、免色の世界を生きているのだ。

それについて私に言えることは、ただひとつしかなかった。私にはとてもそんなことはできないということだ。私は暗くて狭い空間を何より恐れる。もしそんなところに入れられたら、おそらく恐怖のために呼吸ができなくなってしまうだろう。にもかかわらず、私はある意味ではその穴に心を惹かれていた。とても惹かれていた。その穴がまるで私を手招きしているようにさえ感じられるほど。

私は半時間ばかりその穴のそばに腰を下ろしていた。それから立ち上がり、木漏れ日の中を歩いて家に戻った。

午後二時過ぎに雨田政彦から電話がかかってきた。今、用事があって小田原の近くまで来ているのだが、そちらにちょっと寄ってかまわないだろうかということだった。もちろんかまわないと私は言った。雨田に会うのは久しぶりだった。彼は三時前に車を運転してやってきた。手みやげにシングル・モルト・ウィスキーの瓶を持ってきた。私は礼を言ってそれを受け取った。ちょうどウィスキーが切れかけていたところだった。彼はいつものようにスマートな身なりで、髭をきれいに刈り込み、見慣れた鼈甲縁の眼鏡をかけていた。見かけは昔からほとんど変わらない。髪の生え際が少しずつ後退していくだけだ。

　我々は居間に座ってお互いの近況を伝え合った。私は、造園業者が重機を使って雑木林の中の石塚を掘り起こした話をした。そのあとに直径二メートル弱の円形の穴が現れたこと。深さは二メートル八十センチで、まわりを石の壁に囲まれている。格子の重い蓋がはめられていたが、その蓋をはずしてみると、中には古い鈴のかたちをした仏具ひとつだけが残されていた。彼は興味深そうにその話を聞いていた。しかし実際にその穴を見てみたいとは言わなかった。鈴を見てみたいとも言わなかった。

「で、それ以来もう鈴の音は夜中に聞こえないんだね？」と彼は尋ねた。

　もう聞こえないと私は答えた。

「そいつは何よりだ」と彼は少し安心したように言った。「おれはそういううす気味の悪い話は根っから苦手だからな。得体の知れないものにはできるだけ近寄らないようにしているんだ」

「触らぬ神に祟りなし」

「そのとおり」と雨田は言った。「とにかくその穴のことはおまえにまかせる。好きにすればいい」

そして私は、自分がとても久しぶりに「絵を描きたい」という気持ちになっていることを彼に話した。二日前、免色に依頼された肖像画を仕上げてから、何かつっかえがとれたような気持ちになっていること。肖像画をモチーフにした、新しいオリジナルのスタイルを自分は摑みつつあるかもしれない。それは肖像画として描き始められるが、結果的には肖像画とはまったく違ったものになってしまう。にもかかわらず、それは本質的にはポートレイトなのだ。

雨田は免色の絵を見たがったが、それはもう相手に渡してしまったと私が言うと、残念がった。

「だって絵の具もまだ乾いていないだろう？」

「自分で乾かすんだそうだ」と私は言った。「なにしろ一刻も早く自分のものにしたいみたいだった。ぼくが気持ちを変えて、やはり渡したくないと言い出すことを恐れていたのかもしれない」

「ふうん」と彼は感心したように言った。「で、何か新しいものはないのか？」

「今朝から描きはじめたものはある」と私は言った。「でもまだ木炭の下絵の段階だし見てもたぶん何もわからないよ」

「いいよ、それでいいから見せてくれないか？」

私は彼をスタジオに案内し、描きかけの『白いスバル・フォレスターの男』の下絵を見せた。黒い木炭の線だけでできた、ただの粗い骨格だ。雨田はイーゼルの前に腕組みをして立ち、長いあいだむずかしい顔をしてその絵を睨んでいた。

「面白いな」と彼は少し後で、歯のあいだから絞り出すように言った。

私は黙っていた。

「これからどんなかたちになっていくのか、予測はできないが、確かにこれは誰かのポートレイトに見える。というか、ポートレイトの根っこみたいに見える。土の中の深いところに埋もれている根っこだ」、彼はそう言ってまたしばらく黙り込んだ。「そしてこの男は——男だよな——何かを怒っている。

「とても深くて暗いところだ」と彼は続けた。「そしてこの男は——男だよな——何かを怒っているのだろう？　何を非難しているのだろう？」

「さあ、ぼくにはそこまではわからない」

「おまえにはわからない」と雨田は平板な声で言った。「しかしここには深い怒りと悲しみがある。でも彼はそれを吐き出すことができない。怒りが身体の内側で渦まいている」

雨田は大学時代、油絵学科に在籍していたが、正直なところ油絵画家としての腕はあまり褒められたものではなかった。器用ではあるけれど、どこかしら深みに欠けているのだ。そして彼自身もある程度それは認めていた。しかし彼には、他人の絵の良し悪しを一瞬にして見分ける才能が具わっていた。だから私は昔から自分の描いている絵について何か迷うことがあれば、よく彼の意見を求めたものだ。彼のアドバイスはいつも的確で公正だったし、実際に役に立った。またありがたいことには、彼は嫉妬心や対抗心というものをまったく持ち合わせていなかった。たぶん生まれつきの性格なのだろう。だから私は常に彼の意見をそのまま信用することができた。歯に衣を着せないところがあったが、裏はないから、たとえこっぴどくこきおろされても不思議に腹は立たなかった。

「この絵が完成したら、誰かに渡す前に、少しだけでいいからおれに見せてくれないか？」と彼は絵から目を離さずに言った。

「いいよ」と私は言った。「今回は誰かに頼まれて描いているわけじゃない。自分のために好きに描いているだけだ。誰かに手渡すような予定もない」

「自分の絵を描きたくなったんだね？」

「そうみたいだ」

「これはポートレイトだが、肖像画じゃない」

　私は肯いた。「たぶんそういう言い方もできると思う」

「そしておまえは……何か新しい行き先を見つけつつあるのかもしれない」

「ぼくもそう思いたい」と私は言った。


「このあいだユズに会ったよ」と雨田は帰り際に言った。「たまたま会って、それで三十分ほど話をした」

　私は肯いただけで何も言わなかった。何をどのように言えばいいのかわからなかったからだ。

「彼女は元気そうだった。おまえの話はほとんど出なかった。お互いにその話になるのをなんとなく避けているみたいに。わかるだろ、そういう感じって。でも最後におまえのことを少し訊かれた。何をしているかとか、そんなことだよ。絵を描いているみたいだと言っておいた。どんな絵かはわからないけれど、一人で山の上に籠もって何かを描いているんだと」

「とにかく生きてはいるよ」と私は言った。

　雨田はユズについて更に何かを語りたそうな様子だったが、結局思い直して口をつぐみ、何も言わなかった。ユズは昔から雨田に好意を持っていたし、いろんなことを彼に相談していたようだ。たぶん私とのあいだに関することを。ちょうど私が絵のことで雨田によく相談していたのと同じように。しかし雨田は私には何も語らなかった。そういう男なのだ。人からいろんな相談をされる。でもその内容は彼の中に溜まるだけだ。雨水が樋（とい）を伝って用水桶に溜まるみたいに。そこからよそには出ていかない。桶の縁から溢れてこぼれ出ることもない。たぶん必要に応じて適切な水量調整がおこなわれるのだろう。

　雨田自身はたぶん誰にも悩みを相談したりしないのだろう。自分が高名な日本画家の息子でありながら、そして美大にまで進みながら、画家としての才能にさして恵まれなかったことについて、おそらくいろいろと思うところがあったはずだ。言いたいこともあったはずだ。しかし長い付き合いの中で、彼が何かについて愚痴をこぼすのを耳にしたことは思い出せる限り一度もなかった。そういうタイプの男だった。

「ユズにはたぶん恋人がいたのだと思う」、私は思い切ってそう言った。「結婚生活の最後の頃には、もうぼくとは性的な関係を持たないようになっていた。もっと早くそれに気がつくべきだったんだ」

　私がそんなことを誰かに打ち明けるのは初めてだった。それは私が一人で心に抱え込んできたことだった。

「そうか」とだけ雨田は言った。

「でもそれくらい君だってちゃんと知っていたんだろう？」

　雨田はそれには返事をしなかった。

「違うのか？」と私は重ねて尋ねた。

「人にはできることなら知らないでいた方がいいこともあるだろう。おれに言えるのはそれくらいだ」

「しかし、知っていても知らなくても、やってくる結果は同じようなものだよ。遅いか早いか、突然か突然じゃないか、ノックの音が大きいか小さいか、それくらいの違いしかない」

雨田はため息をついた。「そうだな、おまえの言うとおりかもしれない。知っていても知らずにいても、出てきた結果は同じようなものかもしれない。しかしそれでもやはり、おれの口から言えないことだってあるさ」

私は黙っていた。

彼は言った。「たとえどんな結果が出てくるにせよ、ものごとには必ず良い面と悪い面がある。ユズと別れたことは、おまえにとってずいぶんきつい体験だったと思う。それはほんとに気の毒だったと思う。でもその結果、ようやくおまえは自分の絵を描き始めた。自分のスタイルらしきものを見出すようになった。それは考えようによってはものごとの良き面じゃないか？」

たしかにそうかもしれないと私は思った。もしユズと別れなければ――というかユズが私から去っていかなければ――私は今でも生活のためにありきたりの、約束通りの肖像画を描き続けていたことだろう。しかしそれは私が自らおこなった選択ではなかった。それが重要なポイントなのだ。

「良い面を見るようにしろよ」と帰り際に雨田は言った。「つまらん忠告かもしれないが、どうせ同じ通りを歩くのなら、日当たりの良い側を歩いた方がいいじゃないか」

「そしてコップにはまだ十六分の一も水が残っている」

雨田は声をあげて笑った。「おれはそういうおまえのユーモアの感覚が好きだよ」

私はユーモアのつもりで言ったわけではなかったが、それについてはあえて何も言わなかった。

雨田はしばらく黙り込んでいた。それから言った。「おまえはユズのことがまだ好きなんだな？」

「彼女のことを忘れなくちゃいけないとは思っても、心がくっついたまま離れてくれない。なぜかそうなってしまっている」

「ほかの女と寝たりはしないのか？」

「ほかの女と寝ていても、その女とぼくとの間にはいつもユズがいる」

「そいつは困ったな」と彼は言った。そして指先で額をごしごしと撫でた。本当に困っているように見えた。

それから彼は車を運転して帰って行った。

「ウィスキーをありがとう」と私は礼を言った。まだ五時前だったが、空はずいぶん暗くなっていた。日ごとに夜が長くなっていく季節だった。

「本当は一緒に飲みたいところだが、なにしろ運転があるものでね」と彼は言った。「そのうちに二人でゆっくり腰を据えて飲もう。久しぶりにな」

そのうちに、と私は言った。

人には知らないでいた方がいいこともあるだろう、と雨田は言った。そうかもしれない。人には聞かないでいた方がいいこともあるのだろう。しかし人は永遠にそれを聞かないままでいるわけにはいかない。時が来れば、たとえしっかり両方の耳を塞いでいたところで、音は空気を震わかない。

せ人の心に食い込んでくる。それを防ぐことはできない。もしそれが嫌なら真空の世界に行くし

目が覚めたのは真夜中だった。私は手探りで枕元の明かりをつけ、時計に目をやった。ディジタル時計の数字は1：35だった。鈴が鳴っているのが聞こえた。間違いなくあの鈴だ。私は身体を起こし、その音のする方向に耳を澄ませた。

鈴は再び鳴り始めたのだ。誰かが夜の闇の中でそれを鳴らしている——それも前よりももっと大きく、もっと鮮明な音で。

21 小さくはあるが、切ればちゃんと血が出る

私はベッドの上にまっすぐ身を起こし、夜中の暗闇の中で、息を殺して鈴の音に耳を澄ませた。いったいどこからこの音は聞こえてくるのだろう？　鈴の音は以前に比べてより大きく、より鮮明になっている。間違いなく。そして聞こえてくる方向も前とは異なっている。

鈴はこの家の中で鳴らされているのだ、私はそう判断した。そうとしか考えられない。それから前後が乱れた記憶の中で、その鈴が何日か前からスタジオの棚に置きっ放しになっていたことを思い出した。あの穴を開いて鈴を見つけたあと、私が自分の手でその棚の上に置いたのだ。鈴の音はスタジオの中から聞こえている。

疑いの余地はない。

しかしどうすればいいのだろう？　私の頭はひどくかき乱されていた。恐怖心はもちろんあった。この家の中で、このひとつ屋根の下で、わけのわからないことが持ち上がっている。時刻は真夜中で、場所は孤立した山の中、しかも私はまったくの一人ぼっちだ。恐怖を感じないでいられるわけがない。しかしあとになって考えると、その時点では混乱の方が恐怖心をいくぶん上回

っていたと思う。人間の頭というのはたぶんそのように作られているのだろう。激しい恐怖心や苦痛を消すために、あるいは軽減させるために、手持ちの感情や感覚が根こそぎ動員される。火事場で、水を入れるためのあらゆる容器が持ち出されるのと同じように。

私は頭を可能な限り整理し、とりあえず自分がとるべきいくつかの方法について考えを巡らせた。このまま頭から布団をかぶって眠ってしまうという選択肢もあった。雨田政彦が言ったように、わけのわからないものとはとにかく関わり合いにならないでおくというやり方だ。思考のスイッチをオフにして、何も見ないように何も聞かないようにする。しかし問題点は、とても眠ることなんかできないというところにあった。布団をかぶって耳を閉ざしたところで、思考のスイッチを切ったところで、これほどはっきりと聞こえる鈴の音を無視することは不可能だ。なにしろそれはこの家の中で鳴らされているのだから。

鈴はいつものように断続的に鳴らされていた。それは何度か打ち振られ、しばしの沈黙の間をとって、それからまた何度か振られた。間に置かれた沈黙は均一ではなく、そのたびにいくらか短くなったり長くなったりした。その不均一さには、妙に人間的なものが感じられた。鈴はひとりでに鳴っているのではない。何かの仕掛けを使って鳴らされているのでもない。誰かがそれを手に持って鳴らしているのだ。おそらくはそこになんらかのメッセージを込めて。

逃げ続けることができないのなら、思い切ってことの真相を見定めるしかあるまい。こんなことが毎晩続いたら私の眠りはずたずたにされてしまうし、まともな生活を送ることもできなくなってしまう。それならこちらから出向いて、スタジオで何が持ち上がっているのか見届けてやろう。そこには腹立ちの気持ちもあった（なぜ私がこんな目にあわなくちゃならないんだ？）。それからもちろんいくぶんかの好奇心もあった。いったいここで何が起こっているのか、それを自分の目でつきとめてみたかった。

ベッドから出て、パジャマの上にカーディガンを羽織った。そして懐中電灯を手に玄関に行った。玄関で私は、雨田具彦が傘立てに残していった、暗い色合いの樫材のステッキを右手に取った。がっしりと重みのあるステッキだ。そんなものが何か現実の役に立つとは思えなかったが、手ぶらでいるよりは何かを手に握っていた方が心強かった。何が起こるかは誰にもわからないのだから。

言うまでもなく私は怯えていた。裸足で歩いていたが、足の裏にはほとんど感覚がなかった。身体がひどくこわばって、身体を動かすたびにすべての骨の軋みが聞こえてきそうだった。おそらくこの家の中に誰かが入り込んでいる。そしてその誰かが鈴を鳴らしている。それはあの穴の底で鈴を鳴らしていたのとおそらく同じ人物だろう。それが誰なのか、あるいはどんなものなのか、私には予測もつかない。ミイラだろうか？　もし私がスタジオに足を踏み入れて、そこでもしミイラが——ビーフジャーキーのような色合いの肌をしたひからびた男が——鈴を振っている姿を目にしたら、いったいどのように対処すればいいのだろう？　雨田具彦のステッキを振るって、ミイラを思い切り打ち据えればいいのか？

まさか、と私は思った。そんなことはできない。ミイラはたぶん即身仏なのだ。ゾンビとは違う。

じゃあ、いったいどうすればいいのか？　私の混乱はまだ続いていた。というか、その混乱はますますひどいものになっていった。もし何かしら有効な手を打てないのだとしたら、私はこれから先ずっと、そのミイラとともにこの家に暮らすことになるのだろうか？　毎晩同じ時刻にこの鈴の音を聞かされることになるのだろうか？

　私はふと免色のことを考えた。だいたいあの男が余計なことをするから、こんな面倒な事態がもたらされたのではないか。重機まで持ち出して石塚をどかせ、謎めいた穴を開いてしまったから、その結果あの鈴と共に正体のわからないものがこの家の中に入り込んでしまったのだ。私は免色に電話をかけてみることを考えた。こんな時刻であっても、彼はたぶんジャガーを運転してすぐに駆けつけてくれるだろう。しかし結局思い直してやめた。免色が支度をしてやって来るのを待っている余裕はない。それは私が今ここで、何とかしなくてはならないことなのだ。それは私が、私の責任においてやらなくてはならないことなのだ。

　私は思い切って居間に足を踏み入れ、部屋の明かりをつけた。明かりをつけても鈴の音は変わらず鳴り続けていた。そしてその音は間違いなく、スタジオに通じるドアの向こう側から聞こえてきた。私はステッキを右手にしっかりと握りなおし、足音を殺して広い居間を横切り、スタジオに通じるドアのノブに手を掛けた。それから大きく深呼吸をし、心を決めてドアノブを回した。私がドアを押し開けるのと同時に、それを待っていたかのように鈴の音がぴたりと止んだ。深い沈黙が降りた。

　スタジオの中は真っ暗だった。何も見えない。私は手を左側の壁に伸ばして、手探りで照明のスイッチを入れた。天井のペンダント照明がついて、部屋の中がさっと明るくなった。何かあればすぐに対応できるように、両脚を肩幅に広げて戸口に立ち、右手にステッキを握ったまま、部屋の中を素速く見渡した。緊張のあまり喉がからからに渇いていた。うまく唾を飲み込むこともできないほどだ。

スタジオの中には誰もいなかった。鈴を振っているひからびたミイラの姿はなかった。何の姿もなかった。部屋の真ん中にイーゼルがぽつんと立っていて、そこにキャンバスが置かれていた。イーゼルの前に三本脚の古い木製のスツールがある。それだけだ。スタジオは無人だった。虫の声ひとつ聞こえない。風もない。窓には白いカーテンがかかり、すべてが異様なくらいしんと静まりかえっていた。ステッキを握った右手が、緊張のために微かに震えているのが感じられた。震えに合わせてステッキの先が床に触れて、かたかたという乾いた不揃いな音を立てた。

鈴はやはり棚の上に置かれていた。私は棚の前に行って、その鈴を子細に眺めてみた。手にはとらなかったが、鈴には変わったところは何も見当たらなかった。その日の昼前に私が手にとって棚に戻したときのまま、位置を変えられた形跡もない。

私はイーゼルの前の丸いスツールに腰掛け、もう一度部屋の中を三百六十度ぐるりと見回してみた。隅から隅まで注意深く。やはり誰もいない。日々見慣れたスタジオの風景だ。キャンバスの絵も私が描きかけたままになっている。『白いスバル・フォレスターの男』の下絵だ。

私は棚の上の目覚まし時計に目をやった。時刻は午前二時ちょうどだった。鈴の音で目を覚ましたのがたしか一時三十五分だったから、二十五分ほどが経過したことになる。でもそれほどの時間が経ったという感覚が私の中にはなかった。まだほんの五、六分しか経っていないように感じられた。時間の感覚がおかしくなっている。それとも時間の流れがおかしくなっている。そのどちらかだ。

私はあきらめてスツールから降り、スタジオの明かりを消し、そこを出てドアを閉めた。閉めたドアの前に立ってしばらく耳を澄ませていたが、もう鈴の音は聞こえなかった。何の音も聞こえなかった。ただ沈黙が聞こえるだけだ。沈黙が聞こえる——それは言葉の遊びではない。孤立した山の上では、沈黙にも音はあるのだ。私はスタジオに通じるドアの前で、しばしその音に耳を澄ませていた。

そのとき私は、居間のソファの上に何か見慣れないものがあることにふと気づいた。クッションか人形か、その程度の大きさのものだ。しかしそんなものをそこに置いた記憶はなかった。目をこらしてよく見ると、それはクッションでもなく人形でもなかった。生きている小さな人間だった。身長はたぶん六十センチばかりだろう。その小さな人間は、白い奇妙な衣服を身にまとっていた。そしてもぞもぞと身体を動かしていた。まるで衣服が身体にうまく馴染まないみたいに、いかにも居心地悪そうに。その衣服には見覚えがあった。古風な伝統的な衣裳だ。日本の古い時代に位の高い人々が着ていたような衣服。衣服だけではなく、その人物の顔にも見覚えがあった。

騎士団長だ、と私は思った。

私の身体は芯から冷たくなった。まるで拳くらいの大きさの氷の塊が、背筋をじりじりと這い上ってくるみたいに。雨田具彦が『騎士団長殺し』という絵の中に描いた「騎士団長」が、私の家の——いや、正確に言えば雨田具彦の家だ——居間のソファに腰掛けて、まっすぐ私の顔を見ているのだ。その小さな男はあの絵の中とまったく同じ身なりをして、同じ顔をしていた。絵の中からそのまま抜け出してきたみたいに。

あの絵は今どこにあるんだっけ？　私はそれを思い出そうと努めた。ああ、絵はもちろん客用の寝室にある。うちを訪れる人に見られると面倒なことになるかもしれないから、人目につかないように茶色の和紙で包んでそこに隠しておいたのだ。もしこの男がその絵から抜け出してきたのだとしたら、今あの絵はいったいどうなっているのだろう？　画面から騎士団長の姿だけが消滅してしまっているのだろうか？

　しかし絵の中に描かれた人物がそこから抜け出してくるなんてことが可能なのだろうか？　もちろん不可能だ。あり得ない話だ。そんなことはわかりきっている。誰がどう考えたって……。

　私はそこに立ちすくみ、論理の筋道を見失い、あてもない考えを巡らせながら、ソファに腰掛けている騎士団長を見つめていた。時間が一時的に進行を止めてしまったようだった。時間はそこで行ったり来たりしながら、私の混乱が収まるのをじっと待っているらしかった。私はとにかくその異様な――異界からやってきたとしか思えない――人物から目を離すことができなくなっていた。騎士団長もまたソファの上からじっと私を見上げていた。私は言葉もなくただ黙り込んでいた。たぶんあまりにも驚きすぎていたためだろう。その男から目を逸らさず、口を小さく開けて静かに呼吸を続ける以外に、私にできることは何もなかった。

　騎士団長もやはり私から目を逸らさず、言葉も発しなかった。唇はまっすぐ結ばれていた。そしてソファの上に短い脚をまっすぐ投げ出していた。背もたれに背をもたせかけていたが、頭は背もたれのてっぺんにも届いていなかった。足には奇妙なかたちの小さな靴を履いていた。靴は黒い革のようなものでできている。先が尖って、上を向いている。腰には柄に飾りのついた長剣を帯びていた。長剣とは言っても、身体に合ったサイズのものだから、実際の大きさからすれば短刀に近い。しかしそれはもちろん凶器になりうるはずだ。もしそれが本物の剣であるのなら。

「ああ、本物の剣だぜ」と騎士団長は私の心を読んだように言った。小さな身体のわりによく通る声だった。「小さくはあるが、切ればちゃんと血が出る」

私はそれでもまだ黙っていた。言葉は出てこなかった。まず最初に思ったのは、この男はちゃんとしゃべれるんだということだった。次に思ったのは、この男はずいぶん不思議なしゃべり方をするということだった。それは「普通の人間はまずこのようにはしゃべらない」という種類のしゃべり方だった。しかし考えてみれば、絵からそのまま抜け出してきた身長六十センチの騎士団長がそもそも「普通の人間」であるわけはないのだ。だから彼がどんなしゃべり方をしたところで、驚くにはあたらないはずだ。

「雨田具彦の『騎士団長殺し』の中では、あたしは剣を胸に突き立てられて、あわれに死にかけておった」と騎士団長は言った。「諸君もよく知ってのとおりだ。しかし今のあたしには傷はあらない。ほら、あらないだろう？　だらだら血を流しながら歩き回るのは、あたしとしてもいささか面倒だし、諸君にもさぞや迷惑だろうと思うたんだ。絨毯や家具を血で汚されても困るだろう。だからリアリティーはひとまず棚上げにして、刺され傷は抜きにしたのだよ。『騎士団長殺し』から『殺し』を抜いたのが、このあたしだ。もし呼び名が必要であるなら、騎士団長と呼んでくれてかまわない」

騎士団長は奇妙なしゃべり方をするわりに、話をするのは決して不得意ではないようだった。むしろ饒舌（じょうぜつ）と言っていいかもしれない。しかし私の方は相変わらず一言も言葉を発することができなかった。現実と非現実が私の中で、まだうまく折り合いをつけられずにいた。

「そろそろそのステッキを置いたらどうだね？」と騎士団長は言った。「あたしと諸君とでこれから果たし合いをするわけでもなかろうに」

自分の右手に目をやった。その手はまだしっかりと雨田具彦のステッキを握りしめていた。私はそれを手から放した。樫材の杖は鈍い音を立てて絨毯の上を転がった。

「あたしは何も絵の中から抜け出してきたわけではあらないよ」と騎士団長はまた私の心を読んで言った。「あの絵は――なかなか興味深い絵だが――今でもあの絵のままになっている。騎士団長はしっかりあの絵の中で殺されかけておるよ。心の臓から盛大に血を流してな。あたしはただあの人物の姿かたちをとりあえず借用しただけだ。こうして諸君と向かい合うためには、何かしらの姿かたちは必要だからね。だからあの騎士団長の形体を便宜上(べんぎじょう)拝借したのだ。それくらいかまわんだろうね」

私はまだ黙っていた。

「かまうもかまわないもあらないよな。雨田先生はもうおぼろで平和な世界に移行してしまっておられるし、騎士団長だって商標登録とかされているわけじゃあらない。ミッキーマウスやらポカホンタスの格好をしたりしたら、ウォルト・ディズニー社からさぞかしねんごろに高額訴訟されそうだが、騎士団長ならそれもあるまい」

そう言って騎士団長は肩を揺すって楽しげに笑った。

「あたしとしては、ミイラの姿でもべつによかったのだが、真夜中に突然ミイラの格好をしたものが出てきたりすると、諸君としてもたいそう気味が悪かろうと思うたんだ。ひからびたビーフジャーキーの塊みたいなのが、真っ暗な中でしゃらしゃらと鈴を振っているのを目にしたら、人は心臓麻痺だって起こしかねないじゃないか」

私はほとんど反射的に肯いた。たしかにミイラよりは騎士団長の方が遥かにましだ。もし相手がミイラだったら、本当に心臓麻痺を起こしていたかもしれない。というか、暗闇の中で鈴を振っているミッキーマウスやポカホンタスだって、ずいぶん気味悪かったに違いない。飛鳥時代の衣裳を身にまとった騎士団長は、まだしもまともな選択だったかもしれない。

「あなたは霊のようなものなのですか？」と私は思いきって尋ねてみた。私の声は病み上がりの人の出す声のように、堅くしゃがれていた。

「良い質問だ」と騎士団長は言った。そして小さな白い人差し指を一本立てた。「とても良い質問だぜ、諸君。あたしとは何か？　しかるに今はとりあえず騎士団長だ。騎士団長以外の何ものでもあらない。しかしもちろんそれは仮の姿だ。次に何になっているかはわからん。じゃあ、あたしはそもそもは何なのか？　ていうか、諸君とはいったい何なのだ？　諸君はそうして諸君の姿かたちをとっておるが、そもそもはいったい何なのだ？　そんなことを急に問われたら、諸君にしたってずいぶん戸惑うだろうが。あたしの場合もそれと同じことだ」

「あなたはどんな姿かたちをとることもできるのですか？」、私は質問した。

「いや、それほど簡単ではあらない。あたしがとることのできる姿かたちは、けっこう限られておるのだ。どんなものにでもなれるというわけではない。手みじかに言えば、ワードローブにはいいいい制限があるということだ。必然性のない姿かたちをとることはできないようになっておる。そして今回あたしが選ぶことのできた姿かたちは、このちんちくりんの騎士団長くらいのものだった。絵のサイズからして、どうしてもこういう身長になってしまうのだ。しかしこの衣裳はいかにも着づらいぜ」

彼はそう言って、白い衣裳の中で身体をもぞもぞとさせた。

「で、諸君のさっきの質問にたち戻るわけだが、あたしは霊なのか？　いやいや、ちがうね、諸君。あたしはただのイデアだ。霊というのは基本的に神通自在（じんずうじざい）なものであるが、あたしはそうじゃない。いろんな制限を受けて存在している」

質問はたくさんあった。というか、あるはずだった。しかし私にはなぜかひとつも思いつけなかった。なぜ私は単数であるはずなのに、「諸君」と呼ばれるのだろう？　しかしそれはあくまで些細な疑問だ。わざわざ尋ねるほどのことでもない。あるいは「イデア」の世界には二人称単数というものはもともと存在しないのかもしれない。

「制限はいろいろとまめやかにある」と騎士団長は言った。「たとえばあたしは一日のうちで限られた時間しか形体化することができない。あたしはいぶかしい真夜中が好きなので、だいたい午前一時半から二時半のあいだに形体化することにしておる。明るい時間に形体化すると疲労が高まるのだ。形体化していないあとの時間は、無形のイデアとしてそこかしこ休んでおる。屋根裏のみみずくのようにな。それから、あたしは招かれないところには行けない体質になっている。しかるに諸君が穴を開き、この鈴を持ち運んできてくれたおかげで、あたしはこの家に入ることができた」

「あなたはあの穴の底にずっと閉じ込められていたのですか？」と私は尋ねてみた。私の声はかなりましにはなっていたが、まだいくぶんしゃがれていた。

「わからん。あたしにはもともと、正確な意味での記憶というものがあらない。しかしあたしがあの穴の中に閉じ込められていたというのは、なにがしの事実ではある。あたしはあの穴の中にいて、何らかの理由によってそこから出ることができなかった。しかしあそこに閉じ込められてとくに不自由、ということもあらなかった。あたしは何万年、狭くて暗い穴の底に閉じ込められていたところで、不自由も苦痛も感じないようにできておるんだ。しかしあそこから出してくれたことに関しては、諸君にしかるべく感謝しておるよ。そりゃ、自由でないよりは自由である方がよほど面白いわけだからな。言うまでもなく。そしてあの免色という男にも感謝しておる。彼の尽力がなければ、穴を開くことはできなかったはずだ」

　私は肯いた。「そのとおりです」

「あたしはたぶんその気配のようなものをひしひしと感じ取ったのであろう。あの穴が開放されるかもしれないという可能性をな。そしてこう思いなしたのだ。よし、今が時だと」

「だから少し前から夜中に鈴を鳴らし始めた」

「そのとおり。そして穴は大きく開かれた。おまけに免色氏はご親切にもあたしを夕食会にまで招待してくれよった」

　私はもう一度肯いた。免色はたしかに騎士団長を――免色はそのときはミイラという言葉を用いたが――火曜日の夕食に招待した。ドン・ジョバンニが騎士団長の彫像を夕食に招待したことにならって。彼としてはたぶん軽い冗談のようなものだったのだろうが、それは今ではもう冗談ではなくなってしまった。

「あたしは食物はいっさい口にしない」と騎士団長は言った。「酒も飲まない。だいいち消化器もついておらんしね。つまらんといえばつまらん話だ。せっかくの立派なご馳走なのにな。しかし招待は謹(つつし)んでお受けしよう。イデアが誰かに夕食に呼ばれるなんて、そうはあらないことだからな」

それがその夜の、騎士団長の最後の言葉になった。そう言い終えると彼は急に黙り込み、ひっそり両目を閉じた。瞑想の世界にじわじわと入り込んでいくみたいに。目を閉じると、騎士団長はずいぶん内省的な顔立ちになった。身体もまったく動かなくなった。やがて騎士団長の姿は急速に薄れ、輪郭もどんどん不明確になっていった。そしてその数秒後にはすっかり消滅してしまった。私は反射的に時計に目をやった。午前二時十五分だった。おそらく「形体化」の制限時間がそこで終了したのだろう。

私はソファのところに行って、騎士団長が腰掛けていた部分に手を触れてみた。私の手は何も感じなかった。温かみもなく、へこみもない。誰かがそこに腰掛けていた形跡はまったく残っていなかった。おそらくイデアは体温も重みも持たないのだろう。その姿かたちはただのかりそめの形象に過ぎないのだ。私はその隣に腰を下ろし、息を深く吸い込んだ。そして両手でごしごしと顔をこすった。

すべてが夢の中で起こった出来事のように思えた。私はただ長く生々しい夢を見ていたのだ。というか、この世界は今もまだ夢の延長なのだ。私は夢の中に閉じ込められてしまっている。そういう気がした。しかしそれが夢でないことは、自分でもよくわかっていた。これはあるいは現実ではないかもしれない。しかし夢でもないのだ。私と免色は二人で、あの奇妙な穴の底から騎士団長を――あるいは騎士団長の姿かたちをとったイデアを――解きはなってしまったのだ。そして騎士団長は今ではこの家の中に住み着いている。屋根裏のあのみみずくと同じように。それが何を意味しているのか私にはわからない。それがどんな結果をもたらすことになるのかもわからない。

　私は立ち上がり、床に落とした雨田具彦の樫材のステッキを拾い上げ、居間の明かりを消し、寝室に戻った。あたりは静かだった。物音ひとつ聞こえない。私はカーディガンを脱ぎ、パジャマ姿でベッドの中に入り、これからどうすればいいのかを考えた。騎士団長は火曜日に免色の家に行くつもりでいる。免色が彼を夕食に招待したからだ。そこでいったい何が持ち上がるのだろう？　それについて考えれば考えるほど、私の頭は脚の長さの揃っていない食卓のように、落ち着きを失っていった。

　でもそのうちに私はひどく眠くなってきた。私の頭はすべての機能を動員して、なんとか私を眠りに就かせようとしているみたいだった。筋の通らない混乱した現実から、私をむりやりもぎ離すべく。そして私はそれに抵抗することができなかった。ほどなく私は眠りに就いた。眠り込む前にふとみみずくのことを考えた。みみずくはどうしているだろう？

　眠るのだ、諸君、と騎士団長が私の耳元で囁いたような気がした。

　しかしそれはたぶん夢の一部だったのだろう。

22 招待はまだちゃんと生きています

翌日は月曜日だった。目が覚めたとき、ディジタル時計は6：35を表示していた。私はベッドの上に身を起こし、その数時間前、真夜中のスタジオで起こった出来事を頭の中に再現した。そこで鳴らされていた鈴、ミニチュアの騎士団長、彼とのあいだに持たれた奇妙な会話。それらのすべては夢だったのだと私は思いたかった。とても長いリアルな夢を私は見たのだ。それだけのことなのだと。そして明るい朝の光の下では、実際にそれは夢の中で起こった出来事としか思えなかった。私は出来事のあらゆる部分を克明に記憶していたが、それら細部についてひとつひとつ検証すればするほど、何もかもが現実から何光年も離れた世界の出来事のように見えた。

しかし、それをただの夢だと思い込もうとどれだけ努めても、それが夢ではないことは私にはわかっていた。これはあるいは現実ではないかもしれない、しかし夢でもないのだ、と。何であるのかはわからないが、それはとにかく夢ではない。夢とは別のなりたちの何かなのだ。

私はベッドから出て、雨田具彦の『騎士団長殺し』を包んでおいた和紙を取り、その絵をスタジオに持って行った。そしてそこの壁に吊し、スツールに腰掛けて長いあいだその絵を正面から見つめた。騎士団長が昨夜言ったとおり、絵には何ひとつ変わりはなかった。騎士団長がそこから抜け出して、この世界に現れたわけではないのだ。絵の中では騎士団長は相変わらず胸に剣を突き立てられ、心臓から血を流して死にかけていた。彼は宙を見上げ、開いた口を歪めていた。苦悶（くもん）の呻きを発しているのかもしれない。彼の髪型も、着ている衣服も、手にしている長剣も、黒い奇妙な靴も、昨夜ここに現れた騎士団長の姿そのままだった。いや、話の順序から言えば──時系列的に言えば──もちろんあの騎士団長の方が、絵の中の騎士団長の風体を精密に真似たわけなのだが。

雨田具彦が日本画の筆と顔料で描きあげた架空の人物が、そのまま実体をとって現実（あるいは現実に似たもの）の中に現れ、意志を持って立体的に動きまわるというのは、まさに驚くべきことだった。しかしじっと絵を見ているうちにだんだん、それが決して無理なことではないように、私には思えてきた。おそらくそれだけ、雨田具彦の筆致が鮮やかに生きているということなのだろう。現実と非現実、平面と立体、実体と表象のはざまが、見ればみるほど不明確になってくるのだ。ファン・ゴッホの描く郵便配達夫の姿が、決してリアルではないのに、見ればみるほど鮮やかに息づいて見えるのと同じだ。彼の描くカラスが、ただの荒っぽい黒い線に過ぎないのに、本当に空を飛んでいるように見えるのと同じだ。『騎士団長殺し』という絵を眺めながら、私はあらためて雨田具彦の画家としての才能と力量に敬服しないわけにはいかなかった。おそらくあの騎士団長も（というか、あのイデアも）、この絵の素晴らしさ、力強さを認めたからこそ、画中の騎士団長の姿かたちを「借用する」ことにしたのだろう。ヤドカリができるだけ美しい丈夫な貝を住まいとして選ぶように。

雨田具彦の『騎士団長殺し』を十分ばかり眺めてから、台所に行ってコーヒーをつくり、ラジオの定時ニュースを聞きながら簡単な朝食をとった。意味のあるニュースはひとつもなかった。というか今では日々のすべてのニュースは、私にとってほとんど意味のないものになっていた。しかしとりあえず、毎朝ラジオの七時のニュースに耳を傾けることを、私は生活の一部にしていた。たとえば地球が今まさに破滅の淵にあるというのに、私だけがそれを知らないでいるとなれば、それはやはり少し困ったことになるかもしれない。

朝食を済ませ、地球がそれなりの問題を抱えながらも、まだ律儀に回転を続けていることをとりあえず確認してから、コーヒーを入れたマグカップを手にスタジオに戻った。窓のカーテンを開け、新しい空気を部屋に入れた。そしてキャンバスの前に立ち、自分自身の画作に取りかかった。「騎士団長」の出現が現実であろうがなかろうが、免色の夕食に彼が出席しようがするまいが、私としてはとにかく自分のなすべき仕事を進めていくしかない。

私は意識を集中し、白いスバル・フォレスターに乗った中年男の姿を眼前に浮かび上がらせた。ファミリー・レストランの彼のテーブルの上にはスバルのマークがついた車のキーが置かれ、皿にはトーストとスクランブル・エッグとソーセージが盛られていた。ケチャップ（赤）とマスタード（黄色）の容器がそのそばにあった。ナイフとフォークはテーブルに並べられていた。料理はまだ手をつけられていない。すべての事物に朝の光が投げかけられていた。私が通り過ぎるとき、男は日焼けした顔を上げて私をじっと見上げた。

おまえがどこで何をしていたかおれにはちゃんとわかっているぞ、と彼は告げていた。その目に宿っている重い冷徹な光には、見覚えがあった。それはたぶん私がどこか他の場所で目にしたことのある光だった。しかしそれがどこでだったか、いつだったか、私には思い出せなかった。

彼の姿かたちと、その無言の語りかけを私は絵のかたちに仕上げていった。まず昨日木炭を使って描いた骨格から、パンの切れ端を消しゴム代わりに使って、余分な線をひとつひとつ取り去っていった。そして削げるだけ削いだあとで、あとに残された黒い線に、再び必要とされる黒い線を加筆していった。その作業に一時間半ほどを要した。その結果キャンバスの上に出現したのはまさに、白いスバル・フォレスターに乗った中年男が（言うなれば）ミイラ化した姿だった。木炭肉が削ぎ落とされ、皮膚がビーフジャーキーのように乾燥し、ひとまわり縮んだ姿だった。木炭の粗く黒い線だけで、それは表されていた。もちろんただの下描きに過ぎない。しかし私の頭の中には来るべき絵画のかたちがしっかりと像を結びつつあった。

「なかなか見事であるじゃないか」と騎士団長が言った。

後ろを振り向くと、そこに騎士団長がいた。彼は窓際の棚の上に腰掛けて、こちらを見ていた。背中から差し込む朝の光が、彼の身体の輪郭をくっきりと浮かび上がらせていた。やはり同じ白い古代の衣裳を着て、短い身の丈に合った長剣を腰に差していた。夢じゃないのだ、もちろん、と私は思った。

「あたしは夢なんかじゃあらないよ、もちろん」と騎士団長はやはり私の心を読み取ったように言った。「というか、あたしはむしろ覚醒に近い存在だ」

私は黙っていた。スツールの上から騎士団長の身体の輪郭をただ眺めていた。

「ゆうべも述べたと思うが、このような明るい時刻に形体化するというのは、なかなかに疲弊するものなのだ」と騎士団長は言った。「しかし諸君が絵を描いているところを、一度じっくり拝見させてもらいたかった。で、勝手ながら、さっきから作業をまじまじと見物させてもらっていた。気を悪くはしなかったかね？」

それに対してもやはり返事のしようがなかった。気を悪くするにせよしないにせよ、生身の人間がイデアを相手にどのような理を説けるものだろうか。

騎士団長は私の返事を待たずに（あるいは私が頭で考えたことをそのまま返事として受け取って）、自分の話を続けた。「なかなかよく描けておるじゃないか。その男の本質がじわじわと浮かびだしてくるようだ」

「あなたはこの男のことを何か知っているのですか？」と私は驚いて尋ねた。

「もちろん」と騎士団長は言った。「もちろん知っておるよ」

「それでは、この人物について何か教えてもらえますか？　この人がいかなる人間で、何をしていて、今どうしているのか」

「どうだろう」と騎士団長は軽く首を傾げ、むずかしい表情を顔に浮かべて言った。むずかしい顔をすると、彼はどことなく小鬼のように見えた。あるいは古いギャング映画に出てくるエドワード・G・ロビンソンのように見えた。ひょっとしたら騎士団長は実際に、その表情をエドワード・G・ロビンソンから「借用」したのかもしれない。それはあり得ないことではなかった。

「世の中には、諸君が知らないままでいた方がよろしいことがある」と騎士団長はエドワード・G・ロビンソンのような表情を顔に浮かべたまま言った。

雨田政彦がこのあいだ言ったことと同じだ、と私は思った。人にはできることなら知らないでいた方がいいこともある。

「つまり、ぼくが知らないでいた方がいいことは教えてもらえないということですね」と私は言った。

「なぜならば、あたしにわざわざ教えてもらわなくとも、ほんとうのところ諸君はそれを既に知っておるからだ」

　私は黙っていた。

「あるいは諸君はその絵を描くことによって、諸君が既によく承知しておることを、これから主体的に形体化しようとしておるのだ。セロニアス・モンクを見てごらん。セロニアス・モンクはあの不可思議な和音を、理屈や論理で考え出したわけじゃあらない。彼はただしっかり目を見開いて、それを意識の暗闇の中から両手ですくい上げただけなのだ。大事なのは無から何かを創りあげることではあらない。諸君のやるべきはむしろ、今そこにあるものの中から、正しいものを見つけ出すことなのだ」

　この男はセロニアス・モンクのことを知っているのだ。

「ああ、それからもちろんエドワードなんたらのことも知っておるよ」と騎士団長は私の思考を受けていった。

「まあいいさ」と騎士団長は言った。「ああ、それからひとつ礼儀上の問題として、念のために今ここで申し上げておかなくてはならないのだが、諸君の素敵なガールフレンドのことだが……、うむ、つまり赤いミニに乗ってくる、あの人妻のことだよ。諸君たちがここでおこなっておることは、悪いとは思うが、残らず見物させてもらっている。衣服を脱いでベッドの上で盛んに繰り広げておることだよ」

　私は何も言わずに騎士団長の顔を見つめていた。我々がベッドの上で盛んに繰り広げていること……彼女の言を借りるなら「口にするのがはばかられるようなこと」だ。

「しかしできることなら気にしないでもらいたい。悪いとは思うが、イデアというのはとにかく何でもいちおう見てしまうものなのだ。見るものの選り好みができない。けれどな、ほんとうに気にすることはあらないよ。あたしにとってはセックスだろうが、ラジオ体操だろうが、煙突掃除だろうが、みんな同じように見えるんだ。見ていてとくに面白いものでもあらない。ただ単に見ておるだけだ」

「そしてイデアの世界にはプライバシーという概念はないのですね？」

「もちろん」と騎士団長はむしろ誇らしげに言った。「もちろんそんなものはこれっぽちもあらない。だから諸君が気にしなければ、それでさっぱりと済むことなんだ。どうかね、気にしないでいられるかね？」

　私はまた軽く首を振った。どうだろう？　誰かに一部始終をそっくり見られているとわかっていて、性行為に気持ちを集中することは可能だろうか？　健全な性欲を呼び起こすことが可能だろうか？

「ひとつ質問があります」と私は言った。

「あたしに答えられることならば」と騎士団長は言った。

「ぼくは明日の火曜日、免色さんに夕食に招待されています。そしてあなたもまたその席に招待されています。そのとき免色さんはミイラを招待するという表現を使いましたが、もちろん実質的にはあなたのことです。そのときにはまだあなたは騎士団長の形体をとっていなかったから」

「かまわんよ、それは。もしミイラになろうと思えばすぐにでもなれる」

「いや、そのままでいてください」と私はあわてて言った。「できればそのままの方がありがたい」

「あたしは諸君と共に免色くんの家まで行く。あたしの姿は諸君には見えるが、免色くんの目には見えない。だからミイラであっても騎士団長であっても、どちらでも関係はあらないようなものだが、それでも諸君にひとつやってもらいたいことがある」

「どんなことでしょう？」

「諸君はこれから免色くんに電話をかけ、火曜日の夜の招待はまだ有効かどうかを確かめなくてはならない。またそのときに『当日私に同行するのはミイラではなくて、騎士団長ですが、それでも差し支えありませんか？』とひとことことわっておかなくてはならない。前にも言うたように、あたしは招待されない場所には足を踏み入れることはできないようになっておる。相手に何らかのかたちで『はい、どうぞ』と招き入れてもらわなくてはならない。そのかわり一度招待してもらえれば、そのあとはいつでも好きなときにそこに入っていくことができるようになる。この家の場合はそこにある鈴が招待状のかわりを務めてくれた」

「わかりました」と私は言った。何はともあれ、とにかくミイラの姿になられるのだけは困る。「免色さんに電話をして、招待がまだ有効かどうかを確かめ、ゲストの名前をミイラから騎士団長に変更してもらいたいと言います」

「そうしてもらえるとたいへんありがたい。なにしろ夕食会に招かれるなんて、思いも寄らんことだからな」

「もうひとつ質問があります」と私は言った。「あなたはもともとは即身仏ではなかったのですか？　つまり自ら地中に入って飲食を絶ち、念仏を唱えながら入定する僧侶だったのではなかったのですか？　あの穴の中で命を落とし、ミイラになりながらも鈴を鳴らし続けていたのではないのですか？」

「ふうむ」と騎士団長は言った。そして小さく首をひねった。「それぱかりはあたしにもわからんのだよ。ある時点であたしは純粋なイデアとなった。その前にあたしが何であったのか、どこで何をしておったのか、そういう線的な記憶はまるであらない」

騎士団長はしばらく黙って宙をにらんでいた。

「いずれにせよ、そろそろあたしは消えなくてはならん」と騎士団長は静かな、少ししゃがれた声で言った。「形体化の時間が今もって終わろうとしている。午前中はあたしのための時刻ではあらない。暗闇があたしの友だ。真空があたしの息だ。だからそろそろ失礼させてもらうよ。で、免色くんへの電話のことはよろしく頼んだぜ」

それから騎士団長は瞑想に耽(ふけ)るように目を閉じ、唇をまっすぐに結び、両手の指を組み、徐々に薄らいで消えていった。昨夜とまったく同じように。彼の身体は儚(はかな)い煙のように音もなく宙に消えた。そして朝の明るい光の中に、私と描きかけのキャンバスだけがとり残された。白いスバル・フォレスターの男の黒々とした骨格が、キャンバスの中から私をじっと睨んでいた。

おまえがどこで何をしていたかおれにはちゃんとわかっているぞ、と彼は私に告げていた。

昼過ぎに免色に電話をかけてみた。考えてみれば、私が免色の家に電話をするのは初めてのことだった。常に電話をかけてくるのは免色の方だった。六度目のコールで彼が受話器をとった。

「よかった」と彼は言った。「ちょうどそちらに電話をしようと思っていたところです。でもお仕事の邪魔をしたくなかったから、午後になるまで待っていたんです。午前中に主に仕事をなさるとうかがっていたから」

仕事は少し前に終わったところだ、と私は言った。

「お仕事は進んでいますか？」と免色は言った。

「ええ、新しい絵にかかっています。まだ描き始めたばかりですが」

「それは素晴らしい。それは何よりだ。ところであなたの描いた私の肖像は、額装はしないまま、うちの書斎の壁にかけてあります。そこで絵の具を乾かしています。このままでもなかなか素晴らしいですが」

「それで明日のことなんですが」と私は言った。

「明日の夕方六時に、お宅の玄関に迎えの車をやります」と彼は言った。「帰りもその車でお送りします。私とあなたと二人だけですから、服装とか手土産とかそんなこともまったく気にしないでください。手ぶらで気楽にお越しください」

「それに関して、ひとつ確認しておきたいことがあるのですが」

「どんなことでしょう？」

私は言った。「免色さんはこのあいだ、その夕食の席にミイラが同席してもいいとおっしゃいましたよね？」

「ええ、たしかにそう申し上げました。よく覚えています」

「その招待はまだ生きているのでしょうか？」

免色は少し考えてから、楽しそうに軽く笑った。「もちろんです。二言はありません。招待はまだちゃんと生きています」

「事情があって、ミイラは行けそうにありませんが、かわりに騎士団長が行きたいと言っています。ご招待にあずかるのは騎士団長であってもかまいませんか？」

「もちろん」と免色はためらいなく言った。「ドン・ジョバンニが騎士団長の彫像を夕食に招待したように、私は騎士団長を喜んで謹んで拙宅（せったく）の夕食に招待いたします。ただし私はオペラのドン・ジョバンニ氏とは違って、地獄に堕（お）とされるような悪いことは何もしていません。というか、していないつもりです。まさか夕食のあとで、そのまま地獄に引っ張っていかれたりするようなことはないでしょうね？」

「それはないと思います」と私は返事をしたが、正直なところそれほどの確信は持てなかった。次にいったい何が起こるのか、私にはもう予測がつかなくなっていた。

「それならいいんです。私は今のところまだ、地獄に堕とされる準備ができてはいませんから」と免色は楽しそうに言った。彼は――当たり前のことだが――すべてを気の利いたジョークとして受け取っているのだ。「ところでひとつうかがいたいのですが、オペラ『ドン・ジョバンニ』の騎士団長は死者として、この世の食事をとることはできませんでしたが、その騎士団長はいかがでしょう？　食事の用意をしておいた方がいいのでしょうか？　それともやはり現世の食事は口にされないのかな？」

「彼のために食事を用意する必要はありません。食べ物も酒もいっさい口にしませんから。ただ席を一人分用意していただくだけでかまいません」

「あくまでスピリチュアルな存在なのですね？」

「そういうことだと思います」。イデアとスピリットは少し成り立ちが違うような気がしたが、それ以上話を長くしたくなかったので、私はとくに異議を唱えなかった。

免色は言った。「承知しました。騎士団長の席はひとつしっかりと確保しておきましょう。かの有名な騎士団長を拙宅の夕食に招待できるというのは、私にとっては望外の喜びです。ただ食事を召し上がれないのは残念ですね。おいしいワインも用意したのですが」

私は免色に礼を言った。

「それでは明日お目にかかりましょう」と免色は言って、電話を切った。

その夜、鈴は鳴らされなかった。おそらく昼間の明るい時刻に形体化したせいで（そしてまた二つ以上の質問に答えたせいで）、騎士団長は疲労したのだろう。あるいは彼としてはもうそれ以上、私をスタジオに呼び出す必要を感じなかったのかもしれない。いずれにせよ、私は夢ひとつ見ずに深く朝まで眠った。

翌日の朝、私がスタジオに入って絵を描いているあいだも、騎士団長は姿を見せなかった。だから私は二時間ほどのあいだ何も考えず、ほとんどすべてを忘れて、キャンバスに意識を集中することができた。私がその日の最初にまずやったのは、絵の具を上から塗って下絵を消していくことだった。ちょうどトーストにバターを厚く塗るみたいに。

私はまず深い赤と、鋭いエッジを持つ緑と、鉛色を含んだ黒を使った。それらがその男の求めている色だった。正しい色をつくり出すのにかなり時間がかかった。私はその作業をおこなっているあいだ、モーツァルトの『ドン・ジョバンニ』のレコードをかけた。音楽を聴いていると、今にも背後に騎士団長が現れそうな気がしたが、彼は現れなかった。

その日(火曜日)は朝から、騎士団長は屋根裏のみみずくと同じように、深い沈黙を守り続けていた。しかし私はとくにそのことを気にはかけなかった。生身の人間がイデアの心配をしたところで始まらない。イデアにはイデアのやり方がある。そして私には私の生活がある。私はおおむね、「白いスバル・フォレスターの男」の肖像を完成させることに意識を集中した。スタジオに入っていてもいなくても、キャンバスを前にしていてもしていなくても、その絵のイメージは私の脳裏をいっときも離れなかった。

ラジオの天気予報によれば、今日の夜遅く、関東東海地方はおそらく大雨になるということだった。西の方から天気が徐々に確実に崩れていた。九州南部では豪雨のために川が溢れ、低い土地に住む人々は避難を余儀なくされていた。高い土地に住む人々は山崩れの危険を通告されていた。

大雨の夜の夕食会か、と私は思った。

それから私は雑木林の中にある暗い穴のことを思った。免色と私が重い石の塚をどかせて、日の下に暴いてしまったあの奇妙な石室のことを。自分がその真っ暗な穴の底に一人で座って、木材の蓋を打つ雨の音を聞いているところを想像した。私はその穴に閉じ込められ、抜け出すことができずにいるのだ。梯子は持ち去られ、重い蓋が頭上をぴたりと閉ざしていた。そして世界中の人々は、私がそこに取り残されていることをすっかり忘れてしまっているようだった。あるいは人々は、もう私はとっくに死んでしまったと考えているのかもしれない。でも私はまだ生きている。孤独ではあるけれど、まだ息はしている。私の耳に届くのは降りしきる雨の音だけだ。光はどこにも見えない。一筋の光も差し込んでは来ない。背中をもたせかけた石壁は冷ややかに湿っていた。時刻は真夜中だ。やがて無数の虫たちが這い出てくるかもしれない。

そんな光景を頭の中に思い浮かべていると、だんだんうまく呼吸ができなくなってきた。私はテラスに出て手すりにもたれ、新鮮な空気を鼻からゆっくり吸い込み、口からゆっくり吐いた。いつものように回数を数えながら、それを規則正しく繰り返した。しばらく続けていると、なんとか通常の呼吸ができるようになった。夕暮れの空は重い鉛色の雲に覆われていた。雨が近づいているのだ。

谷間の向こうには免色の白い屋敷がほんのりと浮かび上がって見えた。夜にはあそこで夕食をとることになるのだ、と私は思った。免色と私と、かの有名な騎士団長の三人で食卓を囲むのだ。

ほんとうの血だぜ、と騎士団長が私の耳元で囁いた。

23 みんなほんとにこの世界にいるんだよ

私が十三歳で妹が十歳の夏休み、私たちは二人だけで山梨に旅行した。母方の叔父が山梨の大学の研究所に勤めていて、彼のところに遊びに行ったのだ。それは子供たちだけで行く初めての旅行だった。その頃、妹の身体の具合は比較的順調だったので、両親は私たちが二人だけで旅行することを許してくれた。

叔父はまだ若く独身で（今でもまだ独身だ）、当時三十歳になったばかりだったと思う。彼は遺伝子の研究をしており（今でもしている）、無口で、いくぶん浮き世離れしたところはあるが、裏のないさっぱりした性格の人物だった。熱心な読書家で、森羅万象（しんらばんしょう）いろんなことを実によく知っていた。山を歩くのが何より好きで、だから山梨の大学に職を見つけたのだということだった。私たちは二人とも、その叔父のことをけっこう気に入っていた。

妹と私はリュックを担いで新宿駅から松本行きの急行列車に乗り、甲府で降りた。叔父が甲府駅まで迎えに来てくれていた。叔父は飛び抜けて背が高かったので、混み合った駅の中でもすぐにその姿を見つけることができた。叔父は友人と共同で甲府市内に小さな一軒家を借りていたのだが、同居者はそのとき海外に出かけていたので、私たちは自分たちだけの部屋を与えられた。私たちはその家に一週間滞在した。そして毎日のように叔父と一緒に近隣の山を歩き回った。叔父は私たちにいろんな花や虫の名前を教えてくれた。それは私たちにとって一夏の素敵な思い出となって残った。

ある日、私たちは少し足を伸ばして富士の風穴(ふうけつ)を訪れた。富士山のまわりに数多くある風穴のうちのひとつで、まずまずの規模のものだった。叔父はその風穴がどのようにして出来上がったかを教えてくれた。洞窟は玄武岩でできているので、洞窟の中でもほとんどこだまが聞こえないこと。夏でも気温が上がらないので、昔の人々は冬のあいだに切り出した氷をその洞窟の中に保存しておいたこと。一般的に人が入り込める大きさを持つ穴を「ふうけつ」、入り込めないような小さな穴を「かざあな」と呼び分けていること。とにかくなんでもよく知っている人だった。

その風穴は入場料を払って中に入れるようになっていた。叔父は入らなかった。前に何度か来たことがあるし、背の高い叔父には洞窟の天井が低すぎてすぐに腰が痛くなるから、ということだった。とくに危ないところはないから、君たち二人だけで行くといい。ぼくは入り口のところで本を読みながら待っているから、と叔父は言った。私たちは入り口で係員にそれぞれ懐中電灯を渡され、プラスチックの黄色いヘルメットをかぶらされた。穴の天井には電灯がついていたが、明かりは暗かった。奥に行くに従って天井が低くなっていった。長身の叔父が敬遠するのも無理はない。

私と妹は懐中電灯で足もとを照らしながら、奥の方に進んでいった。夏の盛りなのに洞窟の中はひやりとしていた。外の気温は摂氏三十二度あったのに、中の気温は十度もなかった。叔父のアドバイスに従って、私たちは持参した厚手のウィンドブレーカーを着込んでいた。妹は私の手をしっかり握っていた。私に保護を求めているのか、あるいは逆に私を保護しようとしているのか、どちらかはわからなかったが（ただ離ればなれになりたくないと思っていただけかもしれない）、洞窟の中にいる間ずっと、その小さな温かい手は私の手の中にあった。そのとき私たちの他に見物客は、中年の夫婦が一組いただけだった。でも彼らはすぐに出ていってしまって、私たち二人だけが残された。

妹は小径（こみち）という名前だったが、家族はみんな彼女のことを「コミ」と呼んだ。友人たちは「みっち」とか「みっちゃん」とか呼んでいた。「こみち」と正式に呼ぶものは、私の知る限り一人もいなかった。ほっそりとした小柄な少女だった。髪は黒くてまっすぐで、首筋の上できれいにカットされていた。顔の割りに目が大きく（それも黒目が大きく）、そのせいで彼女は小さな妖精のように見えた。その日は白いTシャツに淡い色合いのブルージーンズ、ピンク色のスニーカーという格好だった。

洞窟をしばらく進んだところで、妹は順路から少し離れたところに、小さな横穴を見つけた。それは岩陰に隠れるようにこっそり口を開けていた。彼女はその穴のたたずまいにとても興味を惹かれたようだった。「ねえ、あれってアリスの穴みたいじゃない？」と妹は私に言った。

彼女はルイス・キャロルの『不思議の国のアリス』の熱狂的なファンだった。私は彼女のために何度その本を読まされたかわからない。少なくとも百回くらいは読んでいるはずだ。もちろん彼女は小さな頃からしっかり字が読めたけれど、私に声を出してその本を読んでもらうのが好きだった。筋はもうすっかり覚え込んでいるはずなのに、その物語は読むごとにいつも妹の気持ちをかきたてた。とくに彼女が好きなのは「イセエビ踊り」の部分だった。私は今でもそのページをそっくり暗記している。

「うさぎはいないようだけど」と私は言った。

「ちょっとのぞいてみる」と彼女は言った。

「気をつけて」と私は言った。

それは本当に狭い小さな穴だったが（叔父の定義によれば「かざあな」に近い）、小柄な妹はそこに苦もなく潜り込むことができた。上半身が穴の中に入って、彼女の膝から下だけがそこから突き出していた。彼女は手に持った懐中電灯で穴の奥を照らしているようだった。それからゆっくりあとずさりをして、穴から出てきた。

「奥の方がずっと深くなっている」と妹は報告した。「下の方にぐっと下がっているの。アリスのうさぎの穴みたいに。奥の方をちょっと見てみたいな」

「だめだよ、そんなの。危なすぎる」と私は言った。

「大丈夫よ。私は小さいからうまく抜けられる」

そう言うと彼女はウィンドブレーカーを脱いで白いTシャツだけになり、ヘルメットと一緒に私に手渡し、私が抗議の言葉を口にする前に、懐中電灯を手にするすると器用に横穴の中に潜り込んでいった。そしてあっという間にその姿は見えなくなってしまった。

長い時間が経ったが、妹は穴から出てこなかった。物音ひとつ聞こえなかった。

「コミ」と私は穴に向かって呼びかけた。「コミ。大丈夫か？」

しかし返事はなかった。私の声はこだますることもなく、闇の中にまっすぐ呑み込まれていった。私はだんだん不安になってきた。妹は狭い穴の中にひっかかったまま、前にも後ろにも動けなくなっているのかもしれない。あるいは穴の奥で何かの発作を起こして、気を失っているのかもしれない。もしそんなことになっていても、私には彼女を助け出すことができない。いろんな不幸な可能性が私の頭の中を行き来した。まわりの暗闇がじわじわと私を締め付けていった。

もしこのまま妹が穴の中に消えてしまったら、二度とこの世界に戻ってこなかったら、私は両親に対してどのように言い訳すればいいのだろう？　入り口で待っている叔父を呼びに行くべきなのだろうか？　それともこのままここに留まって、妹が出てくるのをただじっと待っているしかないのだろうか？　私は身をかがめて、その小さな穴を覗き込んだ。しかし懐中電灯の光は穴の奥にまでは届かなかった。とても小さな穴だったし、その中の暗さは圧倒的だった。

「コミ」と私はもう一度呼びかけてみた。返事はない。「コミ」ともっと大きな声で呼んでみた。やはり返事はない。身体の芯まで凍りついてしまいそうな寒気を感じた。私はここで永遠に妹を失ってしまったのかもしれない。妹はアリスの穴の中に吸い込まれて、そのまま消えてしまったのかもしれない。偽ウミガメや、チェシャ猫や、トランプの女王のいる世界に。現実世界の論理がまるで通じないところに。私たちは何があろうとこんなところに来るべきではなかったのだ。

しかしやがて妹は戻ってきた。彼女はさっきのようにあとずさりするのではなく、頭から這い出てきた。まず黒髪が穴から現れ、それから肩と腕が出てきた。そして腰が引きずり出され、最後にピンク色のスニーカーが出てきた。彼女は何も言わず私の前に立ち、身体をまっすぐに伸ばし、ゆっくり大きく息をついてから、ブルージーンズについた土を手で払った。

私の心臓はまだ大きな音を立てていた。私は手を伸ばして、妹の乱れた髪を直してやった。洞窟の貧弱な照明の下ではよく見えないが、彼女の白いTシャツには土やら埃やら、いろんなものがくっついているようだった。私はその上にウィンドブレーカーを着せかけてやった。そして預かっていた黄色いヘルメットを返した。

「もう戻ってこないのかと思ったよ」と私は妹の体をさすりながら言った。

「心配した？」

「すごく」

彼女はもう一度私の手をしっかり握った。そして興奮した声で言った。

「がんばって細い穴をくぐって抜けちゃうとね、その奥は急に低くなって、降りていくと小さな部屋みたいになっているの。それで、その部屋はなにしろボールみたいにまん丸の形をしているのよ。天井も丸くて、壁も丸くて、床も丸いの。そしてそこはとてもとても静かな場所で、こんな静かな場所は世界中探したって他にないだろうと思っちゃうくらいなんだ。まるで深い深い海の底の、そのまた奥まった窪みにいるみたいだった。懐中電灯を消すと真っ暗なんだけど、怖くはないし、淋しくもない。そしてその部屋はね、私一人だけが入れてもらえる特別な場所なの。そこは私のためのお部屋なの。誰もそこにはやってこれない。お兄ちゃんにも入れない」

「ぼくは大きすぎるから」

妹はこっくりと肯いた。「そう。この穴に入るには、お兄ちゃんは大きくなりすぎている。それでね、その場所でいちばんすごいのは、そこがこれ以上暗くはなれないというくらい真っ暗だっていうことなの。灯りを消すと、暗闇が手でそのまま摑めちゃえそうなくらい真っ暗なの。そしてその暗闇の中に一人でいるとね、自分の身体がだんだんほどけて、消えてなくなっていくみたいな感じがするわけ。だけど真っ暗だから、自分ではそれが見えない。身体がまだあるのか、もうないのか、それもわからない。でもね、たとえぜんぶ身体が消えちゃったとしても、私はちゃんとそこに残ってるわけ。チェシャ猫が消えても、笑いが残るみたいに。それってすごく変でしょ？　でもそこにいるとね、そういうのがぜんぜん変に思えないんだ。いつまでもそこにいたかったんだけど、お兄ちゃんが心配すると思ったから出てきた」

「もう出よう」と私は言った。妹は興奮してそのままいつまでもしゃべり続けていそうだったし、どこかでそれを止めなくてはならない。「ここにいると、うまく呼吸ができないみたいだ」

「大丈夫？」と妹は心配そうに尋ねた。

「大丈夫だよ。ただもう外に出たいだけ」

私たちは手を繋いだまま、出口に向かった。

「ねえ、お兄ちゃん」と妹は歩きながら、小さな声で――他の誰かに聞こえないように（実際には他に誰もいなかったのだが）――私に言った。「知ってる？　アリスって本当にいるんだよ。嘘じゃなくて、実際に。三月うさぎも、せいうちも、チェシャ猫も、トランプの兵隊たちも、みんなほんとにこの世界にいるんだよ」

「そうかもしれない」と私は言った。

そして私たちは風穴から出て、現実の明るい世界に戻った。薄い雲のかかった午後だったが、それでも太陽の光がひどく眩しかったことを覚えている。蟬の声が激しいスコールのようにあたりを圧していた。叔父は入り口近くのベンチに座って、一人で熱心に本を読んでいた。私たちの姿を見ると、彼はにっこり微笑んで立ち上がった。

その二年後に妹は死んでしまった。そして小さな棺に入れられて、焼かれた。そのとき私は十五歳で、妹は十二歳になっていた。彼女が焼かれているあいだ、私は他のみんなから離れて一人で火葬場の中庭のベンチに座り、その風穴での出来事を思い出していた。小さな横穴の前で妹が出てくるのをじっと待っていた時間の重さと、そのとき私を包んでいた暗闇の濃さと、身体の芯に感じていた寒気を。穴の口からまず彼女の黒髪の頭が現れ、それからゆっくりと肩が出てきたことを。彼女の白いTシャツについていたいろんなわけのわからないもののことを。

妹は二年後に病院の医師によって正式に死亡を宣告される前に、あの風穴の奥で既に命を奪われてしまっていたのではないだろうか――そのとき私はそう思った。というか、ほとんどそう確信した。穴の奥で失われ、既にこの世を離れてしまった彼女を、私は生きているものと勘違いしたまま電車に乗せ、東京に連れて帰ってきたのだ。しっかりと手を繋いで。そしてそれからの二年間を兄と妹として共に過ごした。しかしそれは結局のところ、儚い猶予期間のようなものに過ぎなかった。その二年後に、死はおそらくあの横穴から這い出して、妹の魂を引き取りにきたのだ。貸したままになっていたものを、定められた返済期限がやって来て、持ち主が取り返しに来るみたいに。

いずれにせよ、あの風穴の中で、妹が小さな声でまるで打ち明けるように私に言ったことは真実だったんだ、と私は――こうして三十六歳になった私は――今あらためて思った。この世界には本当にアリスは存在するのだ。三月うさぎも、せいうちも、チェシャ猫も実際に実在する。そしてもちろん騎士団長だって。

天気予報は外れて、結局大雨にはならなかった。見えるか見えないかというくらいの細かい雨が五時過ぎから降り出し、そのまま翌朝まで降り続けただけだ。午後六時ちょうどに、黒塗りの大型セダンがしずしずと坂道を上がってきた。それは私に霊柩車（れいきゅうしゃ）を思い出させたが、もちろん霊柩車なんかじゃなく、免色がよこした送迎リムジンだった。車種は日産インフィニティだった。黒い制服を着て帽子をかぶった運転手がそこから降りて、雨傘を片手にやってきて、うちの玄関のベルを鳴らした。私がドアを開けると帽子を取り、それから私の名前を確認した。私は家を出て、車に乗り込んだ。傘は断った。傘をさすほどの降りではない。運転手が私のために後部席のドアを開け、ドアを閉めてくれた。ドアは重厚な音を立てて閉まった（免色のジャガーのドアが立てる音とは少し響きが違う）。私は黒い丸首の薄いセーターの上に、グレーのヘリンボーンの上着を着て、濃いグレーのウールのズボンに黒いスエードの靴を履いていた。それが私の所有している中ではいちばんフォーマルに近い服装だった。少なくとも絵の具はついていない。

　迎えの車が来ても騎士団長は姿を見せなかった。声も聞こえなかった。だから、彼がその日に免色に招待されていることをちゃんと覚えているのかどうか、私には確かめようもなかった。でもきっと覚えているはずだ。あれほど楽しみにしていたのだから、忘れるはずはないだろう。

　しかし心配する必要はまったくなかった。車が出発してしばらくしてふと気がついたとき、騎士団長は涼しい顔をして私の隣のシートに腰掛けていた。いつもの白い装束に（クリーニングから返ってきたばかりのようにしみひとつない）、いつもの宝玉つきの長剣を帯びて。身長もやはりいつもどおりの六十センチほどだ。インフィニティの黒い革のシートの上にいると、彼の装束の白さと清潔さがひときわ目だった。彼は腕組みをして前方をまっすぐ睨んでいた。

「あたしにけっして話しかけないように」と騎士団長は釘を刺すように私に語りかけた。「あたしの姿は諸君には見えるが、ほかの誰にも見えない。あたしの声は諸君には聞こえるが、ほかの誰にも聞こえない。見えないものに話しかけたりすると、諸君がとことん変に思われよう。わかったかね？　わかったら一度だけ小さく肯いて」

私は一度だけ小さく肯いた。騎士団長もそれにこたえて小さく肯き、そのあとは腕組みをしたきりひとことも口をきかなかった。

あたりはもう真っ暗になっていた。カラスたちもとっくに山のねぐらに引き上げていた。インフィニティはゆっくりと坂道を降りて谷間の道を進み、それから急な上り坂にかかった。それほどの距離ではないのだが（なにしろ狭い谷間の向かい側に行くだけだから）、道路は比較的狭く、おまけに曲がりくねっていた。大型セダンの運転手が幸福な気持ちになれるような種類の道路ではない。四輪駆動の軍用車が似合いそうな道だ。しかし運転手は顔色ひとつ変えずにクールにハンドルを操作し、車は無事に免色の屋敷の前に到達した。

屋敷は白い高い壁にまわりを囲まれ、正面にいかにも頑丈そうな扉がついていた。濃い茶色に塗られた、大きな両開きの木の扉だ。まるで黒澤明の映画に出てくる中世の城門みたいに見える。矢が数本刺さっていると似合いそうだ。内部は外からはまったくうかがえない。門の脇には番地を書かれた札がついていたが、表札はかかっていなかった。たぶん表札を出す必要もないのだろう。ここまでわざわざ山を上ってやってくる人なら、これが免色の屋敷であることくらいみんな最初から承知しているはずだ。門の周辺は水銀灯で明々と照らされていた。運転手は車を降りてベルを押し、インターフォンで中にいる人と短く話をした。それから運転席に戻って、遠隔装置で扉が開けられるのを待った。門の両側には可動式の監視カメラが二台設置されていた。

両開きの扉がゆっくり内側に開くと運転手は中に車を入れ、そこから曲がりくねった邸内道路をしばらく進んだ。道はなだらかな下り坂になっていた。背後で扉が閉まる音が聞こえた。もうもとの世界には戻れないぞ、と言わんばかりに重々しい音を立てて。道路の両側には松の木が並んでいた。手入れの行き届いた松だ。枝がまるで盆栽のように美しく整理され、病気にかからないように丁寧に処置が施されている。道路の両側にはツツジの端正な生け垣が続いていた。ツツジの奥には山吹の姿も見えた。椿がまとめて植えられた部分もあった。家屋は新しいが、樹木はみんな古くからあるもののようだった。それらすべてが庭園灯できれいに照らし出されていた。

道路はアスファルト敷きの円形の車寄せになって終わっていた。運転手はそこに車を停めると、素速く運転席から降りて、私のために後部席のドアを開けてくれた。隣を見ると騎士団長の姿は消えていた。しかし私はとくに驚かなかったし、気にもしなかった。彼には彼なりの行動様式があるのだ。

インフィニティのテールランプが礼儀正しく、しずしずと夕闇の中に去っていって、あとには私ひとりが残された。今こうして正面から目にしている家屋は、私が予想していたよりずっとこぢんまりとして控えめに見えた。谷の向かい側から眺めていると、それはずいぶん威圧的で派手はでしい建築物に見えたのだが。たぶん見る角度によって印象が違ってくるのだろう。門の部分が山の一番高いところにあり、それから斜面を下るように、土地の傾斜角度をうまく利用して家が建てられていた。

玄関の前には神社の狛犬（こまいぬ）のような古い石像が、左右対になって据えられていた。台座もついている。あるいは本物の狛犬をどこかから運んできたのかもしれない。玄関の前にもツツジの植え込みがあった。きっと五月には、このあたりは鮮やかな色合いのツツジの花でいっぱいになるのだろう。

私がゆっくり歩いて玄関に近づいていくと、内側からドアが開き、免色本人が顔をのぞかせた。免色は白いボタンダウン・シャツの上に濃い緑色のカーディガンを着て、クリーム色のチノパンツをはいていた。真っ白な豊かな髪はいつものようにきれいに梳かれ、自然に整えられていた。自宅で私を出迎える免色を目にするのは、どことなく不思議な気持ちのするものだった。私がこれまで目にしてきた免色は、いつもジャガーのエンジン音を響かせてうちを訪れていたから。

彼は私を家の中に招き入れ、玄関のドアを閉めた。玄関部分はほぼ正方形で広く、天井が高かった。スカッシュのコートくらいは作れそうだ。壁付きの間接照明が部屋の中をほどよく照らし出し、中央に置かれた寄せ木細工の広い八角形のテーブルの上には、明朝のものとおぼしき巨大な花瓶が置かれ、新鮮な生花が勢いよく溢れかえっていた。三つの色合いの大輪の花（私は植物には詳しくないので、その名前はわからない）が組み合わされていた。たぶん今夜のためにわざわざ用意されたのだろう。彼が今回花屋に支払った代金だけでおそらく、つつましい大学生なら一ヶ月は食いつないでいけるのではないかと私は想像した。少なくとも学生時代の私ならじゅうぶん暮らしていけたはずだ。玄関には窓はなかった。天井に明かり採りの天窓がついているだけだ。床はよく磨かれた大理石だった。

玄関から幅の広い階段を三段下りたところに居間があった。サッカーグラウンドまでは無理だが、テニスコートなら作れそうなくらいの広さがあった。東南に向けた面はすべてティントされたガラスになっており、その外にやはり広々としたテラスがあった。暗かったから、海が見えるかどうかまではわからなかったが、たぶん見えるはずだ。反対側の壁にはオープン型の暖炉があった。まだそれほど寒い季節ではなかったから、火は入っていなかったが、いつでも入れられるように薪はきれいに脇に積んであった。誰が積んだのかは知らないが、ほとんど芸術的と言ってもいいくらいの上品な積みあげられ方だった。暖炉の上にはマントルピースがあり、マイセンの古いフィギュアがいくつか並んでいた。

居間の床も大理石だったが、数多くの絨毯が組み合わせて敷かれていた。どれも古いペルシャ絨毯で、その精妙な柄と色合いは実用品というよりはむしろ美術工芸品のように見えた。踏みつけるのに気が引けるくらいだ。丈の低いテーブルがいくつかあり、あちこちに花瓶が置かれていた。すべての花瓶にやはり新鮮な花が盛られていた。どの花瓶も貴重なアンティークのように見えた。とても趣味がよい。そしてとても金がかかっている。大きな地震が来なければいいのだが、と私は思った。

天井は高く、照明は控えめだった。壁の上品な間接照明と、いくつかのフロア・スタンドと、テーブルの上の読書灯、それだけだ。部屋の奥には黒々としたグランド・ピアノが置かれていた。スタインウェイのコンサート用グランド・ピアノがそれほど大きくは見えない部屋を目にしたのは、私にとって初めてのことだった。ピアノの上にはメトロノームと共に楽譜がいくつか置かれていた。免色が弾くのかもしれない。それともときどきマウリツィオ・ポリーニを夕食に招待するのかもしれない。

しかし全体としてみれば、居間のデコレーションはかなり控えめに抑えられており、それが私をほっとさせた。余計なものはほとんど見当たらない。それでいてがらんともしていない。広さのわりに意外に居心地の良さそうな部屋だった。そこにはある種の温かみがある、と言ってしまっていいかもしれない。壁には小さな趣味の良い絵が半ダースばかり、控えめに並べられていた。そのうちのひとつは本物のレジェのように見えたが、あるいは私の思い違いかもしれない。

免色は茶色い革張りの大きなソファに私を座らせた。彼もその向かいの椅子に座った。ソファと揃いの安楽椅子だ。とても座り心地の良いソファだった。硬くもなく、柔らかくもない。座る人間の身体を——それがどのような人間であれ——そのまま自然に受け入れるようにできているソファだ。しかしもちろん考えてみれば（あるいはいちいち考えるまでもなく）、免色が座り心地のよくないソファを自宅の居間に置いたりするわけがない。

我々がそこに腰を下ろすと、それを待っていたようにどこからともなく男が姿を見せた。驚くほどハンサムな若い男だった。それほど背が高くはないが、ほっそりとして、身のこなしが優雅だった。皮膚はむらなく浅黒く、艶のある髪をポニーテイルにして後ろでまとめていた。丈の長いサーフパンツをはいて、海岸でショート・ボードを抱えていると似合いそうだったが、今日の彼は白い清潔なシャツに黒いボウタイを結んでいた。そして口もとに心地の良い笑みを浮かべていた。

「何かカクテルでも召し上がりますか？」と彼は私に尋ねた。

「なんでも好きなものをおっしゃって下さい」と免色が言った。

「バラライカを」と私は数秒考えてから言った。とくにバラライカを飲みたかったわけではないが、本当になんでも作れるかどうか試してみたかったのだ。

「私も同じものを」と免色は言った。

若い男は心地良い笑みを浮かべたまま、音を立てずに下がった。

私はソファの隣に目をやったが、そこには騎士団長の姿はなかった。しかしこの家の中のどこかにきっと騎士団長はいるはずだ。なにしろ家の前まで車に同乗して、一緒にやってきたのだから。

「何か?」と免色が私に尋ねた。私の目の動きを追っていたのだろう。

「いえ、なんでもありません」と私は言った。「ずいぶん立派なお宅なので、見とれていただけです」

「しかし、いささか派手すぎる家だと思いませんか?」と免色は言って、笑みを浮かべた。

「いや、予想していたより遥かに穏やかなお宅です」と私は正直に意見を述べた。「遠くから見ていると、率直に申し上げてかなり豪勢に見えます。豪華客船が海に浮かんでいるみたいに。しかし実際に中に入ると不思議なくらい落ち着いて感じられます。印象ががらりと違います」

免色はそれを聞いて肯いた。「そう言っていただけると何よりですが、そのためにはずいぶん手を入れなくてはなりませんでした。事情があって、この家を出来合いで買ったのですが、手に入れたときはなにしろ派手な家でした。けばけばしいと言っていいくらいだった。さる量販店のオーナーが建てたのですが、成金趣味の極(きわ)みというか、とにかく私の趣味にはまったく合わなかった。だから購入したあとで大改装をすることになりました。そしてそれには少なからぬ時間と手間と費用がかかりました」

免色はそのときのことを思い出すように、目を伏せて深いため息をついた。よほど趣味が合わなかったのだろう。

「それなら、最初からご自分で家を建てた方が、ずっと安上がりだったんじゃないですか？」と私は尋ねてみた。

　免色は笑った。唇の間から僅かに白い歯が見えた。「実にそのとおりです。その方がよほど気が利いています。しかし私の方にもいろいろと事情がありました。この家でなくてはならない事情が」

　私はその話の続きを待った。しかし続きはなかった。

「今夜、騎士団長はご一緒じゃなかったんですか？」と免色は私に尋ねた。

　私は言った。「たぶんあとからやって来ると思います。家の前までは一緒だったんですが、どこかに急に消えてしまいました。たぶんお宅の中をあちこち見物しているのではないかと思います。かまいませんか？」

　免色は両手を広げた。「ええ、もちろん。もちろん私はちっともかまいません。どこでも好きなだけ見て回ってもらって下さい」

　さっきの若い男が銀色のトレイにカクテルを二つ載せて運んできた。カクテル・グラスはとても精妙にカットされたクリスタルだった。たぶんバカラだ。それがフロア・スタンドの明かりを受けてきらりと光った。それからカットされた何種類かのチーズとカシューナッツを盛った古伊万里の皿がその隣に置かれた。頭文字のついた小さなリネンのナプキンと、銀のナイフとフォークのセットも用意されていた。ずいぶん念が入っている。

　免色と私はカクテル・グラスを手に取り、乾杯した。彼は肖像画の完成を祝し、私は礼を言った。そしてグラスの縁にそっと口をつけた。ウォッカとコアントローとレモン・ジュースを三分の一ずつ使って人はバラライカを作る。成り立ちはシンプルだが、極北のごとくきりっと冷えていないとうまくないカクテルだ。腕の良くない人が作ると、ゆるく水っぽくなる。しかしそのバラライカは驚くばかりに上手につくられていた。その鋭利さはほとんど完璧に近かった。

「おいしいカクテルだ」と私は感心して言った。

「彼は腕がいいんです」と免色はあっさりと言った。

もちろんだ、と私は思った。考えるまでもなく、免色が腕の悪いバーテンダーを雇うわけがない。コアントローを用意していないわけがないし、アンティークのクリスタルのカクテル・グラスと、古伊万里の皿を揃えていないわけがないのだ。

我々はカクテルを飲み、ナッツを囓りながらあれこれ話をした。主に私の絵の話をした。彼は私に現在制作している作品のことを尋ね、私はその説明をした。過去に遠くの町で出会った、名前も素性（すじょう）も知らない一人の男の肖像を描いているのだと私は言った。

「肖像？」と免色は意外そうに言った。

「肖像といっても、いわゆる営業用のものではありません。ぼくが自由に想像を巡らせた、いわば抽象的な肖像画です。でもとにかく肖像が絵のモチーフになっています。土台になっていると言っていいかもしれませんが」

「私を描いた肖像画のときのように？」

「そのとおりです。ただし今回は誰からも依頼を受けていません。ぼくが自発的に描いている作品です」

免色はそれについてしばらく考えを巡らせていた。そして言った。「つまり、私の肖像画を描いたことが、あなたの創作活動に何かしらのインスピレーションを与えたということになるでしょうか？」

「たぶんそういうことなのでしょう。まだようやく点火しかけているというレベルに過ぎませんが」

免色はカクテルをまた一口音もなくすすった。彼の目の奥には満足に似た輝きのようなものがうかがえた。

「それは私にとってなによりも喜ばしいことです。何かしらあなたのお役に立てたかもしれないということが。もしよろしければ、その新しい絵が完成したら見せていただけますか？」

「もし納得のいくものが描けたら、もちろん喜んで」

私は部屋の隅に置かれたグランド・ピアノに目をやった。「免色さんはピアノを弾かれるのですか？　ずいぶん立派なピアノみたいですが」

免色は軽く肯いた。「うまくはありませんが少しは弾きます。子供の頃、先生についてピアノを習っていました。小学校に入ってから、卒業するまで五年か六年か。それから勉強が忙しくなったもので、やめました。やめなければよかったのですが、私もピアノの練習にいささか疲れ果てていたもので。ですから指はもう思うように動きませんが、楽譜はかなり自由に読めます。気分転換のために、ときおり私自身のために簡単な曲を弾きます。でも人に聴かせるようなものじゃありませんし、家の中に人がいるときには絶対に鍵盤に手は触れません」

私は前からずっと気になっていた疑問を口にした。「免色さんは、これだけの家に一人でお住まいになって、広さを持てあましたりすることはないのですか？」

「いいえ、そんなことはありません」と免色は即座に言った。「まったくありません。私はもともと一人でいることが好きなんです。たとえば大脳皮質のことを考えてみてください。人類は素晴らしく精妙にできた高性能な大脳皮質を与えられています。でも我々が実際に日常的に用いている領域は、その全体の十パーセントにも達していないはずです。我々はそのような素晴らしく高い性能を持った器官を天から与えられたというのに、残念なことに、それを十全に用いるだけの能力をいまだ獲得していないのです。たとえて言うならそれは、豪華で壮大な屋敷に住みながら、四畳半の部屋一つだけを使って四人家族がつつましく暮らしているようなものです。あとの部屋はすべて使われないまま放置されています。それに比べれば、私が一人でこの家に暮らしていることなど、さして不自然なことでもないでしょう」

「そういわれればそうかもしれません」と私は認めた。なかなか興味深い比較だ。

免色はしばらく手の中でカシューナッツを転がしていた。そして言った。「しかし一見無駄に見えるその高性能の大脳皮質がなければ、我々が抽象的思考をすることもなかったでしょうし、形而上的（けいじじょう）な領域に足を踏み入れることもなかったでしょう。ただの一部しか使えなくても、大脳皮質にはそれだけのことができるのです。その残りの領域をそっくり使えたら、いったいどれほどのことができるのでしょう。興味を惹かれませんか」

「しかしその高性能の大脳皮質を獲得するのと引き替えに、つまり豪壮な邸宅を手に入れる代償として、人類は様々な基礎能力を放棄しないわけにはいかなかった。そうですね？」

「そのとおりです」と免色は言った。「抽象的思考、形而上的論考なんてものができなくても、人類は二本足で立って棍棒を効果的に使うだけで、この地球上での生存レースにじゅうぶん勝利を収められたはずです。日常的にはなくても差し支えない能力ですから。そしてそのオーバー・クォリティーの大脳皮質を獲得する代償として、我々は他の様々な身体能力を放棄することを余儀なくされました。たとえば犬は人間より数千倍鋭い嗅覚と数十倍鋭い聴覚を具えています。しかし私たちには複雑な仮説を積み重ねることができます。コズモスとミクロ・コズモスとを比較対照し、ファン・ゴッホやモーツァルトを鑑賞することができます。プルーストを読み——もちろん読みたければですが——古伊万里やペルシャ絨毯を蒐集することもできます。それは犬にはできないことです」

「マルセル・プルーストは、その犬にも劣る嗅覚を有効に用いて長大な小説をひとつ書き上げました」

免色は笑った。「おっしゃるとおりです。ただ私が言っているのは、あくまで一般論として、という話です」

「つまりイデアを自律的なものとして取り扱えるかどうかということですね？」

「そのとおりです」

そのとおりだ、と騎士団長が私の耳元でこっそり囁いた。でも騎士団長のさきほどの忠告に従って、私はあたりを見回したりはしなかった。

それから彼は書斎へと私を案内した。居間を出たところに広い階段があり、それを下の階に降りた。どうやらその階が居室部分になっているようだった。廊下に沿っていくつかのベッドルームがあり（いくつあるのかは数えなかったが、あるいはそのうちのひとつが私のガールフレンドの言う鍵のかかった「青髭公の秘密の部屋」なのかもしれない）、突き当たりに書斎があった。とくに広い部屋ではないが、もちろん狭苦しくはなく、そこには「程よいスペース」ともいうべきものがつくりあげられていた。書斎には窓が少なく、一方の壁の天井近くに明かり採りの細長い窓が横並びについているだけだった。そして窓から見えるのは松の枝と、枝の間から見える空だけだ（この部屋には陽光と風景はとくに必要とされないようだ）。そのぶん壁が広くとられていた。一面の壁は、床から天井近くまですべてが作り付けの書架になっており、その一部はCDを並べるための棚になっていた。書架には隙間なくいろんなサイズの本が並んでいた。高いところにある本を取るために、木製の踏み台も置かれていた。どの本にも実際に手に取られた形跡が見えた。それが熱心な読書家の実用的なコレクションであることは誰の目にも明らかだった。装飾を目的とした書棚ではない。

大きな執務用のデスクが壁を背中にしてあり、コンピュータがその上に二台並んでいた。据え置き型が一台、ノートブック型が一台。ペンや鉛筆を差したマグカップがいくつかあり、書類がきれいに積み重ねられていた。高価そうな美しいオーディオ装置が一方の壁に並び、その反対側の壁には、ちょうど机と向き合うようなかたちで、一対の縦に細長いスピーカーが並んでいた。背丈は私のそれとだいたい同じ（百七十三センチだ）、箱は上品なマホガニーでつくられていた。部屋の真ん中あたりには、本を読んだり音楽を聴いたりするための、モダンなデザインの読書用の椅子が置かれていた。その隣にはステンレス製の読書用のフロア・スタンドがあった。おそらく免色は一日の多くの部分をこの部屋で、一人で過ごすのだろうと、私は推測した。

私の描いた免色の肖像画はスピーカーの間の壁に掛けられていた。ちょうど二つのスピーカーの真ん中の、だいたい目の高さの位置に。まだ額装されていない剝き出しのままのキャンバスだったが、それはずっと以前からそこにかけられていたみたいに、きわめて自然にその場所に収まっていた。もともとかなり勢いよく、ほとんど一気呵成（いっきかせい）に描かれた絵だったが、その奔放さはこの書斎にあっては不思議なくらい精妙に程よく抑制されているように感じられた。この場所の独特の空気が、絵の持っている前のめりの勢いを居心地良く鎮めていた。そしてその画像の中にはやはり紛れもなく免色の顔が潜んでいた。というか私の目には、まるで免色そのものがそこに入り込んでしまったようにさえ見えた。

　それはもちろん私が描いた絵だ。しかしいったん私の手を離れて免色の所有するものとなり、彼の書斎の壁に飾られると、それはもう私には手の及ばないものに変貌してしまったようだった。それは今ではもう免色の絵であり、私の絵ではなかった。そこにある何かを確認しようとしても、その絵は滑らかなすばしこい魚のように、するすると私の両手をすり抜けていってしまう。まるでかつては私のものであったのに、今では他の誰かのものになってしまった女性のように……。

「どうです、この部屋に実にぴたりと合っていると思いませんか？」

　もちろん免色は肖像画のことを言っているのだ。私は黙って肯いた。

　免色は言った。「いろんな部屋のいろんな壁を、ひとつひとつ試してみました。そして結局、この部屋のこの場所に飾るのがいちばん良いとわかったんです。スペースの空き具合や、光の当たり方や、全体的なたたずまいがちょうどいい。とりわけあの読書用の椅子に座って絵を眺めるのが、私はいちばん好きですが」

「試してみてかまいませんか」と、私はその読書用の椅子を指さして言った。

「もちろんです。自由に座ってみて下さい」

　私はその革張りの椅子に腰を下ろし、緩やかなカーブを描く背もたれにもたれ、オットマンに両脚を載せた。胸の上で両手を組んだ。そしてあらためてその絵をじっくり眺めた。たしかに免色が言ったようにそこは、その絵を鑑賞するための理想的なスポットだった。その椅子（文句のつけようもなく座り心地の良い椅子だった）の上から見ると、正面の壁に掛けられた私の絵は、私自身にも意外に思えるほどの静かな、落ち着いた説得力を持っていた。それは私のスタジオにあったときとはほとんど違った作品に見えた。それは――どう言えばいいのだろう――この場所にやってきて新たな、本来の生命を獲得したようにさえ見えた。そしてそれと同時に、その絵は作者である私のそれ以上の近接をきっぱり拒否しているようにも見えた。

　免色がリモート・コントロールを使って、程よい小さな音で音楽を流した。聞き覚えのあるシューベルトの弦楽四重奏曲だった。作品D八〇四。そのスピーカーから出てくるのはクリアで粒立ちの良い、洗練された上品な音だった。雨田具彦の家のスピーカーから出てくる素朴で飾りのない音に比べると、違う音楽のようにさえ思える。

　ふと気がつくと、部屋の中に騎士団長がいた。彼は書架の前の踏み台に腰を下ろし、腕組みをして私の絵を見つめていた。私が目をやると、騎士団長は首を小さく振り、こちらを見るんじゃないという合図を送ってよこした。私は再び絵に視線を戻した。

「どうもありがとうございました」、私は椅子から起ち上がり免色にそう言った。「掛けられている場所も言うことはありません」

免色はにこやかに首を振った。「いや、お礼を言わなくてはならないのはこちらの方です。この場所に落ち着いたことで、ますますこの絵が気に入ってしまいました。この絵を見ていると、何と言えばいいんだろう、まるで特殊な鏡の前に立っているような気がしてきます。その中には私がいる。しかしそれは私自身ではない。私とは少し違った私自身です。じっと眺めていると、次第に不思議な気持ちになってきます」

免色はシューベルトの音楽を聴きながら、またひとしきり無言のうちにその絵を眺めていた。騎士団長もやはり踏み台に腰掛けたまま、免色と同じように眼を細めてその絵を見ていた。まるで真似をしてからかっているみたいに（おそらくそんな意図はないのだろうが）。

免色はそれから壁の時計に目をやった。「食堂に移りましょう。そろそろ夕食の用意が整っているはずです。騎士団長が見えているといいのですが」

私は書架の前の踏み台に目をやった。騎士団長の姿はもうそこにはなかった。

「騎士団長はたぶんもうここに来ていると思います」と私は言った。

「それはよかった」と免色は安心したように言った。そしてリモート・コントロールを使ってシューベルトの音楽を止めた。「もちろん彼の席もちゃんと用意してあります。夕食を召し上がっていただけないのはかえすがえすも残念ですが」

その下の階（玄関を一階とすれば、地下二階に相当する）は貯蔵庫と、ランドリー設備と、運動用のジムに使われていると免色は説明してくれた。ジムにはトレーニングのための各種マシンが揃っている。運動をしながら音楽が聴けるようになっている。週に一度、専門のインストラクターがやってきて、筋肉トレーニングの指導をしてくれる。それから住み込みのメイドのためのステュディオ式の居室もある。そこには簡易キッチンと小さなバスルームがついているが、現在のところ誰も使っていない。その外には小さなプールもあったのだが、実用には適さないし手入れも面倒なので、埋めて温室にしてしまった。でもそのうちに二レーン二十五メートルのラッププールを新たに作ることになるかもしれない。もしそうなったら是非泳ぎに来てください。それは素晴らしいと私は言った。

それから我々は食堂に移った。

24 純粋な第一次情報を収集しているだけ

食堂は書斎と同じ階にあった。キッチンがその奥にある。横に長いかたちをした部屋で、やはり横に長い大きなテーブルが部屋の真ん中に置かれていた。厚さ十センチはある樫材でできていて、十人くらいは一度に食事ができる。ロビン・フッドの家来たちが宴会をしたら似合いそうな、いかにも頑丈なテーブルだ。しかし今、そこに腰を下ろしているのは陽気な無法者たちではなく、私と免色の二人きりだった。騎士団長のための席が設けられていたが、彼の姿はそこにはなかった。そこにはマットと銀器と空のグラスが置かれていたが、あくまでしるしだけのことだった。それが彼のための席であることが儀礼的に示されているだけだ。

壁の長い一面は居間と同様、すべてガラス張りになっていた。そこからは谷の向こうの山肌が見渡せた。私の家から免色の家が見えるのと同じように、免色の家からも当然私の家が見えるはずだ。しかし私の住んでいる家は免色の屋敷ほど大きくはないし、目立たない色合いの木造住宅だから、暗い中ではそれがどこにあるのか判別できなかった。山にはそれほど多くの家は建っていなかったが、まばらに点在するそれらの家々には、ひとつひとつ確かな明かりが灯っていた。

夕食の時刻なのだ。人々はおそらく家族と共に食卓について、これから温かい食事を口にしようとしている。そのようなささやかな温もりを、それらの光の中に感じとることができた。

一方、谷間のこちら側では、免色と私と騎士団長がその大きなテーブルに着いて、あまり家庭的とは言いがたい一風変わった夕食会を始めようとしていた。外では雨がまだ細かく静かに降り続けていた。しかし風はほとんどなく、いかにもひっそりとした秋の夜だった。窓の外を眺めながら、私はまたあの穴のことを考えた。祠の裏手の孤独な石室のことだ。こうしている今もあの穴は暗く冷たくそこにあるに違いない。その風景の記憶は私の胸の奥に特殊な冷ややかさを運んできた。

「このテーブルは、私がイタリアを旅行しているときに見つけて、買い求めたものです」と免色は、私がテーブルを褒めたあとで言った。そこには自慢するような響きはなかった。ただ淡々と事実を述べているだけだ。「ルッカという町の家具屋で見つけて買い求め、船便で送らせました。なにしろひどく重いものなので、ここに運び込むのが一仕事でした」

「よく外国に行かれるのですか?」

彼は少しだけ唇を歪めた。そしてすぐに元に戻した。「昔はよく行ったものです。半分は仕事で半分は遊びです。最近はあまり行く機会がありません。仕事の内容を少しばかり変えたものですから。それに加えて私自身、あまり外に出て行くことを好まなくなったということもあります。ほとんどここにいます」

彼はここがどこであるかをより明らかにするために、手で家の中を示した。そのあと変化した仕事の内容についての言及があるのかと思ったが、話はそこで終わった。彼は自分の仕事については相変わらずあまり多くを語りたくないようだった。もちろん私もそれについてとくに質問はしなかった。

「最初によく冷えたシャンパンを飲みたいと思いますが、いかがですか？　それでかまいませんか？」

もちろんかまわないと私は言った。すべておまかせする。

免色が小さく合図をすると、ポニーテイルの青年がやってきて、細長いグラスにしっかりと冷えたシャンパンを注いでくれた。心地よい泡がグラスの中に細かく立ち上った。グラスは上質な紙でできたみたいに軽く薄かった。私たちはテーブルを挟んで祝杯をあげた。免色はそのあと、無人の騎士団長の席に向かってグラスを恭しく上げた。

「騎士団長、よくお越しくださいました」と彼は言った。

もちろん騎士団長からの返事はなかった。

免色はシャンパンを飲みながら、オペラの話をした。シチリアを訪れたときに、カターニアの歌劇場で観たヴェルディの『エルナーニ』がとても素晴らしかったこと。隣の客がみかんを食べながら、歌手の歌にあわせて歌っていたこと。そこでとてもおいしいシャンパンを飲んだこと。

やがて騎士団長が食堂に姿を見せた。ただし彼のために用意された席には着かなかった。背丈が低いせいで、席に座るとたぶん鼻のあたりまでテーブルに隠れてしまうからだろう。彼は免色の斜め背後にある飾り棚のようなところにちょこんと腰を下ろしていた。床から一メートル半ほどの高さにいて、奇妙な形の黒い靴を履いた両脚を軽く揺すっていた。私は免色にはわからないように、彼に向かって軽くグラスを上げた。騎士団長はそれに対してもちろん知らん顔をしていた。

　それから料理が運ばれてきた。台所と食堂のあいだには配膳用の取り出し口がついていて、ボウタイをしめたポニーテイルの青年が、そこに出された皿をひとつひとつ我々のテーブルに運んだ。オードブルは有機野菜と新鮮なイサキをあしらった美しい料理だった。それに合わせて白ワインが開けられた。ポニーテイルの青年が、まるで特殊な地雷を扱う専門家のような注意深い手つきでワインのコルクを開けた。どこのどんなワインか説明はなかったが、もちろん完璧な味わいの白ワインだった。言うまでもない。免色が完璧でない白ワインを用意するわけがないのだ。

　それからレンコンとイカと白いんげんをあしらったサラダが出てきた。ウミガメのスープが出てきた。魚料理はアンコウだった。

「少し季節は早いのですが、珍しく漁港に立派なアンコウがあがったのだそうです」と免色は言った。たしかに素晴らしく新鮮なアンコウだった。しっかりとした食感で、上品な甘みがあり、それでいて後味はさっぱりしていた。さっと蒸したあとに、タラゴンのソース（だと思う）がかけられていた。

　そのあとに厚い鹿肉のステーキが出された。特殊なソースについての言及があったが、専門用語が多すぎて覚えきれなかった。いずれにせよ素晴らしく香ばしいソースだった。

　ポニーテイルの青年が、私たちのグラスに赤ワインを注いでくれた。一時間ほど前にボトルを開け、デキャンターに移しておいたのだと免色は言った。

「空気がうまく入って、ちょうど飲み頃になっているはずです」

　空気のことはよくわからないが、ずいぶん味わいの深いワインだった。最初に舌に触れたときと、口の中にしっかり含んだときと、それを飲み下したときの味がすべてそれぞれに違う。まるで角度や光線によって美しさの傾向が微妙に違って見えるミステリアスな女性のように。そして後味が心地よく残る。

「ボルドーです」と免色は言った。「能書きは省きます。ただのボルドーです」

「しかしいったん能書きを並べ始めると、ずいぶん長くなりそうなワインですね」

免色は笑みを浮かべた。目の脇に心地よく皺が寄った。「おっしゃるとおりです。能書きを並べ始めると、ずいぶん長くなりそうだ。でもワインの能書きを並べるのが、私はあまり好きじゃありません。何によらず効能書きみたいなものが苦手です。ただのおいしいワイン——それでいいじゃないですか」

もちろん私にも異存はなかった。

私たちが飲んだり食べたりする様子を、騎士団長はずっと飾り棚の上から眺めていた。彼は終始身動きすることもなく、そこにある光景を細部まで克明に観察していたが、自分が目にしたものについてとくに感想は持たないようだった。本人がいつか言ったとおり、彼はすべての物事をただ眺めるだけなのだ。それについて何かを判断するわけではないし、好悪の情を持つわけでもない。ただ純粋な第一次情報を収集しているだけなのだ。

私とガールフレンドが午後のベッドの上で交わっているあいだも、彼はこのようにして私たちをじっと眺めていたのかもしれない。その光景を想像すると、なんとなく落ち着かない気持ちになった。彼は人がセックスをしているところを見ても、それはラジオ体操や煙突掃除を眺めているのとまったく変わりないのだと私に言った。たしかにそのとおりかもしれない。しかし見られている方が落ち着かない気持ちになるのもまた事実だ。

一時間半ほどをかけて、免色と私はようやくデザート（スフレ）とエスプレッソにまでたどり着いた。長い、しかし充実した道のりだった。そこでシェフが初めて調理場から出てきて、食卓に顔を見せた。白い調理用の衣服に身を包んだ、背の高い男だった。おそらく三十代半ば、頬から顎にかけてうっすら黒い鬚をはやしていた。彼は私に丁寧に挨拶をした。

「素晴らしい料理でした」と私は言った。「こんなにおいしい料理を口にしたのは、ほとんど初めてです」

それは私の正直な感想だった。これほどの凝った料理をつくる料理人が、小田原の漁港近くで人知れず小さなフレンチ・レストランを経営しているというのが、まだうまく信じられなかった。

「ありがとうございます」と彼はにこやかに言った。「免色さんにはいつもとてもお世話になっているんです」

そして一礼して台所に下がっていった。

「騎士団長も満足されたでしょうか?」、シェフが下がったあとで免色が心配そうな顔で私にそう尋ねた。その表情には演技的な要素は見当たらなかった。少なくとも私の目には、彼は本当にそのことを心配しているように見えた。

「きっと満足しているはずですよ」と私も真顔で言った。「こんな素晴らしい料理を口にできなかったことはもちろん残念ですが、場の雰囲気だけでもじゅうぶん楽しめたはずです」

「だといいのですが」

いいいいいいいいい、もちろんずいぶん喜んでおるよ、と騎士団長が私の耳元で囁いた。

免色は食後酒を勧めたが、私は断った。これ以上はもう何も入らない。彼はブランディーを飲んだ。

「ひとつあなたにうかがいたいことがありました」と免色は大ぶりなグラスをゆっくり回しながら言った。「妙な質問なので、あるいはお気を悪くされるかもしれませんが」

「どうぞなんでも質問してください。ご遠慮なく」

彼はブランディーを軽く口に含み、味わった。そしてグラスを静かにテーブルの上に置いた。

「雑木林の中のあの穴のことです」と免色は言った。「あの石室に先日、私は一時間ばかり入っていました。懐中電灯も持たず、穴の底に一人きりで座っていました。そして穴には蓋がされ、石の重しが置かれました。そして私はあなたに『一時間後に戻ってきて、私をここから出してください』とお願いしました。そうでしたね？」

「そのとおりです」

「どうしてそんなことを私がしたと思います？」

わからないと私は正直に言った。

「それが私にとって必要だったからです」と免色は言った。「うまく説明はできないのですが、ときどきそれをすることが私には必要になります。狭い真っ暗な場所に、完全な沈黙の中に、一人ぼっちで置き去りにされることです」

私は黙って次の言葉を待った。

免色は続けた。「そして私のあなたへの質問というのはこういうことです。あなたはその一時間のあいだに、私をあの穴の中に置き去りにしたいという気持ちをちらりとでも抱きませんでしたか？　私を暗い穴の底に、あのままずっと放っておこうという誘惑には駆られませんでしたか？」

彼の言わんとすることが私にはうまく理解できなかった。「置き去りにする？」

免色は右のこめかみに手をやり、そっとこすった。まるで何かの傷跡を確かめるみたいに。それから言った。「つまりこういうことです。私はあの深さ三メートル近く、直径二メートルほどの穴の底にいました。梯子も引き上げられていました。まわりの石壁はずいぶん密に積まれていて、よじ登ることはとてもできません。しっかりと蓋もされています。あんな山の中ですから、大きな声で叫んでも鈴を振り続けても、誰の耳にも届きません——もちろんあなたの耳には届くかもしれませんが。つまり私が自分一人の力で地上に戻ることはかなわないということです。もしあなたが戻ってこなければ、私はいつまでもあの穴の底にいなくてはならなかった。そうですね？」

「そういうことになるかもしれません」

彼の右手の指はまだこめかみの上にあった。それは動きを止めていた。「それで私が知りたいのは、その一時間のあいだに、『そうだ、あの男を穴から出してやるのはよそう。ずっとあのままにしておいてやろう』という考えが、ちらりとでもあなたの頭をよぎりはしなかったかということです。決して気を悪くしたりはしませんから、正直に答えていただきたいのです」

彼は指をこめかみから離し、ブランディー・グラスをもう一度手にとり、またゆっくりと宙で回した。しかし今回はグラスに口をつけなかった。目を細めて匂いを嗅いで、テーブルの上に戻したただけだった。

「そんなことはまったく頭に浮かびませんでした」と私は正直に答えた。「ほんのちらりとも。一時間経ったら、蓋をとってあなたを外に出さなくては、ということしか頭にはなかったと思います」

「本当に？」

「百パーセント本当です」

「もし仮に私があなたの立場であったなら……」と免色は打ち明けるように言った。その声はとても穏やかだった。「私はきっとそのことを考えていたはずです。あなたをあの穴の中に永遠に置き去りにしたいという誘惑に駆られていたに違いありません。これはまたとない絶好の機会だと」

私にはうまく言葉が出てこなかった。だから黙っていた。

免色は言った。「穴の中で私はずっとそのことを考えていました。もし自分があなたの立場にいたら、きっとそのように考えるに違いないと。なんだか不思議なものですね。実際にはあなたが地上にいて、私が穴の中にいたのに、私はずっと自分が地上にいて、あなたが穴の底にいることばかり想像していました」

「でも、もしあなたに穴の中に置き去りにされたら、ぼくはそのまま飢え死にしかねません。本当に鈴を鳴らしながらミイラになってしまうかもしれない。それでもかまわないということですか？」

「ただの想像です。妄想と言っていいかもしれない。もちろん実際にそんなことをするわけはありません。ただ頭の中で想像を働かせているだけです。死というものを、頭の中で仮説としてもてあそんでいるだけです。だから心配しないでください。というか、あなたがそのような誘惑をまったく感じなかったということの方が、私にとってはむしろ不可解なくらいなのです」

私は言った。「免色さんはあのとき暗い穴の底に一人きりでいて、怖くはなかったのですか？ぼくがそのような誘惑に駆られて、あなたを穴の底に置き去りにするかもしれないという可能性を頭に置きながら」

免色は首を振った。「いいえ、怖くはありませんでした。というか、心の底ではあなたが実際にそうするのを期待していたのかもしれません」

「期待していた？」と私は驚いて言った。「つまりぼくがあなたを穴の底に置き去りにすることをですか？」

「そのとおりです」

「つまりあの穴の底で見殺しにされてもいいと考えておられたわけですか？」

「いや、死んでしまってもいいとまで考えていたわけじゃありません。私だってまだこの生に少しは未練があります。それに飢え死に、渇き死にするのは私の好みの死に方ではありません。私はただあと少しでもいいから、より死に近接してみたかったというだけです。その境界線がとても微妙なものだということは承知の上で」

私はそれについて考えてみた。免色の言うことはまだうまく理解できなかった。私は騎士団長の方にさりげなく目をやった。騎士団長はまだその飾り棚の上に腰掛けていた。彼の顔にはどのような表情も浮かんでいなかった。

免色は続けた。「暗くて狭いところに一人きりで閉じこめられていて、いちばん怖いのは、死ぬことではありません。何より怖いのは、永遠にここで生きていなくてはならないのではないかと考え始めることです。そんな風に考えだすと、恐怖のために息が詰まってしまいそうになります。まわりの壁が迫ってきて、そのまま押しつぶされてしまいそうな錯覚に襲われます。そこで生き延びていくためには、人はなんとしてもその恐怖を乗り越えなくてはならない。自己を克服するということです。そしてそのためには死に限りなく近接することが必要なのです」

「しかしそれは危険を伴う」

「太陽に近づくイカロスと同じことです。近接の限界がどこにあるのか、そのぎりぎりのラインを見分けるのは簡単ではない。命をかけた危険な作業になります」

「しかしその近接を避けていては、恐怖を乗り越え自己を克服することはできない」

「そのとおりです。それができなければ、人はひとつ上の段階に進むことができません」と免色は言った。そしてしばらくのあいだ何かを考えているようだった。それから唐突に――私から見ればそれは突然の動作に思えた――席から立ち上がり、窓のところに行って、外に目をやった。

「まだ少しばかり雨が降っているようですが、たいした雨じゃない。少しテラスに出ませんか？お見せしたいものがあるんです」

私たちは食堂から階上の居間に移り、そこからテラスに出た。南欧風のタイル張りの広々としたテラスだった。我々は木製の手すりに寄りかかるようにして、谷間の風景を眺めた。まるで観光地の見晴台のように、そこから谷間を一望することができた。細かい雨はまだ降っていたが、今ではほとんど霧に近い状態になっていた。谷を挟んだ向かいの山の家々の明かりは、まだ明るくともっていた。同じひとつの谷を挟んでいても、反対側から眺めると風景の印象がずいぶん違うものだ。

テラスの一部には屋根が張り出していて、その下に日光浴用、あるいは読書用の寝椅子が置かれていた。飲み物や本を載せるための、グラス・トップの低いテーブルがその隣にある。緑の葉をつけた観葉植物の大きな鉢があり、ビニールのカバーをかぶせられた丈の高い器具のようなものが置いてあった。壁にはスポットライトもついていたが、そのスイッチは入れられていなかった。居間の照明もほの暗く落とされていた。

「うちはどのあたりになるのでしょう？」と私は免色に尋ねた。

免色は右手の方向を指さした。「あのあたりです」

私はそちらの方に目をこらしてみたが、家の明かりがまったくついていないことと、霧のような雨が降っていることのために、うまく見定められなかった。よくわからないと私は言った。

「ちょっと待ってください」と免色は言って、寝椅子のある方に歩いて行った。そして何かの器具の上にかぶせられたビニールのカバーを取り、こちらにそれを抱えて持ってきた。三脚付きの双眼鏡らしきものだった。それほど大きなものではないが、普通の双眼鏡とは違う不思議な格好をしていた。色はくすんだオリーブ・グリーンで、形状の無骨さのせいで測量用の光学機器のように見えなくもない。彼はそれを手すりの前に置き、方向を調整し慎重に焦点を合わせた。

「ご覧になってください。これがあなたの住んでおられるところです」と彼は言った。

私はその双眼鏡をのぞいてみた。鮮明な視野を持つ倍率の高い双眼鏡だった。量販店で売っているようなありきたりのものではない。霧雨の淡いヴェールを通して、遠方の光景が手に取るように見えた。そしてたしかにそれは私が暮らしている家だった。テラスが見える。私がいつも座っているデッキチェアがある。その奥には居間があり、隣には私が絵を描いているスタジオがある。明かりが消えているので家の中まではうかがえない。しかし昼間なら少しは見えるかもしれない。自分の住んでいる家をそんな風に眺めるのは（あるいは覗くのは）、不思議な気持ちのすることだった。

「安心してください」と免色は私の心を読んだように背後から声をかけた。「ご心配には及びません。あなたのプライバシーを侵害するようなことはしていません。というか、実際にあなたのお宅にこの双眼鏡を向けたことはほとんどありません。信用してください。私の見たいものは他にあるからです」

「見たいもの？」と私は言った。そして双眼鏡から目を離し、振り返って免色の顔を見た。免色の顔はあくまで涼しげで、相変わらず何も語っていなかった。ただ夜のテラスの上で、彼の白髪はいつもよりずっと白く見えた。

「お見せします」と免色は言った。そしていかにも馴れた手つきで双眼鏡の向きを少しだけ北の方に回し、素早く焦点を合わせた。そして一歩後ろに下がって私に言った。「ご覧になってください」

私は双眼鏡をのぞいてみた。その丸い視野の中に、山の中腹に立っている瀟洒な板張りの住宅が見えた。やはり山の斜面を利用して建てられた二階建てで、こちらに向けてテラスがついている。地図の上ではうちのお隣ということになるのだろうが、地形の関係で互いに行き来する道はないから、下から別々の道路を上ってアクセスしなくてはならない。家の窓には明かりがついていた。しかし窓にはカーテンが引かれており、中の様子まではうかがえなかった。しかしもしカーテンが開けられていたら、そして部屋の明かりがついていたら、中にいる人の姿をかなりはっきり目にできるはずだ。これだけ高い性能を有する双眼鏡ならそれくらいはじゅうぶん可能だろう。

「これはNATOが採用している軍用の双眼鏡です。市販はしていないので、手に入れるのに少しばかり苦労しました。明度がきわめて高く、暗い中でもかなり明瞭に像を見定めることができます」

私は双眼鏡から目を離し免色を見た。「この家が免色さんが見たいものなのですか?」

「そうです。でも誤解してもらいたくないのですが、私は覗きをやっているわけではありません」

彼は最後に双眼鏡をもう一度ちらりとのぞき、それから三脚ごと元あった場所に戻し、上からビニールのカバーを掛けた。

「中に入りましょう。冷えるといけませんから」と免色は言った。そして我々は居間に戻った。我々はソファと安楽椅子に腰をかけた。ポニーテイルの青年が顔を見せ、何か飲み物はほしいかと尋ねたが、我々はそれを断った。免色は青年に向かって、今夜はどうもありがとう、ご苦労様、二人とももう引き上げてもらってけっこうだ、と言った。青年は一礼し引き下がった。

騎士団長は今ではピアノの上に腰掛けていた。真っ黒なスタインウェイのフル・グランドに。彼はその場所が前の場所より気に入っているように見えた。長剣の柄についた宝玉が明かりを受けて誇らしげにきらりと光った。

「今ご覧になったあの家には」と免色は切り出した。「私の娘かもしれない少女が住んでいます。私はその姿を遠くから、小さくてもいいからただ見ていたいのです」

　私は長いあいだ言葉を失っていた。

「覚えておられますか？　私のかつての恋人が他の男と結婚して生んだ娘が、あるいは私の血を分けた子供であるかもしれないという話を？」

「もちろん覚えています。その女性はスズメバチに刺されて亡くなってしまって、娘さんは十三歳になっている。そうですね？」

　免色は短く簡潔に肯いた。「彼女は父親と一緒に、あの家に住んでいます。谷の向かい側に建ったあの家に」

　頭の中にわき起こったいくつかの疑問を整ったかたちにするのに時間が必要だった。免色はそのあいだじっと黙して、私が感想らしきものを口にするのを辛抱強く待っていた。

　私は言った。「つまりあなたは、ご自分の娘かもしれないその少女の姿を日々双眼鏡を通して見るために、谷間の真向かいにあるこの屋敷を手に入れた。ただそれだけのために多額の金を払ってこの家を購入し、多額の金を使って大改装をした。そういうことなのですか？」

　免色は肯いた。「ええ、そういうことです。ここは彼女の家を観察するには理想的な場所です。私は何があってもこの家を手に入れなくてはなりませんでした。他にこの近辺に建築許可の下りそうな土地はひとつもなかったものですから。そして以来、毎日のようにこの双眼鏡を通して、谷間の向かいに彼女の姿を探し求めています。とはいってもその姿を目にできる日よりは、目にできない日の方が遥かに多いのですが」

「だから邪魔が入らないように、できるだけ人を入れないで、一人でここに暮らしておられる」

免色はもう一度肯いた。「そうです。誰にも邪魔をしてもらいたくない。場を乱してほしくない。それが私の求めていることです。私はここで無制限の孤独を必要としているのです。そして私の他にこの秘密を知っているのは、この世界にあなた一人しかいません。こんな微妙なことは迂闊(うかつ)に人に打ち明けられませんからね」

そのとおりだろう、と私は思った。そして当然ながらこうも思った。じゃあどうして今、彼は私にそのことを打ち明けているのだろう?

「じゃあ、どうして今ここでぼくにそれを打ち明けるんですか?」と私は免色に尋ねてみた。「何か理由があってのことなのでしょうか?」

免色は脚を組み直し、私の顔をまっすぐ見た。そしてひどく静かな声で言った。「ええ、もちろんそうするには理由があります。あなたに折り入ってひとつお願いしたいことがあるのです」

25 真実がどれほど深い孤独を人にもたらすものか

「あなたに折り入ってひとつお願いしたいことがあるのです」と免色は言った。

その声音から、彼はその話を切り出すタイミングを前々からずっとはかっていたのだろうと私は推測した。そしておそらくはそのために私を（また騎士団長を）この夕食会に招待したのだ。個人的な秘密を打ち明け、その頼みごとを持ち出すために。

「それがもしぼくにできることであれば」と私は言った。

免色はしばらく私の目をのぞきこんでいた。それから言った。「それは、あなたにできることというよりは、あなたにしかできないことなんです」

突然なぜか煙草が吸いたくなった。私は結婚するのを機に喫煙の習慣を断ち、それ以来もう七年近く、煙草を一本も吸っていない。かつてはヘビースモーカーだったから、禁煙はかなりの苦行だったが、今では吸いたいと思うこともなくなっていた。しかしこの瞬間、煙草を一本口にくわえてその先端に火をつけられたらどんなに素敵だろうと、ずいぶん久しぶりに思った。マッチをする音まで聞こえてきそうだった。

「いったい、どんなことなのでしょう？」と私は尋ねた。それがどんなことかとくに知りたいわけではなかったし、できれば知らずに済ませたかったが、話の流れとしてやはりそう尋ねないわけにはいかなかった。

「簡単に言いますと、あなたに彼女の肖像画を描いていただきたいのです」と免色は言った。

私は彼の口にした文脈を頭の中でいったんばらばらに解体し、もう一度並べ直さなくてはならなかった。とてもシンプルな文脈だったのだけれど。

「つまり、あなたの娘さんかもしれないその女の子の肖像画を、ぼくが描くということですね」

免色は肯いた。「そのとおりです。それがあなたにお願いしたかったことです。それも写真から起こしたりするのではなく、実際に彼女を目の前に置いて、彼女をモデルにして絵を描いていただきたいのです。ちょうど私を描いたときと同じように、あなたのうちのスタジオに彼女に来てもらって。それが唯一の条件です。どのような描き方をするかはもちろんあなたにお任せします。好きなように描いていただいてけっこうです。あとのことは一切注文はつけません」

私はしばらくのあいだ言葉を失ってしまった。疑問はいくつもあったが、いちばん最初に頭に浮かんだ実際的な疑問を私は口にした。「しかし、どうやってその女の子を説得するのですか？いくら近所に住んでいるとはいえ、まったく見ず知らずの女の子に『肖像画を描きたいからそのモデルになってくれないか』と持ちかけるわけにもいかないでしょう」

「もちろんです。そんなことをしたら怪しまれ、警戒されるだけです」

「じゃあ、何か良い考えをお持ちなんですか？」

免色はしばらく何も言わず私の顔を見ていた。それからまるで静かにドアを開けて、奥の小部屋に足を踏み入れるみたいに、おもむろに口を開いた。「実をいいますと、あなたは既に彼女を知っています。そして彼女もあなたのことをよく知っています」

「ぼくは彼女のことを知っている？」

「そうです。その娘の名前は秋川まりえといいます。秋の川に、まりえは平仮名のまりえです。ご存じでしょう？」

秋川まりえ。その名前の響きには間違いなく聞き覚えがあった。しかしその名前と名前の持ち主とが、なぜかうまくひとつに結びつかなかった。まるで何かにブロックされているみたいに。でも少しして記憶がはっと戻ってきた。

私は言った。「秋川まりえは小田原の絵画教室に来ている女の子ですね？」

免色は肯いた。「そうです。そのとおりです。あなたはあの教室で、講師として彼女に絵の指導をしています」

秋川まりえは小柄で無口な十三歳の少女だった。彼女は私の受け持っている子供のための絵画教室に通っていた。いちおう小学生が対象とされている教室だから、中学生である彼女は最年長だったが、おとなしいせいだろう、小学生たちに混じっていてもまったく目立たなかった。まるで気配を殺すように、いつも隅の一方に身を寄せていた。私が彼女のことを覚えていたのは、彼女が私の亡くなった妹にどこか似た雰囲気を持っており、しかも年齢が妹の死んだときの年齢とだいたい同じだったからだ。

教室の中で秋川まりえはほとんど口をきかなかった。私が何かを話しかけてもこっくりと肯くだけで、言葉はあまり口にしない。何かを言わなくてはならないときは、とても小さな声で話したので、しばしば聞き返さなくてはならなかった。緊張が強いらしく、私の顔を正面から見ることもできないらしかった。ただ絵を描くのは好きなようで、絵筆を持って画面に向かうと目つきが変わった。両目の焦点がくっきり結ばれ、鋭い光が宿った。そしてなかなか興味深い面白い絵を描いた。決して上手というのではないが、人目を惹く絵だった。とくに色使いが普通とは違う。どことなく不思議な空気を持った少女だった。

黒い髪は流れるようにまっすぐ艶やかで、目鼻立ちは人形のそれのように端正だった。ただあまりにも端正過ぎるために、顔全体として眺めると、どことなく現実から乖離（かいり）したような雰囲気が感じられた。客観的に見れば顔立ちは本来美形であるはずなのに、ただ素直に「美しい」と言い切ってしまうことに、人はなんとなく戸惑いを抱くのだ。何かが——おそらくある種の少女たちが成長期に発散する独特の生硬（せいこう）さのようなものが——そこにあるべき美しい流れを妨げているのだ。でもいつか、何かの拍子にそのつっかえが取り払われたとき、彼女は本当に美しい娘になるかもしれない。しかしそれまでには今しばらく時間がかかりそうだった。思い出すと、私の死んだ妹の顔立ちにもいくらかそういう傾向があった。もっと美しくてもいいはずなのに、とよく私は思ったものだ。

「秋川まりえはあなたの実の娘であるかもしれない。そしてこの谷間の向かい側の家に住んでいる」と私は更新された文脈をあらためて言葉にした。「彼女にモデルになってもらって、ぼくがその肖像画を描く。それがあなたの求めていることなのですか？」

「そうです。ただ個人的な気持ちとしては、私はあなたにその絵を依頼しているわけではありません。私はあなたにお願いしているのです。絵が出来上がったら、そしてもちろんあなたさえよろしければ、私がそれを買い取らせてもらいます。そしていつでも見られるように、この家の壁に飾ります。それが私の求めていることです。というか、お願いしていることです」

しかしそれでもまだ、私には話の筋が今ひとつ素直に呑み込めなかった。物事はそれだけでは終わらないのではないかという微かな危惧があった。

「求めておられるのは、ただそれだけなのですか？」と私は尋ねてみた。

免色はゆっくりと息を吸い込み、それを吐いた。「正直に言いますと、もうひとつだけお願いしたいことがあります」

「どんなことでしょう？」

「とてもささやかなことです」と彼は静かな、しかし僅かにこわばりの感じられる声で言った。「あなたが彼女をモデルにして肖像画を描いているときに、お宅を訪問させていただきたいのです。あくまでたまたまふらりと立ち寄ったという感じで。一度だけでいい、そしてほんの短いあいだでかまいません。彼女と同じ部屋の中にいさせてください。同じ空気を吸わせてください。それ以上は望みません。また決してあなたのご迷惑になるようなことはしません」

それについて考えてみた。そして考えれば考えるほど、居心地の悪さを感じることになった。何かの仲介役になったりすることを私は生来苦手としている。他人の強い感情の流れに——それがどのような感情であれ——巻き込まれるのは好むところではない。それは私の性格に向いた役柄ではなかった。しかし免色のために何かをしてやりたいという気持ちが私の中にあることもまた確かだった。どのように返事をすればいいのか、慎重に考えなくてはならない。

「そのことはまたあとであらためて考えましょう」と私は言った。「とりあえずの問題は、そもそも秋川まりえが絵のモデルになることを承諾してくれるだろうかということです。それをまず解決しなくてはなりません。とてもおとなしい子供ですし、猫のように人見知りをします。絵のモデルになんかなりたくないと言うかもしれません。あるいは親が、そんなことは許可できないというかもしれません。ぼくがどういう素性の人間なのかもわからないわけですから、当然警戒もするでしょう」

「私は絵画教室の主宰者である松嶋（まつしま）さんを個人的によく知っています」と免色は涼しげな声で言った。「それに加えて、私はたまたまあの教室の出資者というか後援者の一人でもあります。松嶋さんがあいだに入って口を添えてくれれば、話は比較的円滑に進むのではないでしょうか。あなたが間違いのない人物であり、キャリアを積んだ画家であり、自分がそれを保証すると彼が言えば、親もおそらく安心するでしょう」

この男はすべてを計算してことを進めているのだ、と私は思った。彼は起こりそうなことをあらかじめ予測し、囲碁の布石（ふせき）のように、ひとつひとつ前もって適切な手を打っておいたのだ。たまたまなんてことはあり得ない。

免色は続けた。「日常的に秋川まりえの世話をしているのは、彼女の独身の叔母さんです。父親の妹です。前にも申し上げたと思いますが、母親が亡くなったあとその女性があの家に同居して、まりえの母親代わりをつとめてきました。父親には仕事があり、日常の世話をするには忙しすぎますから。ですからその叔母さんさえ説得すれば、ものごとはうまく運ぶはずです。秋川まりえがモデルになることを承諾したときには、おそらく彼女が保護者としてお宅まで付き添ってくるはずです。男が一人暮らしをしている家に、女の子を単独で行かせるということはまずないでしょうから」

「でもそううまく秋川まりえがモデルになることを承諾してくれるでしょうか？」

「それについては任せてください。あなたさえ彼女の肖像を描くことに同意してくだされば、あとのいくつかの実務的な問題は私が手をまわして解決します」

私はもう一度考え込んでしまった。おそらくこの男はそこにある「いくつかの実務的な問題」を「手をまわして」うまく解決していくことだろう。もともとそういうことを得意としている人物なのだ。しかしそこまで自分がその問題に——おそろしくややこしく入り組んだ人間関係に——深く関わってしまっていいものだろうか。そこにはまた免色が私に明かした以上の、計画なり思惑なりが含まれているのではあるまいか？

「ぼくの正直な意見を言ってかまいませんか？　余計なことかもしれませんが、あくまで常識的な見解として聞いていただきたいのです」と私は言った。

「もちろんです。なんでも言ってください」

「ぼくは思うのですが、この肖像画のプランを実際に実行に移す前に、秋川まりえが本当にあなたの実子なのかどうか、調べる手立てを講じられたほうがいいのではないでしょうか？　その結果もし彼女があなたの実子でないとわかれば、わざわざそんな面倒なことをする必要はないわけです。調べるのは簡単ではないかもしれませんが、たぶん何かうまい方法はあるはずです。免色さんならきっとその方法くらい見つけられるでしょう。ぼくが彼女の肖像画を描けたとしても、そしてその絵があなたの肖像画の隣にかけられたとしても、それで問題が解決に向かうわけじゃありません」

免色は少し間を置いて答えた。「秋川まりえが私の血を分けた子供なのかどうか、医学的に正確に調べようと思えば調べられると思います。いくらか手間はかかるでしょうが、やってできなくはありません。しかし私はそういうことをしたくないのです」

「どうしてですか？」

「秋川まりえが私の子供なのかどうか、それは重要なファクターではないからです」

私は口を閉ざして免色の顔を見ていた。彼が首を振ると、豊かな白髪が風にそよぐように揺れた。それから彼は穏やかな声で言った。まるで頭の良い大型犬に簡単な動詞の活用を教えるみたいに。

「どちらでもいいというのではありません、もちろん。ただ私はあえて真実をつきとめたいとは思わないのです。秋川まりえは私の血を分けた子供であるかもしれない。そうではないかもしれない。でももし仮に彼女が私の実の子供であったと判明して、そこで私はいったいどうすればいいのですか？　私が君の本当の父親なんだよと名乗り出ればいいのですか？　まりえの養育権を求めればいいのですか？　いや、そんなことはできっこありません」

免色はもう一度軽く首を振り、膝の上でしばらく両手をこすり合わせた。まるで寒い夜に暖炉の前で身体を温めているみたいに。そして話を続けた。

「秋川まりえは今のところ、父親と叔母と一緒にあの家で平穏に暮らしています。母親は亡くなりましたが、それでも家庭は——父親にいくらか問題はあるものの——比較的健全に運営されているようです。少なくとも彼女は叔母になついています。彼女には彼女なりの生活ができあがっています。そこに出し抜けに私がまりえの実の父親だと名乗り出て、それが真実であることが科学的に証明されたとして、それで話がすんなりうまく収まるでしょうか？　真実はむしろ混乱をもたらすだけです。その結果おそらく誰も幸福にはなれないでしょう。もちろん私も含めて」

「つまり、真実を明らかにするよりは、今の状況をこのままとどめておきたいと」

免色は膝の上で両手を広げた。「簡単に言えばそういうことです。その結論に達するまでには時間がかかりました。しかし今では私の気持ちは固まっています。『秋川まりえは自分の実の娘かもしれない』という可能性を心に抱いたまま、これからの人生を生きていこうと私は考えています。私は彼女の成長を、一定の距離を置いたところから見守っていくことでしょう。それで十分です。たとえ彼女が実の娘であるとわかっても、私はまず幸福にはなれません。喪失がより痛切なものになるだけでしょう。そしてもし彼女が自分の実の娘ではないとわかったら、それはそれで、別の意味で私の失望は深いものになります。あるいは心が挫けてしまうかもしれない。どちらに転んでも、好ましい結果が生まれる見込みはありません。言わんとすることはおわかりいただけますか？」

「おっしゃっていることはおおよそ理解できます。論理としては。でももしぼくがあなたの立場にあるとすれば、やはり真実を知りたいと思うはずです。論理はさておき、本当のことを知りたいと望むのが人間の自然な感情でしょう」

免色は微笑んだ。「それはまだあなたがお若いからです。私ほどの年齢になれば、あなたにもきっとこの気持ちがおわかりになるはずです。真実がときとしてどれほど深い孤独を人にもたらすかということが」

「そしてあなたが求めているのは、唯一無二の真実を知ることではなく、彼女の肖像画を壁にかけて日々眺め、そこにある可能性について思いを巡らせること――本当にそれだけでかまわないのですか？」

免色は肯いた。「そうです。私は揺らぎのない真実よりはむしろ、揺らぎの余地のある可能性を選択します。その揺らぎに我が身を委ねることを選びます。あなたはそれを不自然なことだと思いますか？」

私にはそれはやはり不自然なことに思えた。少なくとも自然なこととは思えなかった。不健康とまでは言えないにせよ。しかしそれは結局のところ免色の問題であって、私の問題ではない。

私はスタインウェイの上の騎士団長に目をやった。騎士団長と私の目が合った。彼は両手の人差し指を宙に上げ、左右に広げた。どうやら〈その返答は先延ばしにしろ〉ということらしかった。それから彼は右手の人差し指で左手首の腕時計を指さした。もちろん騎士団長は腕時計なんてはめていない。腕時計のあるあたりを指さしたということだ。そしてもちろんそれが意味するのは、〈そろそろここを引き上げた方がいい〉ということだった。それは騎士団長からのアドバイスであり、警告だった。私はそれに従うことにした。

「あなたのお申し出についての返答は、少し待っていただけますか？　いささか微妙な問題ですし、ぼくにも落ち着いて考える時間が必要です」

免色は膝に置いた両手を宙に上げた。「もちろんです。もちろん、ゆっくり心ゆくまで考えてください。急がせるつもりはまったくありません。私はあなたに多くのことをお願いしすぎているかもしれない」

私は起ち上がって夕食の礼を言った。

「そうだ、ひとつあなたにお話ししようと思って、忘れていたことがあります」と免色は思い出したように言った。「雨田具彦さんのことです。以前、彼がオーストリアに留学していたときの話が出ましたね。そしてヨーロッパで第二次大戦が勃発する直前に、彼がウィーンから急遽引き上げてきたことについて」

「ええ、覚えています。そんな話をしました」

「それで少しばかり資料をあたってみたんです。私もそのあたりの経緯にいささか興味があったものですから。まあずいぶん古い話ですし、ことの真相ははっきりとはわかりません。しかし当時から噂は囁かれていたようです。一種のスキャンダルとして」

「スキャンダル？」

「ええ、そうです。雨田さんはウィーンでとある暗殺未遂事件に巻き込まれ、それが政治的な問題にまで発展しそうになり、ベルリンの日本大使館が動いて彼を密かに帰国させた、そういう噂が一部にはあったようです。アンシュルスの直後のことです。アンシュルスのことはご存じですね」

「一九三八年におこなわれたドイツによるオーストリアの併合ですね」

「そうです。オーストリアはヒットラーによってドイツに組み込まれました。政治的なごたごたの末に、ナチスがオーストリア全土をほとんど強権的に掌握し、オーストリアという国家は消滅してしまった。一九三八年三月のことです。もちろんそこでは数多くの混乱が生じました。どさくさに紛れて少なからぬ数の人が殺害されました。暗殺されたり、自殺に見せかけて殺されたり、あるいは強制収容所に送られたり。雨田具彦がウィーンに留学していたのはそのような激動の時代だったのです。噂によれば、ウィーン時代の雨田具彦には深い仲になったオーストリア人の恋人がいて、その繋がりで彼も事件に巻き込まれたようです。どうやら大学生を中心とする地下抵抗組織が、ナチの高官を暗殺する計画をたてていたらしい。それはドイツ政府にとっても、日本政府にとっても好ましい出来事ではありませんでした。その一年半ほど前に日独防共協定が結ばれたばかりで、日本とナチス・ドイツとの結びつきは日を追って強くなっていました。だからその友好関係を阻害するような事態が持ち上がることは極力避けたいという事情が、両国ともにありました。そしてまた雨田具彦氏は若いけれど、日本国内では既にある程度名を知られた画家でもあり、それに加えて彼の父親は大地主で、政治的発言力を持つ地方の有力者でした。そういう人物を人知れず抹殺してしまうわけにもいきません」

「そして雨田具彦はウィーンから日本に送還された？」

「そうです。送還されたというよりは、救出されたと言った方が近いかもしれない。上の方の〈政治的配慮〉によって九死に一生を得たというところでしょう。そんな重大な容疑でゲシュタポに引っ張られたら、仮に明確な証拠がなかったとしても、まず命はありませんから」

「しかし暗殺計画は実現しなかった？」

「あくまで未遂に終わりました。その計画をたてた組織の内部には通報者がいて、情報はすべてゲシュタポに筒抜けであったということです。だから組織のメンバーは一網打尽に逮捕されてしまった」

「そんな事件があったら、かなり大きな騒ぎになっていたでしょうね」

「ところが不思議なことに、その話はまったく世の中に流布していません」と免色は言った。

「スキャンダルとして密かに囁かれていただけで、公的記録も残されていないみたいです。それなりの理由があって、事件は闇から闇へと葬られたらしい」

　とすれば、彼の絵『騎士団長殺し』の中に描かれている「騎士団長」とはナチの高官のことだったのかもしれない。あの絵は一九三八年のウィーンで起こるべきであった（しかし実際には起こらなかった）暗殺事件を仮想的に描写したものなのかもしれない。事件には雨田具彦とその恋人が関連している。その計画は当局に露見し、その結果二人は離ればなれになり、たぶん彼女は殺されてしまった。彼は日本に帰ってきてから、そのウィーンでの痛切な体験を、日本画のより象徴的な画面に移し替えたのだ。つまりそれを千年以上昔の飛鳥時代の情景に「翻案」したわけだ。『騎士団長殺し』はおそらくは雨田具彦が自分自身のために描いた作品だったのだろう。彼は青年時代の厳しく血なまぐさい記憶を保存するために、その絵を自らのために描かないわけにはいかなかった。だからこそ彼は描きあげた『騎士団長殺し』を公にすることなく、堅く包装して家の屋根裏に人目につかないように隠していた。

　あるいは日本に戻ってきた雨田具彦が、洋画家としてのキャリアをきっぱりと捨て、日本画に転向することになった理由のひとつは、そのウィーンでの事件にあったのかもしれない。彼は過去の自分自身と決定的に離別したかったのかもしれない。

「あなたはどうやってそれだけのことを調べられたのですか？」と私は尋ねた。

「私が実際にあちこちを歩き回って調べたわけではありません。知り合いのある団体に頼んで調査してもらったんです。ただそうとう昔の話になりますし、話のどこまでが確実な事実なのか責任は持てません。しかし複数のソースにあたったから、基本的には情報として信頼できるはずです」

「雨田具彦さんにはオーストリア人の恋人がいた。彼女は地下抵抗組織のメンバーだった。そして彼もその暗殺計画に加わることになった」

免色は首を少し傾けた。そして言った。「もしそうであればなかなか劇的な展開ですが、事情を知る関係者はほとんど死んでいます。真実が正確にいかなるものであったか、もはや我々には知るすべもなさそうです。事実は事実として、そういう話にはだいたい尾ひれがつくものです。しかしいずれにせよメロドラマのような筋書きだ」

「彼自身がどの程度深くその計画に関係していたかまではわからない？」

「ええ、そこまではわかりません。私はただメロドラマの筋書きを勝手に思い描いているだけです。とにかくそのような経緯で雨田具彦氏はウィーンから追放され、恋人に別れを告げて——あるいは別れを告げることさえできず——ブレーメン港から客船に乗せられ日本に帰国しました。戦争中は阿蘇の田舎にこもって深い沈黙を守り、戦後まもなく日本画家として再デビューを果たし、人々を驚かせた。これもまたなかなかにドラマチックな展開です」

そこで雨田具彦についての話は終わった。

来たときと同じ黒いインフィニティが家の前で静かに私を待っていた。雨はまだ断続的に細かく降り続き、空気は湿って冷えていた。本格的なコートの必要な季節がすぐそこまで近づいている。

「わざわざおいでいただき、とても感謝しています」と免色は言った。「騎士団長にもお礼を申し上げます」

　こちらこそお礼を申し上げたい、と騎士団長が私の耳元で囁くように言った。しかしもちろんその声は私の耳にしか届かない。私はもう一度免色に夕食の礼を言った。本当に素晴らしい料理だった。堪能しました。騎士団長も感謝しているようです。

「食事のあとでつまらない話を持ち出して、せっかくの夜を台無しにしたのでなければいいのですが」と免色は言った。

「そんなことはありません。ただお申し出については、もう少し考えさせてください」

「もちろんです」

「ぼくは考えるのに時間がかかります」

「それは私も同じです」と免色は言った。「二度考えるよりは、三度考える方がいい、というのが私のモットーです。そしてもし時間さえ許すなら、三度考えるよりは、四度考える方がいい。ゆっくり考えてください」

　運転手が後部席のドアを開けて待っていた。私はそこに乗り込んだ。騎士団長もそのとき一緒に乗り込んだはずだが、その姿は私の目には映らなかった。車はアスファルトの坂道を上り、開かれた門を出て、それからゆっくりと山を下りた。その白い屋敷が視界から消えてしまうと、今夜そこで起こったことのすべてが、夢の中の出来事であるように思えた。何が正常であり何が正常でないのか、何が現実であり何が現実でないのか、だんだん見極めがつかなくなっている。

　目に見えるものが現実だ、と騎士団長が耳元で囁いた。しっかりと目を開けてそれを見ておればいいのだ。判断はあとですればよろしい。

しっかり目を開けていても見落としていることがたくさんありそうだ、と私は思った。あるいはそう心で思いつつ、小さく声に出してしまったのかもしれない。運転手がルームミラーで私の顔をちらりと見たからだ。私は目を閉じて、背中をシートに深くもたせかけた。そして思った。いろんな判断を永遠に後回しにできたらどんなに素晴らしいだろう。

帰宅したのは十時少し前だった。私は洗面所で歯を磨き、パジャマに着替えてベッドに潜り込み、そのまま眠った。当然のことながらたくさんの夢を見た。どれも居心地の悪い奇妙な夢だった。ウィーンの街に翻る無数のハーケンクロイツ、ブレーメンを出港する大型客船、岸壁のブラスバンド、青髭公の開かずの間、スタインウェイを弾く免色。

26 これ以上の構図はありえない

その二日後、東京のエージェントから電話がかかってきた。免色氏から絵の代金の振り込みがあり、そこからエージェントの手数料を差し引いた金額を、私の銀行口座に振り込んだということだった。私はその金額を聞いて驚いた。最初に聞かされていた金額より更に多かったからだ。

「出来上がった絵が期待していたより素晴らしいものだったので、ボーナスとして金額を追加した。感謝の気持ちとして遠慮なく受け取ってもらいたいという免色さんからのメッセージがついていました」と私の担当者は言った。

私は軽くうなったが、言葉は出てこなかった。

「実物は見ていませんが、免色さんがメールで絵の写真を送ってくださって、それを拝見しました。写真で見る限りですが、素晴らしい作品だと私も感じました。肖像画という領域を超えた作品だし、それでいて肖像画としての説得力を具えています」

私は礼を言った。そして電話を切った。

その少し後にガールフレンドから電話がかかってきた。明日のお昼前にそちらに行ってかまわないだろうか？　かまわない、と私は言った。金曜日は絵画教室のある日だが、時間的には間に合うはずだ。

「おとといは免色さんのお宅で夕食を食べたの？」と彼女は尋ねた。

「ああ、とても本格的な食事だったよ」

「おいしかった？」

「すごく。ワインも素晴らしかったし、料理も申し分なかった」

「家の中はどんなだった？」

「見事だった」と私は言った。「いちいち描写するだけで、軽く半日くらいはつぶせそうだよ」

「会ったときにその話を詳しく聞かせてくれる？」

「前に？　それともあとに？」

「あとでいい」と彼女は簡潔に言った。


私は電話を切るとスタジオに行って、壁に掛けた雨田具彦の『騎士団長殺し』の絵を眺めた。これまで何度も何度も見た絵ではあったけれど、免色の話を聞いたあとであらためて見ると、そこには不思議なほど生々しいリアリティーが感じられた。それはただ過去に起こった事件を懐古的に画面に再現した、よくある歴史画に留まってはいない。そこに登場する四人の人物（顔ながの存在は除外して）、一人一人の表情や動きから、状況に対するそれぞれの思いが読み取れそうだった。長い剣を騎士団長に突き刺している若い男の顔はあくまで無表情だった。おそらくは心を閉ざし、感情を奥に押し隠しているのだろう。胸に剣を突き立てられた騎士団長の顔には、苦痛と共に「まさかこんなことが」という純粋な驚きが読み取れた。そばで成り行きを見守っている若い女は（オペラのドンナ・アンナだ）、激しくせめぎ合う感情によってまさに身を二つに引き裂かれているようだった。端正な顔は苦悶のために歪んでいる。白い美しい手は口の前にかざされている。ずんぐりとした体つきの従者らしき男（レポレロ）は、思いも寄らぬ展開に息を呑み、天を仰いでいた。彼の右手は何かを摑もうとするように宙に伸ばされている。

構成は完璧だった。これ以上の構図はありえない。練りに練られた見事な配置だ。四人の人々はその動作のダイナミズムを生々しく保持したまま、そこに瞬間凍結されている。そしてその構図の上に、私は一九三八年のウィーンで起こっていたかもしれない暗殺事件の状況を重ねてみた。騎士団長は飛鳥時代の装束ではなく、ナチの制服を着ていた。あるいはそれは親衛隊の黒色の制服かもしれない。そしてその胸にはおそらくサーベルなり短刀なりが突き立てられていた。それを突き刺しているのは、雨田具彦本人であったかもしれない。そばで息を呑んでいる女は誰なのだろう？　雨田具彦のオーストリア人の恋人なのだろうか？　いったい何がかくも彼女の心を引き裂いているのだろう？

私はスツールに座って、『騎士団長殺し』の画面を長く見つめていた。想像力を巡らせれば、そこからいろんな寓意やメッセージを読み取ることが可能だった。しかしいくら説を組み立てたところで、結局のところすべては裏付けのない仮説に過ぎない。そして免色が話してくれたその絵のバックグラウンドは――バックグラウンドと思われるものは――公にされた歴史的事実ではなく、あくまで風説に過ぎないのだ。あるいはただのメロドラマに過ぎないのだ。すべてがかもしれないで終わっている話だ。

今ここに妹が一緒にいてくれるといいのだが、と私はふと思った。

もしコミがここにいたら、私はこれまでのことの成り行きをすべて彼女に語り、彼女はその話に時おり短い質問をはさみながらも、静かに耳を傾けてくれることだろう。このようなわけのわからない、ややこしく入り組んだ話であっても、彼女が眉をひそめたり、驚きの声を上げたりすることはたぶんないだろう。その落ち着いた思慮深い表情が変化することはあるまい。そして私が語り終えたとき、彼女はしばらく間を置いてから、いくつかの有益なアドバイスを私に与えてくれることだろう。私たちは小さな頃から、そのような交流を続けてきたのだ。しかし考えてみれば、コミが私に何か相談を持ちかけたことはない。私の記憶している限り、ただの一度もなかったはずだ。なぜだろう？　彼女はそれほどの精神的な困難に直面することがなかったのだろうか？　それとも私に相談しても仕方ないとあきらめていたのだろうか？　おそらくその両方、半分ずつくらいではないだろうか。

　でももし彼女が健康になり、十二歳で死ぬことがなかったとしても、そんな親密な兄と妹の関係はそれほど長くは続かなかったかもしれない。コミはどこかの面白みのない男と結婚して、遠くの町で暮らすようになり、日々の生活に神経をすり減らし、子育てに疲れ果て、かつての純粋な輝きを失い、私の相談に乗る余裕なんてなくしていたかもしれない。我々の人生がどんな風に進んでいくか、そんなことは誰にもわかりっこないのだ。

　私と妻とのあいだの問題は、私が死んだ妹の代役を無意識のうちにユズに求めたことにあったのかもしれない。そういう気もしないでもない。私自身にはもちろんそんなつもりはなかったのだが、でも考えてみれば妹を亡くして以来、精神的な困難に直面したときに寄りかかれるパートナーを、心のどこかで求めてきたのかもしれない。しかし言うまでもないことだが、妻は妹とは違う。ユズはコミではない。立場も違うし役柄も違う。そして何より共に培ってきた歴史が違う。

そんなことを考えているうちに私はふと、結婚する前に世田谷区砧にあるユズの実家を訪問したときのことを思いだした。

ユズの父親は一流銀行の支店長をしていた。息子（ユズの兄だ）もやはり銀行員で、同じ銀行に勤務していた。どちらも東京大学の経済学部を卒業しているということだった。どうやら銀行員の多い家系らしかった。私はユズと結婚したいと思っていて（そしてもちろんユズも私と結婚したいと思っていて）、その意思を彼女の両親に伝えに行ったわけだが、父親との半時間あまりの会見は、どのような見地から見ても友好的とは言い難いものだった。私は売れない画家であり、アルバイトに肖像画を描いているだけで、定収入と呼べるものもなかった。将来性と呼べそうなものもほとんど見当たらない。どう考えてもエリート銀行員の父親に好意を持たれるような立場にはなかった。それくらいは前もって予想できていたから、何を言われようと、どのように罵倒されようと、冷静さだけは失うまいと心を決めてその場に出向いた。そして私はもともとかなり我慢強い性格だ。

でも妻の父親のくどくどしい説教を拝聴しているうちに、私の中で生理的嫌悪感のようなものが高まり、次第に感情のコントロールがきかなくなっていった。気分が悪くなり、吐き気を感じたほどだった。私は話の途中で席から起ち上がり、申し訳ないが洗面所を借りたいと言った。そして便器の前に膝をつき、胃の中にあるものを吐いてしまおうと努めた。しかし吐けなかった。

胃の中にほとんど何も入っていなかったからだ。胃液すら出てこなかった。だから何度も深呼吸をし、気持ちを落ち着けた。口の中に不快な匂いがしたので、水でうがいをした。ハンカチで顔の汗を拭き、それから居間に戻った。

「大丈夫？」、ユズが私の顔を見て心配そうに尋ねた。たぶん私はひどい顔色をしていたのだろう。

「結婚するのは本人の勝手だが、そんなもの長くはもたないぞ。まあせいぜい四、五年というところだろう」というのがその日、別れ際に父親が私に向かって口にした最後の言葉だった（私はそれに対して何も言い返さなかった）。父親のその言葉は不快な響きと共に私の耳に残り、ある種の呪いとしてあとあとまで機能することになった。

彼女の両親は最後まで認めてくれなかったが、我々はそのまま入籍して正式に夫婦になった。私自身の両親とはもうほとんど連絡が途絶えていた。結婚式は挙げなかった。友人たちが会場を借りて、簡単なお祝いのパーティーを開いてくれただけだった（中心になって動いてくれたのは、もちろん面倒見の良い雨田政彦だった）。それでも我々は幸福だった。少なくとも最初の何年かは間違いなく幸福だったと思う。四年か五年か、我々のあいだには問題らしい問題は存在しなかった。しかしやがて、まるで大きな客船が海の真ん中で舵を切るみたいに、ゆっくりとした転換がおこなわれた。その理由は私にはまだよくわからない。その転換のポイントを見定めることもできない。たぶん結婚生活に彼女が求めていたものと、私が求めていたものとのあいだに、何かしら違いがあって、そのずれが年月を追うごとに次第に大きくなっていったということなのだろう。そして気がついたときには、彼女は私以外の男と密かに逢うようになっていた。結婚生活は結局のところ、六年ほどしか続かなかったわけだ。

彼女の父親は私たちの結婚生活が破綻したことを知って、おそらく「それみたことか」とほくそ笑んでいることだろう（彼の予想よりは一年か二年長くもったわけだが）。そしてユズが私から離れたことを、むしろ喜ばしい出来事と見なしているに違いない。ユズは私と別れてから実家との関係を修復したのだろうか？　もちろんそんなことは私には知りようもないし、また知りたいとも思わない。それは彼女の個人的な問題であって、私の与り知るところではない。しかしそれでもなお、父親の呪いは私の頭上から依然として取り払われていないようだった。私はその漠然とした気配を、じわりとした重みを今もなお感じ続けていた。そして自分では認めたくないことだが、私の心は思った以上に深い傷を負い、血を流していた。雨田具彦の絵の中の、騎士団長の刺された心臓のように。

やがて午後が深まり、秋の早い夕暮れがやってきた。あっという間に空が暗さを増し、艶やかな漆黒のカラスたちが、谷間の上空を賑やかに叫びながらねぐらに向かっていった。私はテラスに出て手すりにもたれ、谷間の向こう側の免色の家を眺めた。庭園のいくつかの水銀灯が既に点灯され、夕闇の中にその家の白さを浮かび上がらせていた。そのテラスから高性能の双眼鏡を使って、夜ごとひそかに秋川まりえの姿を求めている免色の姿を私は思い浮かべた。彼はその行為を可能にするために、まったくそのことだけを目的として、その白い家を強引に手に入れたのだ。大金を支払い、面倒な手間をかけ、しかも自分の趣味にあっているとは言い難い広すぎる屋敷を。

そして不思議なことなのだが（私自身には不思議に感じられることなのだが）、ふと気がつくと私は免色という人物に対して、他の人にはこれまで感じたことのない近しい思いを抱くようになっていた。親近感、いや、連帯感とさえ呼んでもいいかもしれない。我々はある意味では似たもの同士なのかもしれない——そう思った。私たちは自分たちが手にしているものではなく、またこれから手にしようとしているものでもなく、むしろ失ってきたもの、今は手にしていないものによって前に動かされているのだ。彼のとった行為が私に納得できたとはとても言えない。それは明らかに私の理解の範囲を超えていた。しかし少なくともその動機を理解することはできた。

　私は台所に行って、雨田政彦にもらったシングル・モルトのオンザロックをつくり、それを手に居間のソファに座って、雨田具彦のレコード・コレクションの中から、シューベルトの弦楽四重奏曲を選んでターンテーブルに載せた。『ロザムンデ』と呼ばれる作品だ。免色の家の書斎でかかっていた音楽だ。その音楽を聴きながら、ときどきグラスの中の氷を揺らせた。

　その日はとうとう最後まで、騎士団長は一度も姿を見せなかった。彼はやはりみみずくと一緒に、屋根裏で静かに休んでいるのかもしれない。イデアにだってやはり休日は必要なのだ。私もその日は一度もキャンバスの前に立たなかった。私にもやはり休日は必要なのだ。

　騎士団長のために私は一人でグラスをあげた。

27
姿かたちはありありと覚えていながら

　私はやってきたガールフレンドに、免色の家での夕食会のことを話した。もちろん秋川まりえのことや、テラスの三脚つき高性能双眼鏡や、騎士団長が密かに同伴したことは除いて。私が話したのは、出てきた食事のメニューだとか、家の間取りだとか、そこにどんな家具が置いてあったとか、そのような害のないことだけだ。我々はベッドの中にいて、どちらもまったくの裸だった。三十分ほどにわたる性的な営みをすませたあとのことだ。騎士団長がどこかから観察しているのではないかと、最初のうちはどうも落ち着かなかったけれど、途中からはそれも忘れてしまった。見たければ見ればいい。

　彼女は熱心なスポーツ・ファンが、贔屓（ひいき）チームの昨日の試合の得点経過を事細かに知りたがるように、食卓に供された食事の詳細を知りたがった。私は思い出せるかぎり正確に、前菜からデザートまで、ワインからコーヒーまで、内容を逐一丹念に描写した。食器も含めて。私はもともとそういう視覚的な記憶力に恵まれている。どんなものでもいったん集中して視野に収めれば、ある程度時間が経過しても、細かいところまでかなり詳しく具体的に思い出せる。だから目の前にある物体を手早くスケッチするように、ひとつひとつの料理の特徴を絵画的に再現することができた。彼女はうっとりとした目つきで、そんな描写に耳を傾けていた。ときどき実際に唾を飲み込んでいるようだった。

「素敵ね」と彼女は夢見るように言った。「私も一度でいいから、どこかでそういう立派な料理をご馳走されたいな」

「でも正直言うと、出された料理の味はほとんど覚えていないんだ」と私は言った。

「料理の味のことはあまり覚えていない？　でもおいしかったんでしょう？」

「おいしかったよ。とてもおいしかった。そういう記憶はある。でもそれがどんな味だったかは思い出せないし、言葉で具体的に説明することもできない」

「姿かたちはそれだけありありと覚えていながら？」

「うん、絵描きだから、料理の姿かたちをそのまま再現することはできる。それが仕事のようなものだから。でもその中身までは説明できない。作家ならたぶん味わいの内容まで表現できるんだろうけど」

「変なの」と彼女は言った。「じゃあ、私とこんなことをしていても、あとで細かく絵には描けても、その感覚を言葉で再現することはできないということ？」

私は彼女の質問を頭の中でいったん整理してみた。「つまり性的な快感について、ということ？」

「そう」

「そうだな。たぶんそうだと思う。でもセックスと食事を比較していえば、性的な快感を説明するよりは、料理の味を説明する方がよりむずかしいような気がするな」

「つまりそれは」と彼女は初冬の夕暮れの冷ややかさを感じさせる声で言った。「私の提供する性的な快感よりは、免色さんの出す料理のお味の方が、より繊細で奥深いということかしら？」

「いや、そういうわけじゃない」と私は慌てて説明を加えた。「それは違う。ぼくが言っているのは、中身の質的な比較じゃなくて、ただ説明の難易度の問題だよ。テクニカルな意味で」

「まあ、いいけど」と彼女は言った。「私があなたに与えるものだって、なかなか悪くないでしょう？　テクニカルな意味で」

「もちろん」と私は言った。「もちろん素晴らしいよ。テクニカルな意味でも、他のどんな意味でも、絵にも描けないくらい素晴らしい」

正直なところ、彼女が私に与えてくれる肉体的快感は、まったく文句のつけようのないものだった。私はこれまで何人かの女性と――自慢できるほど多くの数ではないにしても――性的な経験を持った。しかし彼女の性的器官は、私が知っているどのそれよりも繊細で変化に富んでいた。それがリサイクルされずに何年も放置されていたというのはまさに憂うべきことだ。私がそう言うと、彼女はまんざらでもない顔をした。

「嘘じゃなくて？」

「嘘じゃなくて」

彼女はしばらく私の横顔を疑わしそうに眺めていたが、やがて信用してくれたようだった。

「それで、ガレージは見せてもらった？」と彼女は私に尋ねた。

「ガレージ？」

「英国車が四台入っているという、伝説の彼のガレージ」

「いや、見なかったな」と私は言った。「なにしろ広い敷地だから、ガレージまでは目につかなかったよ」

「ふうん」と彼女は言った。「ジャガーのEタイプが本当にあるかどうかも訊かなかったの？」

「ああ、訊かなかったよ。思いつきもしなかったな。だってぼくはそれほど車には興味がないからさ」

「トヨタ・カローラの中古のワゴンで文句ないのね？」

「なにひとつ」

「私だったら、Eタイプにちょっと触らせてもらうと思うんだけどな。あれはほんとに美しい車だから。子供の頃にオードリー・ヘップバーンとピーター・オトゥールのでている映画を観て、それ以来ずっとあの車に憧れていたの。映画の中でピーター・オトゥールがぴかぴかのEタイプに乗っていたの。あれは何色だったかな？　たぶん黄色だったと思うんだけど」

少女時代に目にしたそのスポーツカーに彼女が思いをはせている一方で、私の脳裏にはあの、スバル・フォレスターの姿が浮かび上がってきた。宮城県の海岸沿いの小さな町、その町はずれのファミリー・レストランの駐車場に駐められていた白いスバルだ。私の観点からすれば、とくに美しい車とは言いがたい。ごく当たり前の小型SUV、実用のために作られたずんぐりとした機械だ。それに思わず手を触れてみたくなるというような人はかなり少ないだろう。ジャガーEタイプとは違う。

「で、あなたは温室やらジムやらも、見せてもらわなかったわけ？」と彼女は私に尋ねた。彼女は免色の家の話をしているのだ。

「ああ、温室も、ジムも、ランドリー室も、メイド用の個室も、台所も、六畳くらいあるウォークイン・クローゼットも、ビリヤード台のあるゲーム室も、実際には見せてもらわなかったよ。案内はされなかったからさ」

免色にはどうしてもその夜、私に話さなくてはならない大事な案件があった。きっとのんびり家の案内をするどころではなかったのだろう。

「ほんとに六畳くらいのウォークイン・クローゼットとか、ビリヤード台のあるゲーム室とかがあるの？」

「知らないよ。ただのぼくの想像だ。実際にあっても不思議はなさそうだったけど」

「書斎以外の部屋はぜんぜん見せてもらわなかったわけ？」

「うん、とくにインテリア・デザインに興味があるわけじゃないからね。見せてもらったのは玄関と居間と書斎と食堂だけだ」

「例の〈青髭公の開かずの部屋〉の目星をつけたりもしなかったの？」

「そこまでの余裕はなかった。『ところで免色さん、かの有名な〈青髭公の開かずの部屋〉はどこでしょうか』って、本人に尋ねるわけにもいかないしね」

彼女はつまらなそうに舌打ちをして首を何度か振った。「ほんとに男の人って、そういうところがだめなのよね。好奇心ってものがないのかしら？　もし私だったら、隅から隅まで舐（な）めるように見せてもらっちゃうけどな」

「男と女とでは、きっとそもそもの好奇心の領域が違っているんだよ」

「みたいね」と彼女はあきらめたように言った。「でもまあいいわ。免色さんの家の内部について、たくさんの新しい情報が入っただけでもよしとしなくちゃ」

私はだんだん心配になってきた。「情報を溜め込むのはともかく、それをあまりよそで言いふらされると、ぼくとしてはちょっと困るんだ。そのいわゆるジャングル通信で……」

「大丈夫よ。あなたがいちいちそんな心配をすることはないんだから」と彼女は明るく言った。

それから彼女はそっと私の手を取り、自分のクリトリスへと導いた。そのようにして私たちの好奇心の領域は再び大幅に重なり合うことになった。教室に出かけるまでにはまだしばらく間があった。そのときスタジオに置いた鈴が小さく鳴ったような気がしたが、たぶん耳の錯覚だろう。

彼女が三時前に、赤いミニを運転して帰ってしまったあと、私はスタジオに入り、棚の上の鈴を手にとって点検してみた。鈴には見たところ何の変化も見受けられなかった。それはただ静かにそこに置かれているだけだった。あたりを見回しても騎士団長の姿はなかった。

それから私はキャンバスの前に行ってスツールに腰を下ろし、白いスバル・フォレスターの男の、描きかけの肖像画を眺めた。これから進んでいくべき方向を見定めようと思って。でもそこで私はひとつ、思いも寄らぬ発見をすることになった。その絵は既に完成していたのだ。

言うまでもなくその絵はまだ制作の途上にあった。そこに示されたいくつかのアイデアが、これからひとつひとつ具象化されていくことになっていた。現在そこに描かれているのは、私のこしらえた三色の絵の具だけで造形された、男の顔のおおまかな原型に過ぎない。木炭で描いた下絵の上に、それらの色が荒々しく塗りたくられている。もちろん私の目は、その画面に「白いスバル・フォレスターの男」のあるべき姿かたちを浮かび上がらせることができる。そこにはいわば潜在的に、騙し絵のように、彼の顔が描き込まれている。しかし私以外の人の目にはその姿はまだ見えていない。その絵は今のところ、ただの下地に過ぎない。やがて来たるべきものの示唆と暗示に留まっている。ところがその男は――私が過去の記憶から起こして描こうとしていたその人物は――そこに提示されている今の自分の暗黙の姿に、既に充足しているようだった。あるいは、その自分の姿をこれ以上明らかにしてもらいたくないと強く求めているようだった。

これ以上なにも触るな、と男は画面の奥から私に語りかけていた。あるいは命じていた。このまま何ひとつ加えるんじゃない。

その絵は未完成なままで完成していた。その男は、不完全な形象のままでそこに完全に実在していた。矛盾した語法だが、それ以外に形容のしようがない。そしてその男の隠された像は画面の中から、作者である私に向かって、強い思念のようなものを送り届けようとしていた。それは私に何かを理解させようと努めていた。でもそれがどんなことなのか、私にはまだわからない。この男は生命を持っているのだ、と私は実感した。実際に生きて動いているのだ。

私はまだ絵の具が乾いていないその絵をイーゼルから下ろし、絵の具がつかないように裏向きにして、スタジオの壁に立てかけた。その絵をそれ以上目にしていることに、私はだんだん耐えられなくなってきた。そこには何か不吉なものが――おそらく私が知るべきではないものが含まれているように思えた。

その絵の周辺からは、漁港の町の空気が漂ってきた。その空気には潮の匂いと、魚の鱗の匂いと、漁船のディーゼル・エンジンの匂いが入り混じっていた。海鳥の群れが鋭い声で鳴きながら、強い風の中をゆっくり旋回していた。おそらくは生まれてからゴルフなんてしたこともないであろう中年男がかぶっている黒いゴルフ・キャップ。浅黒く日焼けした顔、こわばった首筋、白髪の混じった短い髪。使い込まれた革のジャンパー。ファミリー・レストランに響くナイフとフォークの音——世界中すべてのファミリー・レストランで聞こえるあの無個性な音。そして駐車場にひっそりと駐められた白いスバル・フォレスター。リアバンパーに貼られたカジキマグロのステッカー。


「私を打(ぶ)って」と交わっている最中に女は私に言った。彼女の両手の爪は私の背中にしっかりたてられていた。きつい汗の臭いがした。私は言われたとおり彼女の顔を平手で叩いた。

「そういうんじゃなくて、いいからもっと真剣に叩いて」と女は激しく首を振りながら言った。

「もっともっと力を入れて、思い切り打って。あとが残ってもかまわないから。鼻血が出るくらい強く」

私は女を叩きたいとは思わなかった。私の中にはもともとそういう暴力的な傾向はない。ほとんどまったくない。でも彼女は真剣に殴打されることを真剣に求めていた。彼女が必要としているのは本物の痛みだった。私は仕方なくもう少しだけ力を入れて女を叩いた。あとが赤く残るくらい強く。私が女を強く叩くと、そのたびに彼女の肉が私のペニスを激しく強く締め上げた。まるで飢えた生き物が目の前の餌に食らいつくかのように。

「ねえ、私の首を少し絞めてくれない」と少しあとで女は私の耳に囁いた。「これを使って」

その囁きはどこか別の空間から聞こえてくるみたいに私には感じられた。そして女は枕の下からバスローブの白い紐を取り出した。きっと前もって用意しておいたのだろう。

私はそれを断った。いくらなんでもそんなことは私にはできない。危険すぎる。下手をすれば相手は死んでしまうかもしれない。

「真似だけでいいから」と彼女は喘ぐように懇願した。「真剣に絞めなくてもいいから、そうする真似だけでいいのよ。首にこれを巻き付けて、ほんのちょっと力を入れてくれるだけでいい」

私にはそれを断ることができない。

ファミリー・レストランに響く無個性な食器の音。


私は首を振って、そのときの記憶をどこかに押しやろうとした。私にとっては思い出したくない出来事だった。できれば永遠に捨て去ってしまいたい記憶だ。でもそのバスローブの紐の感触は、まだ私の両手にはっきりと残っていた。彼女の首の手応えも。どうしてもそれを忘れることができない。

そしてこの男は知っていたのだ。私が前の夜どこで何をしていたかを。私がそこで何を思っていたかを。

この絵をどうすればいいのだろう。このまま裏返しにして、スタジオの隅に置いておけばいいのだろうか？　たとえ裏返しになっていても、それは私を落ち着かない気持ちにさせた。もしほかに置き場所があるとすれば、それはあの屋根裏しかない。雨田具彦が『騎士団長殺し』を隠しておいたのと同じ場所だ。そこはおそらく人が心を隠してしまうための場所なのだ。

私の頭の中で、さっき自分が口にしていた言葉が繰り返されていた。

うん、絵描きだから、料理の姿かたちをそのまま再現することはできる。でもその中身までは説明できない。

うまく説明のつかない様々なものたちが、この家の中で私をじわじわと捉えようとしていた。屋根裏で見つかった雨田具彦の絵画『騎士団長殺し』、雑木林に口を開けた石室に残されていた奇妙な鈴、騎士団長の姿を借りて私の前に現れるイデア、そして白いスバル・フォレスターの中年男。またそれに加えて、谷間の向かい側に住む不思議な白髪の人物。免色はどうやらこの私を、彼の頭の中にある何かしらの計画の中に引き込もうとしているようだった。

私のまわりで渦の流れが徐々に勢いを増しているようだった。そして私はもうあとに引き返すことができなくなっていた。もう遅すぎる。そしてその渦はどこまでも無音だった。その異様なまでの静けさが私を怯えさせた。

28 フランツ・カフカは坂道を愛していた

　その日の夕方、私は小田原駅近くの絵画教室で子供たちの絵の指導をしていた。その日の課題は人物のクロッキーだった。二人でペアを組んで、前もって教室側が用意した中から好きな筆記具を選び（木炭か、何種類かの柔らかな鉛筆）、交代でスケッチブックにお互いの絵を描く。制限時間は一枚につき十五分（キッチン・タイマーを使って正確に時間をはかる）。あまり消しゴムを使わないようにする。できるだけ一枚の紙だけですませるようにする。

　そして一人ひとりが前に出て、自分の描いた絵をみんなに見せ、子供たちが自由にその感想を言い合う。少人数の教室だから、雰囲気は和気藹々（わきあいあい）としている。そのあとで私が前に立って、クロッキーの簡単なコツのようなものを教える。デッサンとクロッキーとはどう違うのか、その違いをおおまかに説明する。デッサンはいわば絵画の設計図のようなものであり、そこにはある程度の正確さが必要とされる。それに比べると、クロッキーは自由な第一印象のようなものだ。印象を頭の中に浮かばせ、その印象が消えてしまわないうちに、それにおおよその輪郭を与えていく。クロッキーでは正確さよりは、バランスとスピードが大事な要素になる。名のある画家でも、クロッキーがあまりうまくない人はけっこうたくさんいる。私はクロッキーを昔から得意としていた。

私は最後に、子供たちの中からモデルを一人選び、白いチョークを使って黒板に、その姿かたちを描いて見せる。実例を示すわけだ。「すげえ」「速ええ」「そっくりじゃん」と子供たちは感心して言う。子供たちを素直に感心させることも、教師の大切な職務のひとつになる。

そのあとで今度はパートナーを換えて、みんなにクロッキーをさせるわけだが、子供たちは二度目の方が格段にうまくなっている。知識を吸収する速度が速いのだ。教える方が感心してしまうくらい。もちろん上手な子もいれば、あまりうまくない子もいる。でもそれはかまわない。私が子供たちに教えているのは、実際的な絵の描き方よりは、むしろものの見方なのだから。

この日私は実例を描くときに、秋川まりえをモデルに指定した（もちろん意図してのことだ）。彼女の上半身を黒板に簡単に描く。正確にはクロッキーとは言えないが、成り立ちは同じようなものだ。三分ほどで手早く仕上げる。私はその授業を利用して、秋川まりえをどのように絵にできるかをテストしてみたわけだ。そしてその結果、彼女が絵のモデルとしてなかなかユニークな、そして豊かな可能性を秘めていることを私は発見した。

それまでは秋川まりえをとくに意識して見たことはなかったのだが、画作の対象として注意深く眺めると、彼女は私が漠然と認識していたよりずっと興味深い容貌を具えていた。ただ単に顔立ちがきれいに整っているというのではない。美しい少女ではあるが、よく見るとそこにはどことなくアンバランスなところがあった。そしてそのいくらか不安定な表情の奥には、何かしら勢いのあるものが身を潜めているようだった。まるで丈の高い草むらに潜んだ敏捷（びんしょう）な獣（けもの）のように。

そのような印象をうまく形にできればと思う。しかし三分のあいだに、黒板の上にチョークでそこまで表現するのは至難の業だ。というか、ほとんど不可能だ。それにはもっと時間をかけて彼女の顔を丁寧に観察し、いろんな要素をうまく腑分けしていく必要がある。そしてこの少女のことをもっとよく知らなくてはならない。

私は黒板に描いた彼女の絵を消さずにとっておいた。そして子供たちが帰ってしまったあと、一人でしばらく教室に残って、腕組みしながらそのチョーク画を眺めていた。そして彼女の顔立ちに、免色に似たところがあるかどうか見定めようとした。しかしなんとも判断できなかった。似ているといえばよく似ているようだし、似ていないといえばまるで似ていない。ただもし似ているところをひとつだけあげろと言われれば、それは目になるだろう。二人の目の表情には、とくにその一瞬の独特なきらめき方には、どこかしら共通するものがあるように感じられた。

澄んだ泉の深い底をじっと覗き込むと、そこに発光しているかたまりのようなものが見えることがある。よくよく覗き込まないと見えない。しかもそのかたまりはすぐに揺らいで形を失ってしまう。真剣に覗き込めば覗き込むほど、それは目の錯覚かもしれないという疑いが生まれる。でもそこには間違いなく何か光っているものがある。たくさんの人をモデルにして絵を描いていると、ときどきそういう「発光」を感じさせる人々がいる。数からいえばごく少数だ。でもその少女は――そしてまた免色も――その数少ない人々のうちの一人だった。

受付をやっている中年の女性が、片付けのために教室に入ってきて私の隣に立ち、感心したようにその絵を眺めた。

「これは秋川まりえちゃんよね」と彼女は一目見て言った。「すごくよく描けている。まるで今にも動き出しそうに見えるわ。消しちゃうのはもったいないみたい」

「ありがとう」と私は言った。そして机から立ち上がり、黒板消しを使ってその絵をきれいに消した。

騎士団長はその翌日（土曜日）、ようやく私の前に姿を見せた。火曜日の夜、免色の家での夕食会で目にして以来初めての出現——彼自身の表現を借りれば「形体化」ということになる——だった。食品の買い物から帰ってきて、夕方に居間で本を読んでいると、スタジオの方から鈴の鳴る音が聞こえてきた。スタジオに行ってみると、騎士団長は棚に腰をかけて、鈴を耳元で軽く振っていた。まるでその微妙な響き具合を確かめるみたいに。私の姿を目にすると、彼は鈴を振るのをやめた。

「久しぶりですね」と私は言った。

「久しぶりも何もあらない」と騎士団長は素っ気なく答えた。「イデアというものは百年、千年単位で世界中あちこちを行き来しているのだ。一日や二日は時間のうちにはいらんぜ」

「免色さんの夕食会はいかがでした？」

「ああ、ああ、あれはそれなりに興味深い夕食会だった。もちろん料理は食べられないが、しかるべく目の保養をさせてもらった。そして免色くんは、なかなかに関心をそそられる人物であった。いろいろなことを先の先の方まで考えている男だ。そしてまたあれこれを、内部にしこたま抱え込んでいる男でもある」

「彼にひとつ頼み事をもちかけられました」

「ああ、そうだな」と騎士団長は手にした古い鈴を眺めながら、さして興味なさそうに言った。「その話は隣でしかと聞いておったよ。しかしそいつは、あたしにはあまり関わりのないものごとである。あくまで諸君と免色くんとのあいだの実際的な、いうなれば現世的なものごとだ」

「ひとつ質問していいですか?」と私は言った。

騎士団長は手のひらで顎の鬚をごしごしとこすった。「ああ、かまわんぜ。あたしに答えられるかどうかはわからんが」

「雨田具彦の『騎士団長殺し』という絵についてです。もちろんその絵のことはご存じですよね? なにしろあなたはその画面の中から、登場人物の姿かたちを借用したわけだから。あの絵はどうやら、一九三八年にウィーンで実際に起こった暗殺未遂事件をモチーフとしているようです。そしてその事件には雨田具彦さん自身が関わっているという話です。そのことについてあなたは何かをご存じではありませんか?」

騎士団長はしばらく腕組みをして考えていた。それから目を細め、口を開いた。

「歴史の中には、そのまま暗闇の中に置いておった方がよろしいこともうんとある。正しい知識が人を豊かにするとは限らんぜ。客観が主観を凌駕するとは限らんぜ。事実が妄想を吹き消すとは限らんぜ」

「一般論としてはそうかもしれません。しかしあの絵は見るものに何かを強く訴えかけてきます。雨田具彦は、彼が知っているとても大事な、しかし公に明らかにはできないものごとを、個人的に暗号化することを目的として、あの絵を描いたのではないかという気がするのです。人物と舞台設定を別の時代に置き換え、彼が新しく身につけた日本画という手法(メチエ)を用いることによって、彼はいわば隠喩としての告白を行っているように感じられます。彼はそのためだけに洋画を捨てて、日本画に転向したのではないかという気さえするほどです」

「絵に語らせておけばよろしいじゃないか」と騎士団長は静かな声で言った。「もしその絵が何かを語りたがっておるのであれば、絵にそのまま語らせておけばよろしい。隠喩は隠喩のままに、暗号は暗号のままに、ザルはザルのままにしておけばよろしい。それで何の不都合があるだろうか？」

なぜ急にザルがそこに出てくるのかよくわからなかったが、そのままにしておいた。

私は言った。「不都合があるというのではありません。ぼくはただ、あの絵を雨田具彦に描かせたバックグラウンドのようなものが知りたいだけなのです。なぜならあの絵は何かを求めているからです。あの絵は間違いなく、何かを具体的な目的として描かれた絵なんです」

騎士団長は何かを思い出すように、しばらくまた手のひらで顎鬚を撫でていた。そして言った。

「フランツ・カフカは坂道を愛していた。あらゆる坂に心を惹かれた。急な坂道の途中に建っている家屋を眺めるのが好きだった。道ばたに座って、何時間もただじっとそういう家を眺めておったぜ。飽きもせずに、首を曲げたりまっすぐにしたりしながらな。なにかと変なやつだった。そういうことは知っておったか？」

フランツ・カフカと坂道？

「いいえ、知りませんでした」と私は言った。そんな話は聞いたこともない。

「で、そういうことを知ったところで、彼の残した作品への理解がちっとでも深まるものかね、なあ？」

私はその質問には答えなかった。「じゃあ、あなたはフランツ・カフカのことも知っていたのですか、個人的に？」

「向こうはもちろん、あたしのことなんぞ個人的には知らんがね」と騎士団長は言った。そして何かを思い出したようにくすくす笑った。騎士団長が声を出して笑うのを見たのは、それが初めてだったかもしれない。フランツ・カフカには何かくすくす笑うべき要素があったのだろうか？

それから騎士団長は表情を元に戻して続けた。

「真実とはすなはち表象のことであり、表象とはすなはち真実のことだ。そこにある表象をそのままぐいと呑み込んでしまうのがいちばんなのだ。そこには理屈も事実も、豚のへそもアリの金玉も、なんにもあらない。人がそれ以外の方法を用いて理解の道を辿ろうとするのは、あたかも水にザルを浮かべんとするようなものだ。悪いことはいわない。よした方がよろしいぜ。免色くんがやっておるのも、気の毒だが、いわばそれに類することだ」

「つまり何をしたところで所詮、無駄な試みだということですか？」

「穴ぼこだらけのものを水に浮かべることは、なにびとにもかなわない」

「正確には、免色さんはいったい何をやろうとしているのですか？」

騎士団長は軽く肩をすくめた。そして両眉の間に、若い頃のマーロン・ブランドを思わせるチャーミングな皺を寄せた。騎士団長がエリア・カザンの映画『波止場』を見たことがあるとはとても思えなかったけれど、その皺の寄せ方は本当にマーロン・ブランドにそっくりだった。彼の外見や相貌の引用源がどのような領域まで及んでいるのか、私には測り知ることができなかった。

彼は言った。「雨田具彦の『騎士団長殺し』について、あたしが諸君に説いてあげられることはとても少ない。なぜならその本質は寓意にあり、比喩にあるからだ。寓意や比喩は言葉で説明されるべきものではない。呑み込まれるべきものだ」

そして騎士団長は小指の先でぽりぽりと耳のうしろを掻いた。まるで猫が雨の降り出す前に耳のうしろを掻くみたいに。

「しかしひとつだけ諸君に教えてあげよう。あくまでささやかなことだが、明日の夜に電話がかかってくるであろう。免色くんからの電話だが、そいつにはよくよく考えてから返答する方がよろしいぜ。どれだけ考えたところで、きみの回答は結果的にちっとも変わらんだろうが、それにしてもよくよく考えた方がよろしい」

「そしてこちらがよくよく考えているということを、相手にわからせることもまた大事だ、ということですね。ひとつの素振りとして」

「そう、そういうことだ。ファースト・オファーはまず断るというのがビジネスの基本的鉄則だ。覚えておいて損はあらない」と言って騎士団長はまたくすくす笑った。今日の騎士団長の機嫌はなかなか悪くないようだった。「ところで話は変わるが、クリトリスというのはさわっていて面白いものなのかね？」

「面白いからさわる、というものではないような気はしますが」と私は正直に意見を述べた。

「はたで見ていてもよくわからん」

「ぼくにもよくわからないような気がします」と私は言った。イデアにも、何もかもがわかるというわけではないのだ。

「とにかくあたしはそろそろ消える」と騎士団長は言った。「ほかにちょっと行くところもあるからな。あまり暇があらない」

それから騎士団長は消えた。チェシャ猫が消えるみたいにじわじわと段階的に。私は台所に行って、一人で簡単に夕食をつくって食べた。そしてイデアにどんな「ちょっと行くところ」があるのか、少し考えてみた。しかしもちろん見当もつかなかった。

騎士団長が予言したように、翌日の夜の八時過ぎに免色から電話があった。

私はまず最初に先日の夕食の礼を言った。とても素晴らしい料理でした。いいえ、なんでもありません。こちらこそ楽しい時間を持たせていただきました、と免色は言った。それから私は、肖像画の礼金を約束よりも多く払ってもらったことについても、感謝の言葉を口にした。いや、それくらいは当然のことです、あれほど見事な絵を描いていただいたわけですから、どうか気になさらないでください、と免色はあくまで謙虚に言った。そんな儀礼的なやりとりがひととおり終わったあとに、しばしの沈黙があった。

「ところで、秋川まりえのことですが」と免色は天候の話でもするように、なんでもなさそうに切り出した。「覚えておられますよね、先日、彼女をモデルにして絵を描いていただきたいというお願いをしたことを？」

「もちろんよく覚えています」

「そのような申し出を昨日、秋川まりえにしたところ――というか実際には、絵画教室の主宰者である松嶋さんが彼女の叔母さんに、そのようなことは可能かどうか打診をしたわけですが――秋川まりえはモデルをつとめることに同意したということでした」

「なるほど」と私は言った。

「ですから、もしあなたに彼女の肖像画を描いていただけるとなったら、準備は万端整ったということになります」

「しかし免色さん、この話にあなたが一枚嚙んでくることを松嶋さんはとくに不審には思わないのでしょうか?」

「私はそういう点についてはとても注意深く行動しています。心配なさらないでください。私はあなたの、いわばパトロンのような役割を果たしている、という風に彼は解釈しています。そのことであなたが気を悪くされなければいいのですが……」

「それはべつにかまいません」と私は言った。「でも秋川まりえがよく承知しましたね。無口でおとなしい、いかにも内気そうな子に見えたんですが」

「実を言いますと、叔母さんの方はこの話に最初のうち、あまり乗り気ではなかったようです。絵描きのモデルになるなんて、だいたいろくなことにはならないだろうと。画家であるあなたに対して失礼な言い方になりますが」

「いや、それが世間の普通の考え方です」

「しかしまりえ自身が、絵のモデルになることにかなり積極的だったという話です。あなたに描いてもらえるのなら、喜んでモデルの役をつとめたいと。そして叔母さんの方がむしろ彼女に説得されたみたいです」

なぜだろう? 私が彼女の姿を黒板に描いたことが、あるいは何らかのかたちで関係しているのかもしれない。でもそのことは免色にはあえて言わなかった。

「話の展開としては理想的じゃありませんか？」と免色は言った。

私はそのことについて考えを巡らせた。それが本当に理想的な話の展開なのだろうか？ 免色は私が何か意見を述べるのを、電話口で待っているようだった。

「どういう話の筋書きになっているのか、もう少し詳しく教えていただけますか？」

免色は言った。「筋書きはシンプルなものです。あなたは画作のためのモデルを探していた。そして絵画教室で教えている秋川まりえという少女は、そのモデルとしてうってつけだった。だから主宰者である松嶋さんを通じて、保護者である叔母さんにその打診をした。そういう流れです。松嶋さんが、あなたの人柄や才能について個人的に保証しました。申し分のない人柄で、熱心な先生であり、画家としての才能も豊かで将来を嘱望されていると。私の存在はどこにも出てきません。出てこないようにきちんと念を押しておきました。もちろん着衣のままのモデルで、叔母さんが付き添ってきます。お昼までには終わらせてください。それが先方の出してきた条件です。いかがですか？」

私は騎士団長の忠告（ファースト・オファーはまず断るものだ）に従って、相手の話のペースにいったんそこで歯止めをかけることにした。

「条件的にはとくに問題はないとぼくは思います。ただ秋川まりえの肖像画を描くかどうか、そのこと自体についてもう少し考える余裕をいただけませんか？」

「もちろんです」と免色は落ち着いた声で言った。「心ゆくまで考えてください。決して急かしているわけではありません。言うまでもなく絵を描くのはあなたですし、あなたがそういう気持ちにならなければ、話は始まりません。ただ私としては、準備は万端整っているということを、いちおうお知らせしておきたかっただけです。それからもうひとつ、これはおそらく余計なことかもしれませんが、今回あなたにお願いしたことについてのお礼は、十分にさせていただきたいと考えています」

　とても話の進行が速い、と私は思った。すべてが感心してしまうほど迅速に手際よく展開している。まるでボールが坂道を転がっていくみたいに……。私は坂道の途中に腰を下ろして、そのボールを眺めているフランツ・カフカの姿を想像した。私は慎重にならなくてはならない。

「二日ほど余裕をいただけますか？」と私は言った。「二日後にはお返事できると思います」

「けっこうです。二日後にまたお電話をさしあげます」と免色は言った。

　そして私たちは電話を切った。

　しかし正直なところをいえば、その回答をするのにわざわざ二日をおく必要なんてなかったのだ。私の心はとっくに決まっていたのだから。私は秋川まりえの肖像画を描きたくてたまらなくなっていた。たとえ誰に制止されたとしても、私はその仕事を引き受けていたことだろう。あえて二日間の猶予をとったのはただ、相手のペースにそっくり呑み込まれたくないという理由からだった。ここでいったん時間をとってゆっくり深呼吸をした方がいいと本能が――そしてまた騎士団長が――私に教えていた。

　あたかも水にザルを浮かべんとするようなものだ、と騎士団長は言った。穴ぼこだらけのものを水に浮かべることは、なにびとにもかなわない。

　彼は何かを、来たるべき何かを、私に暗示していたのだ。

29
そこに含まれているかもしれない不自然な要素

その二日のあいだ、私はスタジオにおかれた二枚の絵を交互に眺めて時を送った。雨田具彦の『騎士団長殺し』と、私が描いた白いスバル・フォレスターの男の絵だ。『騎士団長殺し』は今はスタジオの白い壁にかけられていた。『白いスバル・フォレスターの男』は裏向きにされて部屋の隅に置かれていた（眺めるときにだけ、私はそれをイーゼルの上に戻した）。その二枚の絵を眺める以外は、ただ時間を潰すために本を読んだり、音楽を聴いたり、料理を作ったり、掃除をしたり、庭の雑草を抜いたり、うちのまわりを散歩したりしていた。絵筆をとる気持ちにはなれなかった。騎士団長も姿を見せることなく、沈黙を守っていた。

近所の山道を散策しながら、秋川まりえの家がどこかから見えないものか探してみたのだが、私が歩きまわった限りではそれらしい家は目につかなかった。免色の家から見たところでは、直線距離にすればけっこう近くにあるはずなのだが、地形の関係で視界が遮られているのだろう。林の中を散歩しながら、私は知らず知らずスズメバチに気を配っていた。

二日間その二枚の絵を交互にじっくりと眺めて、あらためてわかったのは、私の抱いた感覚は決して間違っていなかったということだった。『騎士団長殺し』はそこに秘められた「暗号」の解読を求めていたし、『白いスバル・フォレスターの男』はそれ以上その画面に作者（つまり私のことだ）が手を加えないことを求めていた。どちらの訴えもきわめて強力なものであり――少なくとも私にはそう感じられた――私はただそれらの要求に従うほかなかった。私は『白いスバル・フォレスターの男』を現状のまま放置し（しかしその要求の根拠をなんとか理解しようとつとめ）、また『騎士団長殺し』の中に、その絵が真に意図するところを読み取ろうとつとめた。しかしどちらの絵も胡桃（くるみ）の殻のような堅い謎に包まれており、私の握力ではどうしてもその殻を砕くことができなかった。

もし秋川まりえの案件がなかったら、私はあるいはいつまでも際限なくその二枚の絵を交互に眺めて日々を送っていたかもしれない。しかし二日目の夜に免色から電話がかかってきて、おかげでその呪縛はいったん中断されることになった。

「それで、結論は出ましたか？」と免色は一通りの挨拶が済んだあとで私に尋ねた。もちろん彼は、私が秋川まりえの肖像画を描くことになるかどうかについて尋ねているのだ。

「基本的には、その話はお引き受けしたいと思います」と私は返答した。「ただしひとつ条件があります」

「どんなことでしょう？」

「それがどのような絵になるのか、ぼくにはまだ予想がつきません。実際の秋川まりえを前にして絵筆をとって、そこから作品のスタイルが決定されていきます。アイデアがうまく働かない場合には、絵は完成しないかもしれません。あるいは完成してもぼくの気に入らないかもしれない。

あるいは免色さんの気に入らないかもしれません。だからこの絵は免色さんの依頼を受けて、あるいは示唆を受けて描くのではなく、あくまでぼくが自発的に描くのだということにしていただきたいのです」

一息置いてから免色は探りを入れるように言った。「つまり、もしあなたができあがった作品に納得できなければ、それはどうあっても私の手には渡らない。おっしゃりたいのはそういうことですか？」

「そういう可能性もあるかもしれません。いずれにせよ、できあがった絵をどうするか、それはぼくの判断に一任してもらいたいのです。それが条件になります」

免色はそれについてしばらく考えていた。それから言った。「イエスと言う以外に、私の答えはないようですね。その条件を呑まなければ、あなたは絵を描かないということであれば」

「申し訳ありませんが」

「その意図はつまり、私からの依頼、あるいは示唆という枠組みを外すことによって、芸術的により自由でいたいということなのですか？　それとも金銭的な要素が絡んでくることが負担であるからですか？」

「そのどちらも少しずつあると思います。でも重要なことは、気持ちの面でより自然になりたいということなのです」

「自然になりたい？」

「この仕事から不自然な要素をできるだけ取り除きたいということです」

「ということは」と免色は言った。彼の声が少しだけ堅くなったようだった。「私が今回、秋川まりえの肖像画を描くことをあなたにお願いしたことに、何かしら不自然な要素が含まれていると感じておられるのでしょうか？」

あたかも水にザルを浮かべんとするようなものだ、と騎士団長は言った。穴ぼこだらけのものを水に浮かべることは、なにびとにもかなわない。

私は言った。「ぼくが言いたいのは、今回のこの件に関しては、ぼくと免色さんとのあいだに利害の絡まない、いわば対等な関係を保っておきたいのだということです。対等な関係というのは、失礼な物言いかもしれませんが」

「いやべつに失礼じゃありません。人と人とが対等な関係を保つのは当たり前のことです。思ったことをなんでも言ってくださってけっこうです」

「つまりぼくとしては、免色さんはそもそもこの話には絡んでいないものとして、あくまで自発的な行為として、秋川まりえの肖像を描きたいんです。そうしないと正しいアイデアが湧いてこないかもしれません。そういうことが有形無形の枷（かせ）になるかもしれません」

免色は少し考えてから言った。「なるほど、よくわかりました。依頼という枠はとりあえずなかったことにしましょう。報酬の件もどうか忘れてください。金銭のことを早々に持ち出したのは、たしかに私の勇み足だった。できあがった絵をどのようにするかについては、できあがったものを見せていただいた時点で、あらためて話し合うことにしましょう。いずれにせよ、もちろん創作者であるあなたの意志をなにより尊重します。しかし私の言ったもうひとつのお願いについてはいかがでしょう？　覚えておられますか？」

「うちのスタジオでぼくが秋川まりえをモデルにして絵を描いているときに、免色さんがふらりと訪ねてこられるということですね？」

「そうです」

私は少し考えてから言った。「それについてはとくに問題はないと思いますよ。あなたはぼくが懇意にしている、近所に住んでいる人で、日曜日の朝に散歩がてらふらりとうちにやってきた。そしてそこでみんなで軽い世間話みたいなことをする。それはぜんぜん不自然な成り行きじゃないでしょう」

免色はそれを聞いて少しほっとしたようだった。「そのようにはからっていただけると、たいへんありがたい。そのことであなたに迷惑をおかけしたりするようなことは決してありません。秋川まりえは今度の日曜日の朝からおたくにうかがう、そしてあなたは彼女の肖像画を描く、そういうことで話を具体的に進めてもらってよろしいでしょうか？　実質的には松嶋さんが仲介者となり、あなたと秋川家の間の調整をすることになりますが」

「それでけっこうです。話を進めてもらってください。日曜日の朝十時に、お二人にうちに来ていただき、まりえさんに絵のモデルになってもらいます。十二時には間違いなく作業を終えるようにします。それが何週か続くことになります。たぶん五週か六週か、そんなものでしょう」

「細かいことが決定したら、あらためてお知らせします」

それで我々が話し合わなくてはならない用件は終了した。免色はそのあとでふと思い出したように付け加えた。

「そう、そういえばウィーン時代の雨田具彦さんのことですが、あれからまた多少の事実がわかりました。彼が関与したとされるナチ高官の暗殺未遂事件は、アンシュルスの直後に起こったと前にも申し上げましたが、正確には一九三八年の秋の初めだったようです。つまりアンシュルスの半年ほど後のことです。アンシュルスについてはだいたいの事情をご存じですね」

「それほど詳しくは知りませんが」

「一九三八年の三月十二日に、ドイツ国防軍は国境を突破して一方的にオーストリアに侵入し、あっという間にウィーンを掌握します。そしてミクラス大統領を脅迫して、オーストリア・ナチ党の指導者ザイス＝インクヴァルトを首相に任命させます。ヒットラーがウィーンに入ったのはその二日後です。そして四月十日には国民投票がおこなわれます。ドイツとの合併を国民が望むか否かを問う投票です。いちおう自由な秘密投票ということになっていますが、いろいろと込み入った細工があり、実際には合併反対（ナイン）の票を投ずるにはかなりの勇気が必要であったようです。結果は合併賛成（ヤー）の票が九十九・七五パーセントを占めました。そのようにしてオーストリアという国家は完全に消滅し、その領土はドイツの一地方に成り下がってしまったのです。あなたはウィーンに行かれたことはありますか？」

　ウィーンに行くどころか、日本から外に出たこともない。パスポートを手にしたことすらない。

「ウィーンは他に類を見ない街です」と免色は言った。「そこに少しでも暮らしてみれば、すぐにそのことがわかります。ウィーンはドイツとは違う。空気が違い、人が違います。食べ物が違い、音楽が違います。ウィーンはいわば人生を楽しみ、芸術を慈（いつく）しむための特別な場所です。しかしその時期のウィーンはまさに混乱の極致にありました。そこには激しい暴虐の嵐が吹き荒れていました。雨田さんが暮らしていたのは、まさにそのような動乱のウィーンだったのです。国民投票がおこなわれるまでは、ナチ党員もそれなりにまあ行儀良くしていたのですが、投票が終わると、暴力的な本性を剥き出しにし始めました。アンシュルスのあとヒムラーがまず最初におこなったのは、オーストリアの北部にマウトハウゼン強制収容所を建設することでした。それを完成させるのにたった数週間しかかからなかった。ナチ政府にとっては、その強制収容所をこしらえることが何よりの急務だったのです。そして短い期間に何万人という政治犯が逮捕され、そこに送り込まれました。マウトハウゼンに送られたのは主として〈矯正の見込みがない〉政治犯や反社会分子でした。したがって囚人の取り扱いもきわめて苛酷でした。多くの人々がそこで処刑されました。あるいは採石場での激しい肉体労働の末に命を落としました。〈矯正の見込みがない〉ということはつまり、いったんそこに放り込まれたら、まず生きては出てこられないことを意味します。また反ナチの活動家の中には強制収容所に送られることもなく、取調中に拷問を受けて殺害され、闇から闇へと葬られた人々も数多くいました。雨田具彦さんが関与したとされる暗殺未遂事件は、ちょうどそのようなアンシュルス後の混乱のさなかに起こったわけです」

　私は黙って免色の話を聞いていた。

「しかし前にも申し上げたように、一九三八年の夏から秋にかけてナチの要人の暗殺未遂事件がウィーンであったという公式な記録は見当たりません。これは考えてみれば不思議なことです。というのは、もし実際にそのような暗殺計画が存在したとすれば、ヒットラーやゲッベルスはそのことを徹底的に宣伝し、政治的に利用していたでしょうから。水晶（クリスタル・ナハト）の夜の場合のように。クリスタル・ナハトのことはご存じでしょうね？」

「いちおうのことは」と私は言った。私はその事件を扱った映画を昔観たことがあった。「パリ駐在のドイツ大使館員が反ナチのユダヤ人に撃たれて死亡し、その事件を利用してナチがドイツ全土で反ユダヤ暴動を起こし、多くのユダヤ人経営の商店が破壊され、多くの人が殺害された。ウィンドウのガラスが割られて飛び散り、水晶のように光っていたことからその名前がつけられた」

「そのとおりです。一九三八年の十一月に起こった事件です。ドイツ政府は自発的に広がった暴動だという発表を出しましたが、実はゲッベルスを主導者とするナチ政府がその暗殺事件を利用し、組織的に画策した蛮行でした。暗殺犯であるヘルシェル・グリュンシュパンは、自分の家族がドイツ国内でユダヤ人として苛酷な扱いを受けていることに抗議するために、この犯行に及びました。最初はドイツ大使の殺害を狙ったのですが、それが果たせず、目についた大使館員をかわりに射殺しました。殺されたラートという大使館員は皮肉なことに、反ナチの傾向があるということで当局の監視を受けていた人物でした。いずれにせよ、もしその時期のウィーンでナチの要人を暗殺する計画みたいなものがあったとしたら、間違いなく同様のキャンペーンがおこなわれていたでしょう。そしてそれを口実として、反ナチ勢力に対するより厳しい弾圧がおこなわれていたでしょう。少なくともその事件がこっそり闇に葬られるというようなことはなかったはずです」

「それが公にならなかったというのは、公にできない何かの事情があったということなのでしょうか？」

「その事件が実際にあったことは確かなようです。しかし暗殺計画に関わったとされる人々は、その多くはウィーンの大学生でしたが、一人残らず逮捕され、処刑あるいは殺害されました。口封じのためでしょう。一説によれば、抵抗メンバーの中にはナチ高官の実の娘も加わっており、それも事件が封印された理由のひとつになっているということです。しかし真偽は確かではありません。戦後になっていくつかの証言が出てきていますが、それらの周辺的証言にどれほど信憑性があるか、今ひとつ定かではありません。ちなみにその抵抗グループの名前は〈カンデラ〉というものでした。ラテン語で地下の闇を照らす燭台のことです。日本語の〈カンテラ〉はここからきています」

「事件の当事者がひとり残らず殺されてしまっているということは、つまり生き残ったのは雨田具彦さんひとりだけだということになるのでしょうか？」

「どうやらそういうことになりそうです。終戦間際に国家保安本部の命令により、事件に関する秘密書類は残らず焼却され、そこにあった事実は歴史の闇に埋もれてしまっています。生き残った雨田具彦さんに、当時の詳しい事情を聞くことができればいいのでしょうが、それも今となってはきっとむずかしいのでしょうね」

むずかしいと思うと私は言った。雨田具彦はその事件に関しては今まで一切語ろうとはしなかったし、彼の記憶は今ではそっくり厚い忘却の泥の底に沈んでいる。

私は免色に礼を言って、電話を切った。

雨田具彦は記憶が確かだったあいだも、その事件については堅く口をつぐんでいた。おそらく口にはできないなんらかの個人的理由がそこにあったのだろう。あるいはドイツを出国するときに、何があっても沈黙を守るように当局から因果を含められたのかもしれない。しかし彼はその生涯にわたって沈黙を守る代わりに、『騎士団長殺し』という作品をあとに残した。彼は言葉で表すことを禁じられた出来事の真相を、あるいはそれにまつわる想いを、おそらくその絵に託したのだろう。

翌日の夜にまた免色から電話があった。秋川まりえが今度の日曜日の十時に、うちにやってくることに決まったということだった。前にも話したように、叔母さんが付き添ってやってくる。免色は最初の日には姿を見せない。

「しばらく日にちが経って、彼女がもう少しあなたとの作業に馴染んだころに、私は顔を出すようにします。最初のうちはきっと緊張も強いでしょうし、お邪魔をしない方が良いだろうという気がしたものですから」と彼は言った。

免色の声には珍しく上ずった響きがあった。おかげで私までなんとなく落ち着かない気持ちになった。

「そうですね。その方が良いかもしれません」と私は返事をした。

「でも考えてみれば、緊張が強いのはむしろ私の方かもしれませんね」、免色は少し躊躇してから、秘密を打ち明けるように言った。「前にも言ったと思いますが、私はこれまでただの一度も、秋川まりえの近くに寄ったことがありません。離れたところからしか目にしたことはありません」

「しかしもし彼女の近くに寄ろうと思えば、そういう機会はおそらくつくれたでしょうね」

「ええ、もちろんです。そうしようと思えば、機会はいくらでもつくれたはずです」

「でもあえてそうはしなかった。なぜですか？」

免色は珍しく時間をかけて言葉を選んだ。そして言った。「生身の彼女をすぐ目の前にして、そこで何を思い、どんなことを口にするか、自分でも予測がつかなかったからです。ですから、これまで彼女の近くに寄ることを意図的に避けてきました。谷をひとつ隔てて、遠くから高性能の双眼鏡で密かにその姿を眺めることで満足してきました。私の考え方は歪んでいると思いますか？」

「とくに歪んでいるとは思いません」と私は言った。「ただ少しばかり不思議に思えるだけです。しかしとにかく今回は、私の家で彼女と実際に会おうと決心をされたわけですね。それはなぜだろう？」

免色はしばらく沈黙していた。それから言った。「それはあなたという人が我々のあいだに、いわば仲介者として存在しているからです」

「ぼくが？」と私は驚いて言った。「でも、どうしてぼくなんだろう？　こんなことを申し上げるのは失礼かもしれませんが、免色さんはぼくのことをほとんど知りません。ぼくもまた免色さんのことをよく知りません。我々はほんの一ヶ月ばかり前に知り合ったばかりだし、谷間をはさんで向かい合って住んでいるというだけで、生活環境も暮らし方も、それこそ一から十まで違っています。なのにあなたはなぜぼくをそれほど信用して、いくつかの個人的な秘密を打ち明けてくれるのでしょう？　免色さんは簡単に自分の内面をさらけ出すような人には見えないのですが」

「そのとおりです。私はいったん何か秘密を持ったら、それを金庫に入れて鍵をかけ、その鍵を呑み込んでしまうような人間です。人に何かを相談したり、打ち明けたりするようなことはまずしません」

「なのにどうしてぼくに対しては――どういえばいいんだろう――ある程度心を許せるんですか？」

免色は少し沈黙した。そして言った。「うまく説明はできないのですが、あなたに対してはある程度無防備になってかまわないだろうという気持ちが、お会いした最初の日から私の中に生まれたような気がします。ほとんど直観として。そして後日、あなたが描いた私の肖像画を目にして、その気持ちは更に確かなものになりました。この人は信頼に足る人だ。この人なら私のものの見方や考え方を、自然なかたちでそのまま受け入れてくれるのではないかと思ったのです。たとえそれがいくぶん奇妙な、あるいは屈曲したものの見方や考え方であったとしてもです」

いくぶん奇妙な、あるいは屈曲したものの見方や考え方、と私は思った。

「そう言っていただけるのはとても嬉しいのですが」と私は言った。「ぼくがあなたという人間を理解できているとはとても思えません。あなたはどう考えても、ぼくの理解の範囲を超えたところにいる人です。正直に言って、あなたに関する多くのことがぼくを率直に驚かせます。時には言葉を失わせます」

「でもあなたは私のことを判断しようとはなさらない。違いますか？」

言われてみれば、たしかにそのとおりだった。私は免色の言動や生き方を、何かの基準にあてはめて判断しようとしたことは一度もない。とくに賞賛もしなければ、批判もしなかった。ただ言葉を失っていただけだった。

「そうかもしれません」と私は認めた。

「そして私があの穴の底に降りたときのことを覚えていますか？　一人で一時間ばかりあそこに

いたときのことを？」

「もちろんよく覚えています」

「あなたはあのとき、私を暗い湿った穴の中に永遠に置き去りにしようと、考えもしなかった。そういうことだってできたのに、そんな可能性はちらりとも頭に思い浮かばなかった。そうですね？」

「そのとおりです。でも免色さん、普通の人間はそんなことをしてみようなんて、思い浮かべもしませんよ」

「本当にそう言い切れますか？」

そう言われると返答のしようもなかった。ほかの人間が心の底で何を考えているかなんて、私には想像もつかない。

「あなたにもうひとつお願いがあります」と免色は言った。

「どんなことでしょう？」

「今度の日曜日の朝、秋川まりえとその叔母さんがおたくにやってくるときのことですが」と免色は言った。「できればそのあいだおたくを双眼鏡で見ていたいのですが、かまいませんか？」

かまわないと私は言った。騎士団長にだって、ガールフレンドとのセックスの様子をすぐそばでじっと観察されていたのだ。谷間の向かい側から双眼鏡でテラスを眺められたところで何の不都合があるだろう。

「いちおうあなたにはお断りしておいた方がいいだろうと思ったものですから」と免色は弁解するように言った。

不思議なかたちの正直さを身につけた男だと私はあらためて感心した。そして我々は話を終え、電話を切った。受話器をずっと押しつけていたせいで、耳の上の部分が痛んだ。

翌日、昼前に内容証明つきの郵便が届いた。私は郵便局員の差し出した用紙にサインし、それと引き替えに大型の封筒を受け取った。それを手にしてあまり明るい気持ちにはならなかった。経験的に言って、内容証明つきの郵便で楽しい知らせがもたらされることはまずない。

予想したとおり、差出人は都内の弁護士事務所で、封筒の中には離婚届の書類が二組入っていた。返信用の切手が貼られた封筒も入っていた。用紙の他には、弁護士からの事務的な指示の手紙が入っていただけだった。手紙によれば、私がやらなくてはならないのは、そこに書かれている内容を読んで確認し、異存がなければ一組に署名捺印をし、送り返すことだけだった。もし疑問の点があれば遠慮なく担当弁護士に質問をしていただきたい、とあった。私は書類にざっと目を通し、日付を書き込み、署名捺印した。内容についてはとくに「疑問の点」はなかった。金銭的な義務はどちらの側にもまったく発生しなかったし、分割するに値するような財産もなく、養育権を争うべき子供もいなかった。きわめて単純で、きわめてわかりやすい離婚だ。初心者向けの離婚、とでもいったところだ。二つの人生がひとつに重なり合い、六年後にまた別れていく。それだけのことだ。私はその書類を返信用の封筒に入れ、封筒を台所のテーブルの上に置いた。明日絵画教室に行くときに、駅前にある郵便ポストに放り込めばいい。

そのテーブルの上の封筒を、私は午後のあいだぼんやり眺めるともなく眺めていたのだが、そのうちに、その封筒の中には六年間に及ぶ結婚生活の重みがそっくり押し込められているように思えてきた。それだけの時間――そこには様々な記憶と様々な感情が染みついている――が平凡な事務封筒の中で窒息させられ、じわじわ死んでいこうとしている。そんな様子を想像していると胸が圧迫され、呼吸がうまくできなくなってきた。私はその封筒を取り上げ、スタジオまで持って行って棚の上に置いた。薄汚れた古い鈴の隣に。そしてスタジオのドアを閉め、台所に戻り、雨田政彦にもらったウィスキーをグラスに注いで飲んだ。まだあたりが明るいうちは酒を飲まないと決めていたのだが、まあたまにはかまわないだろう。台所はとてもしんとしていた。風もなく、車の音も聞こえなかった。鳥さえ鳴いていなかった。

　離婚すること自体にはとくに問題はなかった。我々は実質的には既に離婚していたようなものだったから。正式な書類に署名捺印することにも、さして感情的なこだわりはなかった。彼女がもしそれを求めているのなら、私の方に異論はない。そんなものはただの法的な手続きに過ぎないのだから。

　しかしなぜ、どのようにしてそんな状況がもたらされたのかということになると、私にはその経緯が読み取れなかった。人の心と心が時間の経過に従って、状況の変化に沿って、くっついたり離れたりするものだというくらいのことはもちろんわかる。人の心の動きというのは、習慣や常識や法律では規制できない、どこまでも流動的なものなのだ。それは自由に羽ばたき、移動するものなのだ。渡り鳥たちが国境という概念を持たないのと同じように。

　でもそれは結局のところ、あくまで一般的な物言いであって、あのユズがこの私に抱かれることを拒み、他の誰かに抱かれることを選んだことについては――そのような個別のケースについては――それほど容易(たやす)く理解することはできなかった。私が今こうして受けているのはひどく理不尽な、酷く痛切な仕打ちであるように私には思えた。そこには怒りはない（と思う）。だいたい私は何に対して腹を立てればいいのだ？　私が感じているのは基本的には麻痺の感覚だった。誰かを強く求めているのに、その求めが受け入れられないときに生じる激しい痛みを和らげるべく、心が自動的に起動させる麻痺の感覚だ。つまり精神のモルヒネのようなものだ。

　私はユズをうまく忘れることができなかった。私の心はまだ彼女を求めていた。しかし仮に私の住まいから谷間を挟んだ向かい側にユズが暮らしていたとして、そしてもし私が高性能の双眼鏡を所有していたとして、私はそのレンズを通して彼女の日々の生活を覗き見ようとするだろうか？　いや、そんなことはまずしないだろう。というかそもそも、何があろうとそんな場所を住居として選んだりはしないだろう。それは自らのために拷問台をこしらえるようなものではないか。

　ウィスキーの酔いのせいで、私は八時前にベッドに入って眠った。そして夜中の一時半に目を覚まし、そのまま眠れなくなった。夜明けまでの時間はおそろしく長く、孤独なものだった。本を読むこともできず、音楽を聴くこともできず、私は一人で居間のソファに座って、ただ何もない暗い空間を見つめていた。そして様々なことについて考えを巡らせた。その大半は私が考えるべきではないことだった。

　騎士団長でもそばにいてくれればいいのだが、と私は思った。そして何かについて彼と語り合うことができればいいのだが、と。何についてでもいい。話題なんて何だってかまわない。ただ彼の声が聴ければそれでいい。

　しかし騎士団長の姿はどこにも見当たらなかった。そして彼に呼びかける手段を私は持たなかった。

30 そういうのにはたぶんかなりの個人差がある

あくる日の午後、私は署名捺印した離婚届の書類を投函した。とくに手紙は添えなかった。ただ切手付きの返信用封筒に入れた書類を、駅前の郵便ポストに放り込んだ。でもその封筒が家の中からなくなったというだけで、私の心の負担はずいぶん軽減したようだった。その書類がこれからどのような法的経路を辿ることになるのか、そんなことは私にはわからない。どうでもいい。好きな道筋を辿らせればいい。

そして日曜日の朝、十時少し前に秋川まりえがうちにやってきた。明るいブルーのトヨタ・プリウスがほとんど音もなく坂を上ってきて、うちの玄関の前にそっと停まった。車体は日曜日の朝の太陽を受けて、晴れがましく鮮やかに輝いていた。まるで包装紙を解かれたばかりの新品のように見える。ここのところ、いろんな車がうちの前にやってくる。免色の銀色のジャガー、ガールフレンドの赤いミニ、免色が寄越す運転手付きの黒いインフィニティ、雨田政彦の黒い旧型ボルボ、そして秋川まりえの叔母の運転するブルーのトヨタ・プリウス。そしてもちろん私の運転するトヨタ・カローラ・ワゴン（長くほこりをかぶっているせいで、どんな色だったかよく思い出せない)。人々はおそらく様々な理由や根拠や事情があって、自分が運転する車を選ぶのだろうが、秋川まりえの叔母がどのようなわけでブルーのトヨタ・プリウスを選択したのか、もちろん私には知りようもない。いずれにせよその車は、自動車というよりは巨大な真空掃除機のように見えた。

プリウスの静かなエンジンが静かに停止し、あたりはほんの少しだけより静かになった。ドアが開いて、そこから秋川まりえと彼女の叔母さんらしき女性が降りてきた。若く見えるが、たぶん四十代の初めというところだろう。彼女は色の濃いサングラスをかけ、淡いブルーのシンプルなワンピースに、グレーのカーディガンを羽織っていた。黒い艶やかなハンドバッグを持ち、濃いグレーのローヒールの靴を履いていた。運転するのに向いた靴だ。ドアを閉めると、彼女はサングラスをとってバッグにしまった。髪は肩までの長さで、きれいにウェーブをかけられていた(しかしさっき美容室から出てきたばかり、という過剰な完璧さはない)。ワンピースの襟につけられた金のブローチのほかには、目だった装身具はつけていない。

秋川まりえは黒のコットン・ウールのセーターを着て、茶色の膝までの丈のウールのスカートをはいていた。これまで学校の制服を着ている彼女しか見たことがなかったので、いつもとは雰囲気がずいぶん違っていた。二人が並んで立つと、いかにも品の良い家庭の母子(おやこ)のように見えた。でも二人が実際の母子ではないことを、私は免色から聞いて知っている。

私はいつものように窓のカーテンの隙間から、彼女たちの様子を観察していた。それからドアベルが鳴らされ、私は玄関にまわってドアを開けた。

秋川まりえの叔母はずいぶん穏やかな話し方をする、顔立ちの良い女性だった。はっと人目を惹くような美人ではないが、きれいに整った上品な顔立ちだった。自然な笑みが明け方の白い月のように、口元に控えめに浮かんでいた。彼女は手土産に菓子折を持ってきた。私の方が秋川まりえにモデルになってもらいたいとお願いしているわけだから、手土産を持ってくる必要なんてまったくないわけだが、初対面の相手の家を訪問するときには何か手土産を持参するものだという教育を、きっと小さい頃から受けてきた人なのだろう。だから私は素直に礼を言ってそれを受け取った。そして居間に二人を案内した。

「私たちの住んでおります家は、距離にすればここからほとんど目と鼻の先なのですが、車で来るとなると、ぐるりと回り込まなくてはなりません」と叔母は言った（彼女の名前は秋川笙子といった。笙の笛のショウです、と彼女は言った）。「ここに雨田具彦先生がお住まいだということはもちろん前から存じ上げていたのですが、そのようなわけで、実際にこのあたりに来るのはこれが初めてなんです」

「今年の春頃から、ちょっと事情がありまして、ぼくがこの家の留守番のようなことをさせてもらっています」と私は説明した。

「そのようにうかがいました。こうしてご近所に住んでおりますのも何かのご縁でしょうし、これからもよろしくお願い申し上げます」

それから秋川笙子は、姪のまりえが絵画教室で私に教わっていることについて、深く丁寧に礼を言った。姪はおかげさまで、いつも楽しみに教室に通っておりますと彼女は言った。

「教えるというほどのことでもないんです」と私は言った。「みんなと一緒に楽しんで絵を描いているだけ、みたいなものですから」

「でもご指導がとてもお上手だとうかがいました。たくさんの方々の口から」

それほど多くの人が私の絵の指導を褒めるとも思えなかったが、それについてはとくに何もコメントをしなかった。ただ黙って賞賛の言葉を聞き流していた。秋川笙子は育ちが良く、礼儀を重んじる女性なのだ。

秋川まりえと秋川笙子が並んで座っているのを見て、人がまず思うのは、二人はどの点をとっても顔立ちがまるで似ていないということだろう。少し離れたところから見ると、いかにも似合いの母子のような雰囲気を漂わせているのだが、近くに寄ると、二人の相貌のあいだには共通するところがまるで見当たらないことがわかった。秋川まりえも端正な顔立ちだし、秋川笙子も間違いなく美しい部類に入るのだが、二人の顔が人に与える印象は両極端といってもいいくらい違っていた。秋川笙子の顔立ちがものごとのバランスを上手に取ろうとする方向を目指しているとすれば、秋川まりえのそれはむしろ均衡を突き崩し、定められた枠を取り払う方に向かっているみたいだった。秋川笙子が穏やかな全体の調和と安定を目標にしているとすれば、秋川まりえは非シンメトリカルな対立を求めていた。しかしそれでいながら、二人が家庭内で心地良い健全な関係を保っているらしいことも、雰囲気からおおよそ推察できた。二人は母子ではなかったが、ある意味では実際の母子よりもむしろリラックスした、ほどよい距離をとった関係を結んでいるように見えた。少なくとも私はそんな印象を受けた。

秋川笙子のような美しい顔立ちの、洗練された上品な女性が、どうしてこれまでずっと独身を通してきたのか、こんな人里離れた山の上で兄の家族との同居に甘んじているのか、私にはもちろんそのへんの経緯は知りようもない。彼女にはかつて登山家の恋人がいたが、彼は最も困難なルートからのチョモランマ登頂に挑んで命を落とし、その美しい思い出を胸に抱いて、永遠に独身をまもり続けようと心を決めたのかもしれない。あるいはどこかの魅力的な妻帯者と、長年にわたって不倫の関係を持ち続けているのかもしれない。しかしいずれにせよそれは私には関わりのない問題だ。

秋川笙子は西側の窓際に行って、そこから見える谷間の眺めを興味深そうに見ていた。

「同じ向かい側にある山でも、見る角度が少し違うだけで、ずいぶん見え方が違うものですね」と彼女は感心したように言った。

その山の上には、免色の白い大きな屋敷が鮮やかに光って見えた（そこから免色はおそらく双眼鏡でこちらをうかがっていることだろう）。彼女の家からその白い屋敷はどんな風に見えるのだろう？　それについて少し話してみたかったが、最初からその話題を持ち出すことには、いささかの危険がひそんでいるような気がした。話がそこからどのように展開していくか、予測がつきにくいところがある。

私は面倒を避けるべく、その二人の女性をスタジオに案内した。

「このスタジオで、まりえさんにモデルになっていただくことになります」と私は二人に言った。

「雨田先生もきっとここでお仕事をしていらっしゃったのでしょうね」と秋川笙子はスタジオの中を見回しながら、興味深そうに言った。

「そのはずです」と私は言った。

「なんて言えばよろしいのかしら、おうちの中でも、ここだけ少し空気が違っているみたいに感じられます。そう思われませんか？」

「さあ、どうでしょうね。普段生活していると、あまりそういう感じも受けないのですが」

「まりちゃんはどう思う？」と秋川笙子はまりえに尋ねた。「ここって、けっこう不思議な空間みたいだと感じない？」

秋川まりえはスタジオのあちこちを眺めるのに忙しくて、それには返事をしなかった。たぶん叔母の問いかけが耳に入らなかったのだろう。私としてもその返答を聞いてみたかったのだが。

「ここでお二人でお仕事をなさっているあいだ、私は居間で待っていた方がよろしいのでしょうね」と秋川笙子は私に尋ねた。

「それはまりえさん次第です。まりえさんが少しでも寛げるような環境をつくるのが、なにより大事なことです。ぼくとしてはあなたが一緒にここにいらっしゃっても、いらっしゃらなくても、どちらでもまったくかまいません」

「叔母さんはここにいないほうがいい」とまりえがその日初めて口を開いた。静かではあるけれどとても簡潔な、そして譲歩の余地のない通告だった。

「いいわよ。まりちゃんのお好きに。たぶんそうだろうと思って、読む本もちゃんと用意してきましたしね」、秋川笙子は姪のきつい口調も気にしないで、穏やかにそう返答した。たぶんそういうやりとりに普段から馴れているのだろう。

秋川まりえは叔母の言ったことはまったく無視して、腰を軽くかがめ、壁に掛けられた雨田具彦の『騎士団長殺し』を正面からじっと見据えていた。その横に長い日本画を見ている彼女の目はどこまでも真剣だった。彼女は細部をひとつひとつ点検し、そこに描かれているすべての要素を記憶に刻み込もうとしているみたいに見えた。そういえば（と私は思った）私以外の人間がこの絵を目にするのは、おそらくは初めてのことかもしれない。私はその絵を前もって人目につかないところに移しておくことを、すっかり忘れていたのだ。まあいい、仕方ない、と私は思った。

「その絵は気に入った？」と私はその少女に尋ねてみた。

秋川まりえはそれにも返事をしなかった。あまりに意識を集中して絵を眺めているせいで、私の声が耳に入らないようだった。それとも聞こえても無視しているだけなのだろうか？

「すみません。ちょっと変わった子なんです」と秋川笙子が取りなすように言った。「集中力が強いというか、いったん夢中になると他のことがいっさい頭に入らなくなってしまいます。小さな頃からそうでした。本でも音楽でも絵でも映画でも、なんでもそうなんです」

どうしてかはわからないが、秋川笙子もまりえも、その絵が雨田具彦の描いた絵なのかどうか尋ねなかった。だから私もあえて説明はしなかった。もちろん『騎士団長殺し』というタイトルも教えなかった。この二人が絵を目にしたところで、とくに問題はあるまいと私は思った。おそらく二人はこの絵が雨田具彦のコレクションに含まれていない特別な作品であることに気がついたりはしないだろう。免色や政彦がそれを目にするのとは話が違う。

私は秋川まりえに『騎士団長殺し』を心ゆくまで見させておいた。そして台所に行ってお湯を沸かし、紅茶を淹れた。そしてカップとティーポットを盆に載せて居間に運んだ。秋川笙子が土産に持ってきてくれたクッキーも、それに添えて出した。私と秋川笙子は居間の椅子に座って、軽い世間話（山の上での生活や、谷間の気候について）をしながらお茶を飲んだ。実際の仕事にかかるまえに、そういうリラックスした会話の時間が必要なのだ。

秋川まりえは『騎士団長殺し』の絵をまだしばらく一人で眺めていたが、やがて好奇心の強い猫のようにスタジオの中をゆっくり歩き回り、そこにあるものをひとつひとつ手にとって確かめていった。絵筆や、絵の具や、キャンバスや、そして地中から掘り出した古い鈴も。彼女は鈴を手にとって、何度か振ってみた。いつものりんりんという軽い音がした。

「なぜこんなところに古いスズがあるの？」とまりえは無人の空間に向かって、誰に尋ねるともなく尋ねた。でももちろん彼女は私に尋ねているのだ。

「その鈴はここの近くの土の下から出てきたんだよ」と私は言った。「たまたま見つけたんだ。たぶん仏教に関係したものだと思う。お坊さんが、お経を読みながらそれを振るとか」

彼女はもう一度それを耳元で振った。そして「なんだか不思議な音がする」と言った。

そんなささやかな鈴の音が、よくあの雑木林の地底からこの家にいる私の耳に届いたものだと、私はあらためて感心した。振り方に何かコツのようなものがあるのかもしれない。

「よそのおうちのものをそんなに勝手にいじるんじゃありません」と秋川笙子が姪に注意をした。

「べつにかまいませんよ」と私は言った。「たいしたものではありませんから」

しかしまりえはその鈴にすぐに興味を失ったようだった。彼女は鈴を棚に戻し、部屋の真ん中にあるスツールに腰を下ろした。そこから窓の外の風景を眺めた。

「もしよろしければ、そろそろ仕事にかかろうと思います」と私は言った。

「じゃあ、そのあいだ私はここで一人で本を読んでいます」と秋川笙子は上品な微笑みを浮かべて言った。そして黒いバッグから、書店のカバーのかかった厚い文庫本を取り出した。私は彼女をそこに残してスタジオに入り、居間とのあいだを隔てるドアを閉めた。そして私と秋川まりえは部屋の中に二人きりになった。

私はまりえを、用意しておいた背もたれのある食堂の椅子に座らせた。そして私はいつものスツールに腰掛けた。二人の間には二メートルほどの距離があった。

「しばらくそこに座っていてくれるかな。好きなかっこうでいいし、大きく姿勢を変えなければ、適当に動いてかまわない。とくにじっとしている必要はない」

「絵を描いているあいだ、話してもかまわない？」と秋川まりえは探りを入れるように言った。

「もちろんかまわない」と私は言った。「話をしよう」

「このあいだ、わたしを描いてくれた絵はとてもよかった」

「黒板にチョークで描いた絵のこと？」

「消しちゃって、残念だった」

私は笑った。「いつまでも黒板に残しておくわけにもいかないからね。でもあんなものでよければ、いくらでも描いてあげるよ。簡単なものだから」

彼女はそれには返事をしなかった。

私は太い鉛筆を手にとり、それを物差しのように使って、秋川まりえの顔立ちの諸要素を測ってみた。デッサンを描くにあたっては、クロッキーとは違って、時間をかけてより正確に実務的にモデルの顔立ちを把握する必要がある。たとえそれが結果的にどのような絵になるにせよ。

「先生は絵を描く才能みたいなのがあると思う」、まりえはしばらく続いた沈黙のあとで思い出したようにそう言った。

「ありがとう」と私は素直に礼を言った。「そう言ってもらえると、とても勇気が湧いてくる」

「先生にも勇気は必要なの？」

「もちろん。勇気は誰にとっても必要なものだよ」

私は大型のスケッチブックを手に取って、それを開いた。

「今日はこれから君をデッサンする。ぼくはいきなりキャンバスに向かって絵の具を使うのも好きなんだけど、今回はしっかりデッサンをする。そうすることで君という人間を少しずつ、段階的に理解していきたいから」

「わたしを理解するの？」

「人物を描くというのはつまり、相手を理解し解釈することなんだ。言葉ではなく線やかたちや色で」

「わたしもわたしのことを理解できればと思う」とまりえは言った。

「ぼくもそう思う」と私は同意した。「ぼくもぼくのことが理解できればと思う。でもそれは簡単なことじゃない。だから絵に描くんだ」

私は鉛筆を使って彼女の顔と上半身を手早くスケッチしていった。彼女の持つ奥行きをどのように平面に移し替えていくか、それが大事なことになる。そこにある微妙な動きをどのように静止の中に移し替えていくか、それもまた大事なことになる。デッサンがその概要を決定する。

「ねえ、わたしの胸って小さいでしょう」とまりえは言った。

「そうかな」と私は言った。

「膨らみそこねたパンみたいに小さいの」

私は笑った。「まだ中学校に入ったばかりだろう。これからきっとどんどん大きくなっていくよ。何も心配することはない」

「ブラもぜんぜん必要ないくらい。クラスの他の女の子はみんなブラをつけているっていうのに」

　たしかに彼女のセーターには、胸の膨らみらしきものはまったく見受けられなかった。「もしそれがどうしても気になるのなら、何か詰め物をしてつければいいんじゃないかな」と私は言った。

「そうしてほしい？」

「ぼくはどちらだってかまわない。なにも君の胸の膨らみを描くために絵を描いているわけじゃないから。君の好きにすればいい」

「でも男のひとって、胸の大きな女のひとのほうが好きなんでしょう？」

「そうとも限らない」と私は言った。「ぼくの妹は君と同じ歳の頃、やはりまだ胸が小さかった。でも妹はそんなことはとくに気にしていなかったみたいだったよ」

「気にしていたけど、口に出さなかっただけかもしれない」

「それはそうかもしれないけど」と私は言った。でもたぶんコミはそんなことはほとんど気にしていなかったと思う。彼女にはほかにもっと気にしなくてはならないことがあったから。

「妹さんは、そのあとで胸は大きくなった？」

　私は鉛筆を持った手を忙しく動かし続けた。その質問にはとくに返事をしなかった。秋川まりえはしばらくじっと私の手の動きを見ていた。

「彼女、そのあとで胸は大きくなった？」とまりえはもう一度同じ質問をした。

「大きくはならなかったよ」と私はあきらめて答えた。「中学校に入った年に妹は死んでしまったから。まだ十二歳だった」

秋川まりえはそのあとしばらく何も言わなかった。

「わたしの叔母さんって、けっこう美人だと思わない？」とまりえは言った。話題がすぐに変わる。

「ああ、とてもきれいな人だ」

「先生は独身なんでしょう？」

「ああ、ほとんど」と私は答えた。あの封筒が弁護士事務所に到着すれば、おそらくは完全に。

「彼女とデートしたいと思う？」

「ああ、そうできたら楽しいだろうね」

「胸も大きいし」

「気がつかなかったな」

「それにすごくかたちがいいのよ。いっしょにお風呂に入ったりするから、よく知ってるんだ」

私は秋川まりえの顔をあらためて見た。「君は叔母さんと仲が良いんだね？」

「ときどきケンカもするけど」と彼女は言った。

「どんなことで？」

「いろんなことで。意見が合わなかったり、ただ単にアタマにきたり」

「君はなんだか不思議な女の子だね」と私は言った。「絵の教室にいるときはずいぶん雰囲気が違う。教室ではとても無口だという印象があったんだけど」

「しゃべりたくないところではあまりしゃべらないだけ」と彼女はあっさりと言った。「わたしってしゃべりすぎているかな？　もっとじっと静かにしていた方がいい？」

「いや、もちろんそんなことはない。話をするのはぼくも好きだよ。どんどんしゃべってくれてかまわない」

もちろん、私は自然で活発な会話を歓迎した。二時間近く黙りこくって、ただ絵を描いているわけにはいかない。

「胸のことが気になってしかたないの」とまりえは少しあとで言った。「毎日ほとんどそのことばかり考えている。それってヘンかしら？」

「とくに変じゃないと思うよ」と私は言った。「そういう年頃なんだ。ぼくだって君くらいの歳のときには、おちんちんのことばかり考えていたような気がするな。かたちが変なんじゃないかとか、小さすぎるんじゃないかとか、妙な働き方をするんじゃないかとか」

「それで今はどうなの？」

「今、自分のおちんちんについてどう思うかってこと？」

「そう」

私はそれについて考えてみた。「ほとんど考えることはないな。けっこう普通じゃないかと思うし、これといって不便は感じないし」

「女のひとはほめてくれる？」

「たまにだけど、褒めてくれる人もいないではない。でももちろんただのお世辞かもしれない。絵を褒められるのと同じで」

秋川まりえはそれについてしばらく考えていた。そして言った。「先生はちょっと変わってるかもしれない」

「そうかな?」

「普通の男のひとはそんなふうなものの言い方をしない。うちのお父さんだって、そういうことをいちいち話してくれない」

「普通のうちのお父さんは自分の娘におちんちんの話なんてしたがらないんじゃないかな」と私は言った。そのあいだも私の手は忙しく動き続けていた。

「チクビって、いくつくらいから大きくなるものなの?」とまりえは尋ねた。

「さあ、ぼくにはよくわからないな。男だからね。でもそういうのにはたぶん、かなりの個人差があるんじゃないかと思うよ」

「子供の頃、ガールフレンドはいた?」

「十七歳のときに初めてガールフレンドができた。高校の同じクラスの女の子だったね」

「どこの高校?」

豊島区内にある都立高校の名前を教えた。そんな高校が存在することは豊島区民以外ほとんど誰も知らないはずだ。

「学校は面白かった?」

私は首を横に振った。「べつに面白くはなかった」

「それで、そのガールフレンドのチクビは見た?」

「うん」と私は言った。「見せてもらった」

「どれくらいの大きさだった？」

私は彼女の乳首のことを思い出した。「とくに小さくもないし、とくに大きくもない。普通の大きさだったと思うな」

「ブラに詰め物はしていた？」

私は昔のガールフレンドのつけていたブラジャーのことを思い出した。ずいぶんぼんやりとした記憶しか残っていなかったけれど。覚えているのは、背中に手をまわしてそれをはずすのが大変だったということくらいだ。「いや、とくに詰め物はしていなかったと思うな」

「そのひとは今はどうしているの？」

私は彼女について考えてみた。今はどうしているのだろう？　「さあ、わからないよ。もう長く会っていないから。誰かと結婚して、子供だっているんじゃないかな」

「どうして会わないの？」

「もう二度と会いたくないと彼女に最後に言われたからだよ」

まりえは眉をしかめた。「それって、先生のほうに何か問題があったからなの？」

「たぶんそうだと思う」と私は言った。もちろん私の方に問題があったのだ。疑いの余地のないことだ。

わりに最近になって二度ばかりその高校時代のガールフレンドの夢を見た。ひとつの夢の中で我々は夏の夕方、大きな川の畔（ほとり）を並んで散歩していた。私は彼女にキスをしようとした。でも彼女の顔の前にはなぜか長い黒髪がカーテンのようにかかっていて、私の唇は彼女の唇に触れることができなかった。そしてその夢の中で彼女は今でも十七歳なのに、私の方はもう三十六歳になってしまっていることに、私はそのとき突然気がついた。そこで目が覚めた。それはとても生々しい夢だった。私の唇にはまだ彼女の髪の感触が残っていた。彼女のことなんて、もうずいぶん長く考えたこともなかったのに。

「それで、妹さんは先生よりいくつ年下だったの？」とまりえはまた急に話題を変えて尋ねた。

「三歳下だった」

「十二歳でなくなったのね？」

「そうだよ」

「じゃあ、そのとき先生は十五歳だったんだ」

「そうだよ。ぼくはそのとき十五歳だった。高校に入ったばかりだった。彼女は中学校に入ったばかりだった。君と同じで」

考えてみると、今ではコミは私よりもう二十四歳も年下になっている。彼女が亡くなってしまったことで、当然ながら我々のあいだの年齢差は年ごとに開いていく。

「わたしのお母さんが死んだとき、私は六歳だった」とまりえは言った。「お母さんはスズメバチに身体を何カ所もさされて死んだの。この近くの山の中を一人で散歩をしているときに」

「気の毒に」と私は言った。

「生まれつき体質的に、スズメバチの毒に対してアレルギーがあったの。救急車で病院に運ばれたんだけど、そのときにはもうショックでシンパイ停止になっていた」

「そのあとで叔母さんが一緒におうちに住むようになったの？」

「そう」と秋川まりえは言った。「彼女はお父さんの妹なの。わたしにもお兄さんがいたらよかったんだけどな。三歳くらい年上のお兄さんが」

私は一枚目のデッサンを終え、二枚目にかかった。私はいろんな角度から彼女の姿を描いてみたかった。今日一日はそっくりデッサンに当てるつもりだった。

「妹さんとケンカはした？」と彼女は尋ねた。

「いや、喧嘩をした記憶がないんだ」

「仲がよかったのね？」

「そうだったんだろうね。仲が良いとか悪いとか、そういうのを意識したことすらなかったけれど」

「ほとんど独身って、どういうこと？」と秋川まりえが尋ねた。またそこで話題が転換したわけだ。

「もうすぐ正式に離婚することになる」と私は言った。「今は事務的な手続きを進めている最中だから、ほとんどというわけだよ」

彼女は目を細めた。「リコンってよくわからないな。わたしのまわりにはリコンしたひとっていないから」

「ぼくにもよくわからないよ。なにしろ離婚するのは初めてだから」

「どんな気持ちがするもの？」

「なんだか変てこな気持ちがするっていえばいいのかな。今までこれが自分の道だと思って普通に歩いてきたのに、急にその道が足元からすとんと消えてなくなって、何もない空間を方角もわからないまま、手応えもないまま、ただてくてく進んでいるみたいな、そんな感じだよ」

「どれくらい結婚していたの？」

「ほぼ六年間」

「オクさんはいくつなの？」

「ぼくより三つ歳下だよ」。もちろん偶然だが、妹と同じだ。

「その六年間って、ムダにしたと思う？」

私はそのことについて考えた。「いや、そうは思えないな。無駄に費やされたとは思いたくない。楽しいこともけっこういっぱいあったし」

「オクさんもそう考えている？」

私は首を振った。「それはぼくにはわからない。そう考えていてほしいとはもちろん思うけど」

「訊いてみなかったの？」

「訊いてみなかった。今度、機会があったら訊いてみるよ」

我々はそれからしばらくのあいだまったく口をきかなかった。私は二枚目のデッサンに意識を集中していたし、秋川まりえは何かについて——乳首の大きさだか、離婚のことだか、スズメバチだか、あるいはほかの何かについて——真剣に考え込んでいた。目を細め、唇をまっすぐ結び、両手で左右の膝を摑むようにして、思考に深く身を沈めていた。彼女はそういうモードに入ってしまったようだった。私はその生真面目な表情をスケッチブックの白い紙の上に記録していった。

毎日正午になると、山の下の方からチャイムの音が聞こえてくる。たぶん役場だか、どこかの学校だかが、時を告げるために鳴らしているのだろう。それを耳にして私は時計に目をやった。

そして作業を切り上げた。それまでに私は三枚のデッサンを描き上げていた。どれもなかなか興味深い造形だった。それらは来るべき何かをそれぞれに示唆していた。一日ぶんの仕事にしては悪くない。

秋川まりえがスタジオの椅子に座ってモデルをつとめた時間は、全部で一時間半強というところだった。初日の作業としてはそれが限度だろう。馴れない人が——とくに育ち盛りの子供が——絵のモデルをつとめるのは簡単なことではない。

秋川笙子は黒縁の眼鏡をかけ、居間のソファに座って熱心に文庫本を読んでいた。私が居間に入っていくと眼鏡を取り、文庫本を閉じてバッグにしまった。眼鏡をかけていると彼女はずいぶん知的に見えた。

「今日の作業は無事に終わりました」と私は言った。「よかったらまた来週、同じ時間にいらしていただけますか？」

「ええ、もちろん」と秋川笙子は言った。「ここで一人で本を読んでいると、なぜかとても気持ちよく読めるんです。ソファの座り心地が良いからかしら？」

「まりえさんもかまわないかな？」と私はまりえに尋ねた。

まりえは何も言わずこっくりと肯いた。かまわない、ということだ。叔母の前に出ると、彼女はさっきまでとは打って変わって寡黙になった。あるいは三人でいることが気に入らないのかもしれない。

そして二人は青いトヨタ・プリウスに乗って帰って行った。私はそれを玄関で見送った。サングラスをかけた秋川笙子は窓から手を出して、私に小さく何度か手を振った。小さな白い手だった。私も手を上げてそれに答えた。秋川まりえは顎を引いて、ただまっすぐ前方を見ていた。車が坂を下って視界から消えてしまうと、私は家に戻った。二人がいなくなると、家の中はなぜか急にがらんとして見えた。当然あるべきものがなくなってしまったみたいに。

不思議な二人組だ、と私はテーブルの上に残された紅茶のカップを眺めながら思った。でもそこには何かしら普通ではないところがある。しかし彼女たちのいったいどこが普通ではないのだろう？

それから私は免色のことを思い出した。まりえをテラスに出して、彼が双眼鏡で彼女をよく見ることができるようにしてやるべきだったのかもしれない。しかしそれから考え直した。どうして私がわざわざそんなことをしなくてはならないのだ？　そうしてくれと頼まれてもいないのに？

いずれにせよ、これからまだ機会はある。急ぐことはない。たぶん。

あるいはそれは完璧すぎたのかもしれない

その日の夜に免色から電話がかかってきた。時計はもう九時をまわっていた。遅い時刻に電話をかけたことを彼は詫びた。つまらない用事があって、今までどうしても手があかなかったのだと彼は言った。まだしばらくは眠らないから、時刻のことは気にしなくていいと私は言った。

「どうでしたか、今朝のお仕事はうまく運びましたか？」、彼は私にそう尋ねた。

「まずまずうまく運んだと思います。まりえさんのデッサンをいくつか仕上げました。来週の日曜日、また同じ時刻に二人はここにやってきます」

「それはよかった」と免色は言った。「ところで、叔母さんはあなたに対して友好的でしたか？」

友好的？　その言葉には何か奇妙な響きがあった。

私は言った。「ええ、なかなか感じの良い女性に見えましたよ。友好的と言えるかどうかまではわかりませんが、とくに警戒的な様子もありませんでした」

そしてその日の朝に起こったことをかいつまんで説明した。免色はほとんど息を詰めて私の話を聞いていた。そこに含まれた細かい具体的な情報を、ひとつでも多く有効に吸収しようとしているようだった。ときどきちょっとした質問をする以外、ほとんど口をきかなかった。ただじっと耳を澄ませていた。彼女たちがどんな服を着て、どんな風にしてやってきたか。どんな風に見えて、どんなことを口にしたか。そしてどのように私は秋川まりえをデッサンしたか。私はその様子を免色にひとつひとつ教えた。しかし秋川まりえが自分の胸が小さなことを気にしているところまでは言わなかった。そういうことはたぶん、私と彼女とのあいだに留めておいた方がいいはずだ。

「来週私がそちらに顔を出すのは、きっとまだ少し早すぎるでしょうね?」と免色は私に尋ねた。

「それは免色さんが決めることです。ぼくにはそこまでは判断できません。ぼくとしては、来週お見えになってもとくに問題はないような気はしますが」

免色はしばらく電話口で黙っていた。「少し考えなくちゃならない。ずいぶん微妙なところですから」

「ゆっくり考えてください。絵を描き上げるまでには、まだしばらく時間はかかりそうですし、機会はこれから何度もあると思いますよ。ぼくとしては来週でも再来週でも、どちらでもかまいません」

免色がそのように思い惑うのを前にするのはそれが初めてだった。私がそれまで見たところ、たとえどのようなことであれ、決断が速く迷いのないところが免色という人物の持ち味だったのだが。

私は免色に今日の朝、双眼鏡でうちを見ていたのかどうか尋ねようかと思った。秋川まりえとその叔母の姿はちゃんと観察できたのかと。しかし思い直してそれはやめた。彼の方から言い出すのではない限り、その話題は持ち出さない方が賢明だろう。たとえ見られているのが私の住んでいる家であったとしても。

免色は私にあらためて礼を言った。「いろいろと無理なお願いをして、申し訳なく思っています」

私は言った。「いえ、ぼくにはあなたのために何かをしているというつもりはありません。ぼくはただ秋川まりえの絵を描いているだけです。描きたいから描いているだけです。表向きも実際にも、そういう話の流れになっているはずです。とくにお礼を言われるような筋合いはありません」

「それでも私はあなたにずいぶん感謝しているんです」と免色は静かに言った。「とてもいろんな意味で」

いろんな意味というのがどういうことなのか、私にはよくわからなかったが、それについてあえて質問はしなかった。もう夜も遅い。我々は簡単におやすみの挨拶をして電話を切った。しかし受話器を置いたあと、免色はこれから眠れない長い夜を迎えるのかもしれないと、私はふと思った。彼の声にはそういう緊張の響きが聞き取れた。きっと彼には考えを巡らさなくてはならないたくさんのものごとがあるのだろう。

その週は、とくに何ごとも起こらなかった。騎士団長も姿を見せなかったし、年上の人妻のガールフレンドも連絡をしてこなかった。とても静かな一週間だった。私のまわりで秋が徐々に深まっていっただけだった。空が目に見えて高くなり、空気が澄み渡り、雲が刷毛で引いたような美しい白い筋を描いた。

私は秋川まりえの三枚のデッサンを何度も手にとって眺めた。それぞれの姿勢と、それぞれの角度。とても興味深く、また示唆に富んでいる。しかしその中からどれかひとつを具体的な下絵として選ぶつもりは、私には最初からなかった。私がその三枚のデッサンを描いた目的は、彼女自身にも言ったように、秋川まりえという少女のありようを私が全体として理解し、認識することにあった。彼女という存在をいったん私の内側に取り込んでしまうこと。

私は彼女を描いた三枚のデッサンを何度も何度も繰り返し眺めた。そして意識を集中し、彼女の姿を私の中に具体的に立ち上げていった。そうしているうちに、私の中で秋川まりえの姿と、妹のコミの姿とがひとつに入り混じっていく感覚があった。それが適切なことなのかどうか、私には判断を下せなかった。でもその二人のほとんど同年齢の少女たちの魂は既にどこかで——たぶん私の入り込んでいけない奥深い場所で——響き合い、結びついてしまったようだった。私にはもうその二つの魂を解きほぐすことができなくなっていた。

その週の木曜日に妻からの手紙が届いた。それは三月に私が家を出て以来、彼女から初めて受け取る連絡だった。よく見慣れた美しい律儀な字で宛名と、差出人の名前が封筒に書かれていた。彼女はまだ私の姓を名乗っていた。あるいは正式に離婚が成立するまでは、夫の姓を名乗っていた方が何かと便利なのかもしれない。

鋏を使ってきれいに封を切った。中には氷山の上に立つシロクマの写真がついたカードが入っていた。そしてカードには私が離婚届に署名捺印して、すぐに送り返してくれたことに対する礼が簡単に書かれていた。

お元気ですか？　私の方はなんとかこともなく暮らしています。まだ同じところに住んでいます。書類をとても早く返送してくれてありがとう。感謝します。手続きの進展があったら、あらためて連絡します。
あなたがうちに置いていったもので、もし何か入り用なものがあったら教えてください。宅配便でそちらに届けるようにします。いずれにせよ、私たちそれぞれの新しい生活がうまく運ぶことを願っています。

柚

私はその手紙を何度も読み返した。そして文面の裏に隠された気持ちのようなものを少しでも読み取ろうとつとめた。しかしその短い文面からは、どのような言外の気持ちも意図も読み取れなかった。彼女はそこに明示されたメッセージを、ただそのまま私に伝達しようとしているだけみたいだった。

私にもうひとつよくわからないのは、なぜ離婚届の書類を用意するのにそんなに長く時間がかかったのかということだけだった。作業としては、それほど面倒なものではないはずだ。そして彼女としては一刻も早く、私との関係を解消したかったはずだ。それなのに私が家を出てからもう半年が経っている。そのあいだ彼女はいったい何をしていたのだろう？　何を考えていたのだろう？

　私はそれからカードのシロクマの写真をじっくり眺めた。しかしそこにもまた何の意図も読み取れなかった。どうして北極のシロクマなのだろう？　おそらくたまたま手元にシロクマのカードがあったから、それを使ったのだろう。たぶんそんなところだろうと私は推測した。それとも小さな氷山の上に立ったシロクマは、行く先もしれず、海流の赴くままどこかに流されていく私の身の上を暗示しているのだろうか？　いや、たぶんそれは私のうがちすぎだろう。

　私は封筒に入れたそのカードを机のいちばん上の抽斗に放り込んだ。抽斗を閉めてしまうと、ものごとが一段階前に進められたという微かな感触があった。かちんという音がして、目盛りがひとつ上がったみたいだった。私が自分でそれを進めたわけではない。誰かが、何かが、私のかわりに新しい段階を用意してくれて、私はただそのプログラムに従って動いているだけだ。

　それから私は日曜日に自分が秋川まりえに、離婚後の生活について口にしたことを思いだした。

今までこれが自分の道だと思って普通に歩いてきたのに、急にその道が足元からすとんと消えてなくなって、何もない空間を方角もわからないまま、手応えもないまま、ただてくてく進んでいるみたいな、そんな感じだよ。

　行方の知れない海流だろうが、道なき道だろうが、どちらだってかまわない。同じようなものだ。いずれにしてもただの比喩に過ぎない。私はなにしろこうして実物を手にしているのだ。その実物の中に現実に呑み込まれてしまっているのだ。その上どうして比喩なんてものが必要とされるだろう？

　私はできることなら手紙を書いて、自分が今置かれている状況をユズにこと細かに説明したかった。「なんとかこともなく暮らしています」みたいな漠然としたことは、私にはとても書けそうにない。それどころか、ことがありすぎるというのが偽らざる気持ちだった。でもここに暮らし始めてから、私の身のまわりで起こった一部始終について書き始めたら、間違いなく収拾がつかなくなるだろう。またなにより困った問題は、ここでいったい何が起こっているのかを、私自身うまく説明できない点にあった。少なくとも整合的で論理的な文脈では、とても「説明」なんてできない。

　だから私はユズには手紙の返事を書かないことにした。いったん手紙を書くなら、起こったことをすべてそっくりそのまま（論理も整合性も無視して）書き連ねるか、まったく何も書かないか、どちらかしかない。そして私は何も書かないことの方を選んだ。たしかにある意味では、私は流されゆく氷山に取り残された孤独なシロクマなのだ。郵便ポストなんて見渡す限りどこにもない。シロクマには手紙の出しようもないではないか。

　私はユズと出会って、交際し始めた頃のことをよく覚えている。

　最初のデートで一緒に食事をして、そこでいろんな話をし、彼女は私に対して好意を抱いてくれたようだった。また会ってもいいと彼女は言った。私と彼女とのあいだには最初から理屈抜きで心の通じ合うところがあった。簡単にいえば相性がいいということなのだろう。

でも彼女と実際に恋人の関係になるまでにはしばらく時間がかかった。その当時のユズには、二年前から交際している相手がいたからだ。しかし彼女はその相手に、揺らぎない深い愛情を抱いているというわけではなかった。

「とてもハンサムな人なの。少しばかり退屈なところはあるけど、それはそれとして」と彼女は言った。

とてもハンサムだけど退屈な男……私の周囲にはそういうタイプの人間は一人もいなかったので、そんな人となりを頭で想像することができなかった。私に思い浮かべられるのは、とてもおいしそうに作られた味の足りない料理みたいなものだった。でもそんな料理を誰かが喜ぶものだろうか？

彼女は打ち明けるように言った。「私はね、昔からハンサムな人にとても弱いの。顔立ちのきれいな男の人を前にすると、理性みたいなのがうまく働かなくなってしまう。問題があるとわかっていても抵抗がきかない。どうしてもそういうのが治らないの。それが私のいちばんの弱点かもしれない」

「宿痾（しゅくあ）」と私は言った。

彼女は肯いた。「そうね、そういうことかもしれない。治しようもないろくでもない疾患。宿痾」

「いずれにせよ、それはぼくにとってあまり追い風になりそうもない情報だな」と私は言った。

顔立ちの良さは残念ながら、私という人間の有力なセールスポイントにはなっていない。

彼女はあえてそれを否定はしなかった。ただ楽しそうに口を開けて笑っただけだった。彼女は私と一緒にいて、少なくとも退屈はしていないようだった。話ははずんだし、よく笑った。

だから私は我慢強く、彼女がそのハンサムな恋人とうまくいかなくなるのを待っていた（彼はただハンサムなばかりではなく、一流の大学を出て、一流の商社に勤めて高い給料をもらっていた。きっとユズの父親と気があったことだろう）。そのあいだ彼女といろんな話をし、いろんなところに行った。そして我々はお互いのことをよりよく理解するようになった。キスはしたし、抱き合うこともあったが、セックスはしなかった。複数の相手と同時に性的な関係を持つことを、彼女は好まなかったからだ。「そういうところでは、私はわりに古風なの」と彼女は言った。だから私には待つしかなかった。

そういう期間が半年ばかり続いたと思う。私にとってはかなり長い期間だった。何もかも投げ出したくなることもあった。でもなんとか耐えきることができた。彼女はきっとそのうちに自分のものになるという、それなりに強い確信があったからだ。

それからようやく、彼女はつきあっていたハンサムな男性と最終的に破局を迎え（破局を迎えたのだと思う。彼女はその経緯については何ひとつ語らなかったから、私としてはただ推測するしかないわけだが）、あまりハンサムとはいえない、おまけに生活力にも乏しい私を恋人として選択してくれた。それから少しして、正式に結婚しようと我々は心を決めた。

彼女と最初に性交したときのことをよく覚えている。我々は地方の小さな温泉に行って、そこで記念すべき最初の夜を迎えた。すべてはとてもうまく運んだ。ほとんど完璧といってもいいくらいだった。あるいはそれはいささか完璧すぎたのかもしれない。彼女の肌は柔らかくて白く、滑らかだった。少しぬめりのある温泉の湯と、秋の初めの月光の白さも、その美しさや滑らかさに寄与していたのかもしれない。裸のユズの身体を抱き、初めてその中に入ると、彼女は私の耳元で小さな声をあげ、私の背中を細い指先で強く押さえた。そのときも秋の虫たちが賑やかに鳴いていた。涼しげな渓流の音も聞こえた。この女を手放すようなことは絶対にするまいと、私はそのときに堅く心に誓った。それは私にとって、それまでの人生における最も輝かしい瞬間であったかもしれない。ユズをようやく自分のものにできたこと。

　彼女の短い手紙を受け取ったあと、私はずいぶん長くユズのことを考えていた。最初に彼女と出会った当時のこと、最初に彼女と交わった秋の夜のこと。そしてユズに対する私の気持ちが、最初の頃から現在に至るまで、基本的には何ひとつ変わっていないこと。私は今だって彼女を手放したくはなかった。それははっきりしている。離婚届に署名捺印はしたけれど、そんなこととは関係なく。しかし私が何をどう思ったところで、彼女はいつの間にか私から離れていってしまったのだ。遠いところに――たぶんずいぶん遠くに。どれほど高性能の双眼鏡を使っても、その片鱗（へんりん）も見届けられないようなところに。

　彼女はどこかで私の知らないあいだに、新しいハンサムな恋人を見つけたのだろう。そして例によって、理性みたいなのがうまく働かなくなってしまったのだ。彼女が私とセックスをすることを拒むようになったとき、私はそのことに気づくべきだった。彼女は同時に複数の相手とは性的な関係を持たない。少し考えればすぐにわかることなのに。

　宿痾、と私は思った。治癒の見込みのないろくでもない病。理屈の通用しない体質的傾向。

その夜（雨の降る木曜日の夜だ）、私は長く暗い夢を見た。

私は宮城県の海岸沿いの小さな町で、白いスバル・フォレスターのハンドルを握っていた（それは今では私の所有する車になっていた）。私は古い黒い革ジャンパーを着て、ＹＯＮＥＸのマークがついた黒いゴルフ・キャップをかぶっていた。私は背が高く、黒く日焼けし、白髪混じりの髪は短くごわごわしていた。つまり私が「白いスバル・フォレスターの男」だったのだ。私は妻とその情事の相手の男が乗っている小型車（赤いプジョー２０５）のあとを、ひそかに追っていった。海岸沿いの国道だ。そして二人が町外れの派手なラブホテルに入るのを見届けた。そして翌日、私は妻を追い詰め、その白く細い首をバスローブの紐で絞めた。私は肉体労働に慣れた、腕力の強い男だった。そして渾身の力を込めて妻の首を絞めあげながら、何ごとかを大声で叫んでいた。自分が何を叫んでいるのか、自分でもよく聴き取れなかった。それは意味をなさない、純粋な怒りの叫びだった。これまで経験したことのない激しい怒りが、私の心と身体を支配していた。私は叫びながら宙に白い唾を飛ばしていた。

新しい空気を肺に入れようと必死に喘ぎながら、妻のこめかみが細かく痙攣（けいれん）しているのが見えた。口の中で桃色の舌が丸まり、もつれるのが見えた。青い静脈があぶり出しの地図のように肌に浮き上がっていった。私は自分の汗のにおいを嗅いだ。これまで嗅いだことのない不快なにおいが、私の身体からまるで温泉の湯気のように立ちのぼっていた。毛深い獣の体臭を思わせるにおいだ。

私を絵にするんじゃない、と私は自分自身に向かって命じていた。私は壁にかかった鏡の中の自分に向かって、激しく人差し指を突き立てていた。私をこれ以上絵にするんじゃない！

そこで私ははっと夢から覚めた。

そして私は自分がそのとき、あの海辺の町のラブホテルのベッドで、何をいちばん恐れていたのかに思い当たった。私は自分がその女（名前も知らない若い女）を最後の瞬間に本当に絞め殺してしまうのではないかと、心の底で恐れていたのだ。「ふりをするだけでいいの」と彼女は言った。しかしそれだけでは済まないかもしれなかった。ふりだけでは終わらないかもしれなかった。そしてそのふりだけでは終わらない要因は、私自身の中にあった。

ぼくもぼくのことが理解できればと思う。でもそれは簡単なことじゃない。

それは私が秋川まりえに向かって口にした言葉だった。私はタオルで身体の汗を拭きながらそのことを思い出した。


金曜日の朝には雨は上がり、空はきれいに晴れあがっていた。私はうまく眠れなかった昨夜の気持ちの高ぶりを鎮めるために、昼前に一時間ばかり近所を散歩した。雑木林の中に入り、祠の裏手にまわって、久しぶりに穴の様子を点検してみた。十一月に入って、風が確実に冷ややかさを増していた。地面には湿った落ち葉が敷き詰められていた。穴はいつものとおり何枚かの板でしっかり塞がれていた。その板の上にも色とりどりの落ち葉が積もり、重しの石が並べられていた。しかしその石の並び方は、前に目にしたときとは少しばかり違っているような気がした。だいたいは同じなのだが、少しだけ配置が違っているみたいだ。

でもそのことをそれほど深く気にはしなかった。私と免色のほかには、ここまでわざわざ足を運ぶ人間はいないはずだ。蓋を一枚だけ外して中を覗いてみたが、中には誰もいなかった。梯子も前と同じように壁に立てかけてあった。その暗い石室はいつものように、私の足元に深く黙して存在し続けていた。私は穴にもう一度蓋を被せ、その上に元通りに石を並べた。

騎士団長がもう二週間近く私の前に姿を見せていないことも、とくに気にはしなかった。本人が言っていたように、イデアにもいろいろと用事があるのだ。時間や空間を超えた用事が。

そしてやがて次の日曜日がやってきた。その日にはいろんなことが起こった。それはとても慌ただしい日曜日になった。

32 彼の専門的技能は大いに重宝された

我々が話をしていると、また別の男が近づいてきた。ワルシャワ出身のプロの画家だった。中背で鷲鼻で、青白い肌の顔に見事に真っ黒な口ひげをはやしていた。(中略)その特徴的な風貌は遠くからでもすぐに目についたし、彼の職業的地位が高いこと(収容所にあって彼の専門的技能は大いに重宝された)は実に明白だった。誰からも一目置かれていた。彼はしばしば私に、自分のやっている仕事について長々しく話をした。

「わたしはドイツ兵たちのために色彩画を描いている。肖像画なんかをな。連中は親戚やら奥さんやら、母親やら子どもたちやらの写真を持ってくる。誰もが肉親を描いた絵を欲しがるんだ。親衛隊員たちは、自分たちの家族のことを感情豊かに、愛情を込めてわたしに説明する。その目の色や髪の色なんかを。そしてわたしはぼやけた白黒の素人写真をもとに、彼らの家族の肖像画を描くのさ。でもな、誰がなんと言おうと、わたしが描きたいのはドイツ人たちの家族なんかじゃない。わたしは〈隔離病棟〉に積み上げられた子供たちを、白黒の絵にしたいんだ。やつらが殺戮(さつりく)した人々の肖像画を描き、それを自宅に持って帰らせ、壁に飾らせたいんだよ。ちくしょうどもめ！」
画家（アーティスト）はこのときとりわけひどく神経を高ぶらせた。

サムエル・ヴィレンベルク『トレブリンカの反乱』

（註）〈隔離病棟〉とはトレブリンカ強制収容所における処刑施設の別称。

〈第1部終わり〉

本作品は書下ろしです。

騎士団長殺し

第1部 顕れるイデア編

著者
村上春樹

発行 2017年2月25日
3刷 2017年3月5日

発行者 佐藤隆信
発行所 株式会社新潮社
〒162-8711
東京都新宿区矢来町71
電話 編集部03(3266)5411
読者係03(3266)5111
http://www.shinchosha.co.jp

印刷所 錦明印刷株式会社
製本所 加藤製本株式会社

乱丁・落丁本は、ご面倒ですが小社読者係宛お送り下さい。
送料小社負担にてお取替えいたします。
価格はカバーに表示してあります。

ISBN978-4-10-353432-7 C0093